KB197950

還生鏢師

환생표사 2

1판 1쇄 발행 | 2022년 12월 30일

펴낸이 | 권태완 우천제
펴낸곳 | (주)케이더블유북스
편집자 | 한준만, 박병권, 이다혜
디자인 | 정예현

출판등록 | 2015-5-4 제25100-2015-43호
KFN | 제3-10호

주소 | 서울시 구로구 디지털로31길 38-9, 401호
전화 | 070-8892-7937 **팩스** | 02-866-4627 **E-mail** | fantasy@kwbooks.co.kr

ISBN 979-11-404-1039-2 04810
979-11-404-1037-8 (set)

환생표사
2
신갈나무
신무협 장편소설

차례

1장
공주의 호위무사

표왕부의 장로회의는 시작되기도 전부터 긴장감이 감돌았다. 사람들은 모두 머릿속으로 각자의 주판을 굴리느라 여념이 없었다.

"시작하시죠."

"오늘은 좋은 소식과 더 좋은 소식이 있습니다."

"이번엔 진짜 좋은 소식 맞습니까?"

"어찌 그러십니까?"

"회의도 시작하기 전에 목석처럼 굳은 장로들의 얼굴을 보니, 오늘도 대장궤께서 반어법을 쓰시나 해서 그렇습니다."

"반어법이라뇨. 저는 언제나 있는 그대로 말했을 뿐입니다. 다만 장로회의에서 항상 그걸 뒤집어 버렸지요. 좋은 일도 나쁜 일로. 나쁜 일은 더 나쁜 일로요."

이종산과 손지백의 주고받는 일침에 오당 당주들이 '험험' 헛기침을 하며 어색하게라도 표정을 풀었다.

"좋은 소식부터 가시죠."

"첫 번째 안건은 월성교 구역의 주루와 기루들에 관한 것입니다. 금룡표국이 그동안 절반의 비용으로 추진하고 있던 계약들을 전부 무산시켰다고 합니다. 아무래도 이화원을 빼앗긴 것이 큰 타격을 준 것 같습니다."

"애초에 그렇게 공격적인 계약을 했던 것은 일단 영역을 넓힌 후 나중에 추수를 하겠다는 뜻이었는데, 그때까지 버틸 자금원이 끊어졌으니 발을 뺄 수밖에요."

곽석산이 통쾌하다는 듯 말했다. 총표두인 그는 일선에서 일을 하는 경우가 드물었다. 해서 본격적인 회의가 시작되면 거의 말을 안 했다. 대신 초반에 이렇게 한두 마디 추임새를 넣는 것으로 분위기를 돋우었다.

"덕분에 녹원루와 다른 주루의 루주들도 전부 마음을 돌렸다고 합니다. 마치 이리를 쫓았더니 집 나간 양 떼들이 전부 돌아온 것 같습니다그려. 껄껄껄."

자신들이 관리하는 구역에서 벌어진 일들을 말하고 있는데도 이갑룡과 을룡은 조용했다. 자신들의 힘으로 이룬 것이 아니니 할 말이 없는 것이다. 그렇다고 풀이 죽었다고 생각하면 오산이다. 전생에서 지켜봐 아는데 저 인간들은 그렇게 호락호락하지 않다.

"강룡당주와 복룡당주는 루주들을 만나보았는가?"

"예. 만나보았습니다."

"예. 만나보았습니다."

"방심하지 마라. 금룡표국이 아니어도 월성교 구역을 넘보는 표국이나 무림문파들은 차고도 넘친다. 이번 일에서도 보았겠지만, 위기를 느꼈을 땐 이미 늦은 것이다."

"명심하겠습니다."

"네, 명심하겠습니다."

둘 다 씩씩하게 대답은 하는데, 그걸 바라보는 이종산의 표정은 어쩐지 탐탁지 않았다. 그러다 슬그머니 나를 돌아본다. 마치 비교를 하듯.

눈이 마주치는 순간 나는 조용히 고개를 숙였다. 아무리 믿음직스럽지 않다고 해도 이갑룡과 을룡은 그가 첫 번째와 두 번째로 본 자식이다. 젊은 이종산으로 하여금 아비의 지극한 기쁨과 감동을 알게 해준 존재들.

몇 번의 실수를 했다고 해서 자식을 아끼는 마음이 미움으로 바뀌지는 않는다. 오히려 더 안타깝고 안쓰러울 것이다. 이럴 때일수록 나는 겸손한 모습을 보여야 한다. 물론 손해를 보면서까지 그럴 생각은 눈곱만큼도 없지만.

"두 번째 안건은 이화원 보호에 관한 것입니다."

이화원이라는 말에 장로들의 얼굴에는 묘한 감정들이 나타났다가 사라졌다. 특히 이갑룡, 을룡, 병룡의 표정은 복잡하기 이를 데 없었다. 마치 지금부터 일어나게 될 격전을 예고하는 것 같았다.

"일단 현 상태는 오당에서 각출한 표두 세 명과 표사 스무 명이 파견되어 있습니다. 하지만 이건 어디까지나 임시일 뿐, 속히 모든 걸 책임지고 전담할 당을 정해야 합니다."

"그거라면 갑론을박할 필요가 없을 듯합니다."

적룡당주 양진각이 첫 번째로 운을 뗐다.

"일전에 청룡당주께서도 언급했지만, 이 모든 일의 시작은 십칠각주의 한마디였고, 계약 역시 오롯이 그가 기지를 발휘해 따낸 것입니다. 하니, 이화원을 맡아서 보호할 곳도 당연히 십칠각이어야겠지요."

"십칠각엔 표사가 단 한 명도 없지 않습니까?"

이을룡이 뜻밖이라는 듯 물었다.

"십칠각이 다른 당이나 각에 지원을 요청하는 형식을 취하면 아무런 문제가 없소이다. 큰 계약 건이 있을 때는 지금까지 늘 그래왔고."

"그거야 내가 전담을 하다가 인원이 부족하여 다른 당에서 보충을 할 때의 이야기지요. 지금의 상황과는 전혀 다릅니다."

"그런 논리라면 십칠각주는 앞으로도 오로지 표사의 자격으로 다른 당과 각의 표행에 동참만 해야 할 뿐, 그 어떤 일도 독단적으로 맡지 못할 것이오. 그렇다면 구태여 십칠각을 차지하고 있을 이유가 무엇이오?"

"저는 지금 짊어질 수 있는 크기를 말하는 것입니다. 염소 한 마리에게 양곡이 산더미처럼 실린 수레를 앞에서 끌라면서 정작 수레를 끌던 다섯 마리의 황소들에게는 뒤에서 밀라고 하는 격이 아닙니까? 수레가 제대로 굴러가겠습니까?"

"그 염소가 모두 불가능할 거라고 생각했던 수레를 우리 천룡표국 앞까지 끌고 왔다는 사실을 간과해선 안 될 것이외다."

"그러니 더욱 안 될 말이지요. 진왕과 이화원을 보호하는 것은 천룡표국 전체의 일이지 결코 십칠각 한 곳의 일이 아닙니다. 그리고 십칠각 역시 천룡표국의 일부이고요."

장로회의가 열리기도 전부터 사람들이 머릿속으로 열심히 주판을 굴린 이유가 바로 이것이었다. 천룡표국이 다른 표국과 경쟁하는 것처럼, 오당과 십육각 역시 천룡표국 내에서 서로 치열하게 경쟁한다. 천룡표국에게 진왕과 이화원을 보호했다는 간판이 필요한 것처럼, 오당에게도 진왕과 이화원은 그야말로 좀처럼 오지 않을 기회였다.

많은 주루와 기루, 혹은 부유한 장원들이 천룡표국에 보호를 의뢰하지 않는다. 천룡표국 내 특정한 당을 지정해서 의뢰를 한다. 심지어 특정한 당 중에서도 특별히 어떤 표두와 어떤 표사로 해달라고 요구를 하는 의뢰인들도 많았다.

만약 천룡표국 내 특정 당이 항주 최고의 원림인 이화원에서 진왕과 일가족을 보호했다는 사실이 알려지면 그 효과는 돈으로 환산할 수 없다. 이게 사실상 나 때문에 월성교의 주루들을 지킨 이을룡이 얼굴에 철판까지 깔고서 저리 필사적으로 항변하는 이유다.

한데 양진각은 왜 나를 옹호해 주는 걸까? 이을룡과는 또 왜 저렇게 각을 세우고. 사실 그는 나와 별로 교감이 없었다. 전생에서도 그는 이을룡의 사람이었다. 지금쯤이면 이미 반쯤 넘어간 상태일 텐데…….

"하면 복룡당주는 어떻게 했으면 좋겠소?"

"이번 계약을 따낸 일등공신이 십칠각이라는 것은 누구도 부인하지 못할 것입니다. 그러나 중심에 황룡당이 있었음을 잊어선 안 됩니다. 표두들을 동원하여 황소 떼와 싸운 것도, 진왕과 만날 수 있도록 친분을 이용해 물꼬를 튼 것도 모두 황룡당주께서 하신 일입니다."

"그 말은?"

"전 황룡당에게 이화원의 보호를 맡겨야 한다고 생각합니다."

이을룡은 스리슬쩍 나를 어디까지나 보조자에 불과한 일등공신으로 끌어내리고, 대신 황자충을 주동자로 격상시켰다. 아마 장로회의 전에 미리 황자충을 찾아가 열심히 회유했을 것이다. 내가 적극적으로 황룡당을 밀어줄 테니 복룡당과 함께 이화원으로 들어가자고. 그러나 정작 당사자인 황자충은 무슨 생각을 하는지 조용히 눈을 감고 있었다.

그도 진왕과 이화원이라는 간판이 욕심나는 것인가? 만약 그렇다면 좀 실망인데.

"황룡당의 공이야 이루 말할 수가 없지. 진왕과의 친분을 봐도 그렇고 황룡당이 이화원을 보호하는 일에서 배제된다는 건 당연히 말이 안 되오. 다만 전면에는 십칠각이 서야 한다는 것이외다."

다시 양진각이 말했다. 순간, 나는 그가 왜 내 편에서 이야기하는지를 알아차렸다. 얼핏 들어보면 나를 옹호하는 것 같다. 그러나 자세히 살펴보면 오히려 그 반대였다.

처음엔 이을룡으로 하여금 반대할 명분을 계속 만들어주고, 지금은 나를 편들어주는 척하면서 오히려 황룡당이 전담 당이 되어야 하는 이유를 역설하고 있다. 왜냐하면, 휘하에 표사를 수십 명씩 거느리지 않는 한 십칠각은 죽었다 깨어나도 진왕과 이화원이라는 큰 먹이를 삼킬 수 없기 때문이다. 반면 복룡당, 황룡당, 적룡당이 함께 나눠 먹기에는 충분히 컸다.

한데 이 와중에 이갑룡은 왜 조용할까? 진왕과 이화원이라는 간판은 그 역시 탐나지 않을 리가 없을 텐데. 이번 판에 끼어들지 않는 조건으로 월성교 구역의 주루 하나쯤 양보받았나?

이병룡은 나처럼 발언권이 없어서 입도 벙긋 못 하고 있었다. 대신

갑론을박이 오고 갈 때마다 침을 삼키고 혀로 입술을 핥아댔다. 끼어들고 싶어서 아주 죽겠는 모양이다. 그도 사람이고, 용혈이고, 모든 각들 중에서 가장 큰 칠각을 가졌는데 왜 판에 뛰어들고 싶지 않겠나.

이종산은 서두만 뗀 이후 조용히 대화를 지켜보았다.

장로회의에 대여섯 번 참석하면서 지켜본 결과 그가 침묵할 때는 두 가지 경우였다. 첫 번째, 자식들이 경험 많은 노장로들과 논쟁을 하면서 무언가 한 뼘씩 더 성장하고 있다는 것을 느낄 때. 두 번째, 어처구니없는 대화들이 오고 가서 어디까지 가는지 한번 지켜나 보자 할 때.

아직은 그의 속마음을 모르겠다. 이제 남은 사람은 내가 가장 무섭게 생각하는 청룡당주였다. 무림맹 군사부 출신답게 머리가 비상한 그는 일단 전생에서는 확실하게 누구의 편도 들지 않았다. 그러나 사안마다 나누자면 수없이 왔다 갔다 했다. 어떤 때는 이갑룡의 손을 들어주고, 어떤 때는 이을룡을 가마에 태워주었으며, 또 어떤 때는 형들이 파놓은 함정에 빠진 이병룡을 구해주기도 했다.

유지평의 이런 솜씨를 잘 알기에 이갑룡, 을룡, 병룡은 아예 자기 사람으로 만들려고 엄청난 공을 들였었다. 마치 제갈량을 얻으려는 유비처럼.

물론 나의 이런 판단들은 전부 전생에서 표사들이 하는 얘기를 듣거나, 전립성과의 대화 중에 넘겨짚거나, 표국이 돌아가는 분위기로 미루어 짐작한 것들이다. 그러니 내가 모르는 내밀한 관계는 얼마든지 있을 수 있다.

"청룡당주의 생각은 어떠십니까?"

양진각이 물었다. 사람들의 시선이 유지평을 향했다. 그의 논리가 무서운 줄은 모두가 알기에 관심이 집중됐다.

유지평은 빙그레 웃으며 말했다.

"그것보다 계약서는 다들 보셨습니까?"

대화를 나누던 사람들은 잠시 어리둥절한 표정을 지었다. 유지평의 말이 선뜻 이해가 가지 않았기 때문이다.

이을룡이 물었다.

"그거야 대장궤께서 가지고 있지 않겠습니까?"

"그러니까 그걸 보았는지 묻는 것이오."

"그게 왜 중요한 겁니까?"

"이화원으로 가서 남경상단주와 계약을 한 사람이 십칠각주이기 때문이오. 만약 내가 계약을 하러 갔다면 이화원을 전담하는 당으로 청룡당을 특별히 지정해 달라고 요청했을 것이오. 당연히 여러분도 마찬가지였을 것이고."

사람들의 표정이 살살 굳어지기 시작했다. 그런 모습을 즐기려는 듯 유지평은 잠시 사이를 두었다가 말했다.

"그런데 보는 과거마다 장원급제를 할 정도로 영민한 십칠각주가 그렇게 안 했을까요? 만약 그렇다면 남경상단주는 과연 그 청을 거절했을까요? 골치 아픈 금룡표국을 떼내고 무려 금전 백 냥이나 아끼게 해 준 사람의 청인데?"

이갑룡, 을룡, 병룡, 양진각 그리고 마지막으로 눈을 감고 있던 황자충까지. 한꺼번에 나를 바라보았다. 그러고는 약속이나 한 것처럼 손지백을 또 바라보았다.

"험험."

손지백이 헛기침을 하더니 소맷자락에서 계약서를 주섬주섬 꺼내고는 특정한 구절을 찾는 듯 눈을 크게 떴다.

"뭐라고 씌어 있습니까?"

이을룡이 조급함을 참지 못하고 물었다.

"청룡당주의 말이 맞네. 남경상단주가 천룡표국 내에서도 특별히 십칠각이 이화원을 전담해 보호해 줄 것을 조건으로 달았네."

"남경상단주가 미치지 않고서야 왜……."

이을룡이 흥분을 참지 못하고 소리를 질렀다가 자리가 자리인지라 서둘러 뒷말을 삼켰다. 이런 의구심은 사실 매우 합당한 것이었다. 제아무리 십칠각이 계약에 주도적 역할을 했어도 가진 힘이 없으니 남경상단주 입장에서는 함부로 진왕과 그 가족의 보호를 맡길 수가 없다. 이을룡이 지금까지 짠 모든 계획은 바로 이런 전제에서 출발했다.

장로회의가 시작되기 전부터 바깥에서 물밑 작업을 했던 사람들은 모두 공황 상태에 빠져 버렸다.

잠시 흥분을 가라앉힌 이을룡이 손지백에게 따지듯 물었다.

"한데 왜 이걸 안건에 올린 겁니까?"

"십칠각엔 표사가 단 한 명도 없기 때문이네."

"하지만 계약서에는 전담 당으로 이미 십칠각을 정해놓았지 않습니까?"

"진왕과 이화원을 보호하는 일은 천룡표국 전체의 일이지 결코 십칠각 한 곳의 일이 아닐세. 십칠각 역시 천룡표국의 일부분이고."

이을룡이 양진각에게 내세웠던 논리를 손지백이 그대로 두 번이나 돌려주었다. 그의 말에서 무언가 희망을 읽은 이을룡이 재우쳐 물었다.

“계약서에 십칠각으로 정해져 있더라도 무시하겠다는 말씀입니까? 과거처럼 십칠각이 오당에 지원을 요청……. 하는 형식을 취하지 않고요?”

“그거야 내가 충분한 역량이 있어서 전담을 하다가 인원이 부족할 때 다른 당에서 보충을 하는 것이지. 지금 상황과는 전혀 다르네.”

이제는 아예 바뀌어서 양진각이 했던 말을 이을룡이 하고, 그걸 다시 손지백이 이을룡이 했던 말로 반박하고 있었다. 그야말로 혼돈의 도가니탕이었다.

이을룡은 뒤늦게 뭔가 이상하다는 걸 알아차린 얼굴이었지만, 손지백의 말이 결코 자신에게 불리한 것이 아닌지라 영문을 몰라 했다. 그를 늪에서 구해준 건 양진각이었다.

“그래서 대장궤께선 어찌 생각하신다는 겁니까?”

“이제부터 당신들이 그걸 의논하고 답을 내놓아야지. 그런 일 하라고 당주 자리에도 앉혀 주고 장로회의에까지 불렀는데.”

말 속에 은근한 꾸짖음이 있었다. 양진각은 대번에 합죽이가 되어버렸다.

손지백이 유지평에게 물었다.

“청룡당주의 생각은 어떠신가?”

“이거야말로 당사자에게 물어봐야 하지 않을까요? 도대체 무슨 배짱으로 계약서에 표사 한 명 거느리지 않은 자신의 각을 써넣었는지 말입니다.”

“하기사 그것도 그렇군.”

돌고 돌아서 모두의 시선이 결국 내게로 집중되었다. 처음부터 그렇게 물었으면 서로 민망하지 않고 좋게 끝냈을 것을.

"십칠각주에게 발언권을 주겠네. 아무래도 자네가 이 일에 관해 설명을 해주어야겠군."

"복룡당주의 말씀이 매우 합당하다고 생각합니다. 제가 계약을 하는 데 결정적 공을 세운 것은 사실이나, 표사 한 명 없는 십칠각이 이 화원을 전담할 수는 없는 노릇이지요. 애초에 가능하지도 않을뿐더러, 그랬다간 강호인들의 비웃음만 살 것입니다."

"하면 다른 당에 양보를 하겠다는 뜻인가?"

"물론입니다."

"어디에?"

"그거야 당연히 황룡당이지요. 이유는 앞서 두 분 당주님들께서 충분히 말씀하셨기 때문에 굳이 중언부언하지 않겠습니다."

"십칠각에서 전담을 하되 황룡당에 지원 요청을 하는 것이 아니고, 아예 황룡당에 전부 넘기겠다?"

"그렇습니다."

"한데, 왜 계약서에는 십칠각을 특정해 썼을꼬?"

"주루나 장원과 보호 계약을 주재한 당과 각은 전체 보호비의 절반에 대한 권리가 있는 것으로 압니다. 이번 계약은 금전 이백 냥짜리이니 계약을 주재한 십칠각의 각주로서 그 절반인 백 냥에 대한 소유권을 주장하는 바입니다."

"……!"

"……!"

"……!"

"여우가 이제야 본색을 드러내는군. 푸하하!"

손지백은 한바탕 광소를 터뜨렸다. 이번엔 누가 따라 웃든 말든 상관 않고 제 성에 찰 때까지 실컷 웃어젖혔다.

그러다 어느 순간 웃음을 뚝 그치며 말했다.

"그거야 이화원 보호를 십칠각이 전담했을 때 이야기지. 재주는 황룡당에서 부리고 돈은 십칠각에서 챙겨가겠다고 하면 쓰나."

본시 표행이든 장원 보호든, 의뢰가 들어오고 표비를 받으면 6할은 표국에서 가져가고, 나머지 4할은 그 일을 한 당이나 각이 가져가 살림을 꾸린다. 그러나 일의 순서가 바뀌어 당이나 각이 계약을 따오면 계약을 주재한 곳에서 5할, 즉 무려 절반을 가질 수 있다. 이는 그 계약을 따온 당과 각이 일도 함께 처리한다는 것을 전제로 했다. 지금까지는 계속 그래왔기에 아무런 문제가 없었다.

"그 돈을 십칠각에서 황룡당에 주겠다는 뜻입니다. 액수는 절반인 금전 오십 냥 정도로 생각하고 있고요."

"……!"

이게 내 진짜 목표다. 대외적인 영광은 황룡당이 가져가고 실리는 내가 챙기고. 참고로 금전 오십 냥이면 중급 표사 열 명을 일 년 동안 고용하거나 암말을 백 마리 정도 살 수 있는 거액이었다.

"아, 그리고 한 가지 더 조건이 있습니다. 황룡당에서 절 이화원을 보호하는 일에 표사로 써주는 겁니다. 액수는 황룡당의 신입표사와 똑같이 받겠습니다."

손지백도, 다른 사람들도 한동안 말을 잇지 못했다. 이화원을 보호하는 곳에서 당연히 돈도 전부 가져가는 거라고만 생각했다가 제대로 뒤통수를 맞았기 때문이다. 이갑룡, 을룡, 병룡의 얼굴이 그냥 죽상이었다.

황룡당이 이화원 보호를 맡게 된 것은 좋은 일이나, 그 대가가 금전 오십 냥으로 떨어진다면 자신들이 비집고 들어갈 틈이 없다. 금전 오십 냥은 십칠각 같은 작은 조직에게는 엄청났지만, 황룡당 같은 큰 조직에게는 혼자 먹기에도 빠듯한 액수였다. 물론 진왕과 이화원 보호라는 간판이 지닌 매력은 여전히 엄청나지만 말이다.

"아무래도 장로회의가 끝난 듯싶습니다만."

유지평이 히죽히죽 웃으며 말했다.

장로회의의 시작과 끝은 이종산이 결정한다. 모두의 시선이 이종산을 향했다. 그가 황자충에게 물었다.

"황룡당에서는 받을 것인가?"

황룡당으로서는 전혀 손해 볼 것이 없다. 오히려 자기들도 좀 끼워달라며 귀찮게 구는 똥파리들을 치워 버릴 명분도 내가 만들어줬다. 만약 황룡당이 다른 두 당과 손을 잡았더라면 자신들이 챙길 수 있는 수익은 서른세 냥으로 떨어져 버렸을 것이다.

물론 나눠 먹으니 동원되는 표사의 숫자도 그만큼 줄기는 한다. 그러나 일거리가 없어서 문제지 표사야 항상 남아돈다. 혼자 먹을 수 있다면 혼자 먹는 것이 백번 낫다. 무엇보다 진왕과 이화원을 보호했다는 간판도 황룡당이 독차지하고.

나를 돌아보는 황자충의 얼굴에 온갖 복잡한 감정이 어린다. 나는 조용히 웃으며 고개를 끄덕여 주었다. 아무 생각 말고 받으시라는 뜻이다.

이윽고 황자충이 말했다.

"모두가 양보를 해주신다면, 황룡당에서 맡아 최선을 다하겠습니다."

"됐군. 이만 끝내지."

자리에서 일어나 돌아서는 이종산의 입꼬리가 살짝 말려 올라가는 걸 나는 놓치지 않았다. 첫째와 둘째 자식이 헛발질하는 건 안타깝지만, 넷째 자식이 기지를 발휘하는 건 또 그것대로 즐겁고 기특한 것이다.

황자충과 함께 말을 타고 이화원으로 향하는 길이었다. 조금 떨어진 곳에서는 표두 세 명과 중무장한 표사 서른 명이 역시나 말을 탄 채 따르고 있었다.

"섭섭하지 않았나?"

"무엇이 말입니까?"

"어제 장로회의에서 있었던 일 말이네."

"무슨 일이라도 있었나요?"

"나는 우리가 이번 일을 겪으면서 제법 교감을 했다고 생각했었네. 한데 이렇게 울타리부터 치는 걸 보니 확실히 섭섭했나 보군."

"울타리는 당주님께서 먼저 치지 않으셨던가요?"

"섭섭했네. 했어."

"섭섭했다기보다 솔직히 좀 실망했습니다. 이화원이 탐나셨다면 차라리 제게 먼저 털어놓으시지 그러셨습니까? 그랬다면 그림이 지금보다 훨씬 좋았을 텐데 말입니다."

"장로회의가 열리기 전날 밤 자화부인께서 날 찾아오셨네. 자네의 둘째 형님인 복룡당주에게 힘을 실어달라더군."

"……!"

이종산에게는 세 명의 정실부인이 있었다. 첫 번째 부인은 배꽃을 좋아해 본인의 거처에 배나무를 잔뜩 심고 스스로 이화각(梨花閣)이라 이름까지 지었다. 그러자 이종산이 그녀에게 이화부인이라는 별칭을 주었다. 그 후 이화부인은 그녀를 부르는 공식 호칭이 되었다.

두 번째 부인과 세 번째 부인의 거처에는 특정한 꽃보다는 각각 자줏빛 꽃과 사철 푸른 나무들이 주로 심겨 있었다. 들리는 말에 의하면 두 사람 모두 처음엔 하인들로 하여금 이것저것 잡다하게 꽃을 심고 가꾸게 했단다. 그러나 다른 부인들의 전각에 핀 것과 같은 색의 꽃이 피는 꼴을 못 봤고, 급기야 세 번째 부인은 아예 꽃이 없는 대신 사철 푸른 나무들로만 심었다고 했다.

이후 천룡표국 내에서 그녀들의 공식적인 호칭은 자신들의 의지와 상관없이 자화부인과 청화부인이 되었다. 첫 번째 부인이 일종의 규칙을 만든 것이다.

전날 밤 황자충을 찾아갔다는 자화부인은 이을룡의 친모였다. 그녀의 친정은 소흥 일대에서 명성을 날리는 자강상단(紫江商團)이었다. 자강상단은 또한 대륙 제일의 상인집단이라는 휘상(徽商), 즉 휘주상인들 중 한 곳이었다.

"아는지 모르겠네만, 황룡당의 일 년 수입 중 2할이 강남의 휘주상인들에게서 나오네. 나로서는 자화부인의 청을 거절하기가 어려웠네. 아마 앞으로도 그럴 것이고."

"회유를 한 줄 알았더니 협박을 했군요."

나는 장로회의 때 황룡당주가 아무 말도 못 한 채 눈만 감고 있었던 이유를 비로소 알 것 같았다.

솔직히 말하면 부인들의 존재를 잠시 잊고 있었다. 평소에는 거의 모습을 드러내지 않지만, 언제라도 지금처럼 물밑에서 막강한 영향력을 행사할 수 있는 사람들이 바로 세 명의 부인들이었다.

이갑룡, 을룡, 병룡의 진짜 힘은 어머니들, 조금 더 정확하게 말하면 그들의 외가에서 나온다. 절강성을 주름잡는다는 천룡표국의 장남, 차남, 삼남의 힘이 외가에서 나온다는 사실이 참으로 역설적이었다.

"세 명의 부인들께서 자네를 유심히 지켜보고 있다고 하네. 조심하게. 그분들이 마음을 먹어서 하지 못한 일이 아직까지 없었다네."

"이런 얘기를 왜 제게 해주시는 겁니까?"

"이화원을 잘 포장해서 통째로 건네준 것에 대한 값이라고 해두지. 사실 자네의 두뇌라면 내가 말해주지 않았어도 충분히 짐작했겠지만 말일세."

한 가지는 확실하게 알았다. 자화부인이 밤에 직접 찾아가 협박을 해야 할 정도라면 황룡당주는 아직 이을룡의 사람이 아니라는 것이다.

이화원에 도착했을 때는 노지량이 일찌감치 진왕의 처소를 찾아와 차를 마시며 담소를 나누고 있었다.

"자객은 잡았소이까?"

노지량이 대뜸 황자충에게 물었다. 자기가 무슨 진왕의 측근이라도 되는 양 하문하는 모습이 꼴불견이었다.

"소 떼의 주인을 찾아 소를 산 자들을 수소문하고 있습니다. 화살도 회수해 궁시장(弓矢匠-화살 만드는 장인)도 알아보고 있고요. 화살은 아무래도 항주의 것이 아닌 듯합니다."

"너무 애써 찾으려 하지 마십시오. 정말로 내 목숨을 노린다면 언젠가 제 발로 또 찾아오지 않겠습니까?"

"전하께서는 자객이 두렵지 않으십니까?"

진왕의 말에 노지량이 물었다.

"자객이 두렵지 않은 사람이 어디 있겠습니까? 다만 황족으로 살다 보니 일상처럼 되어버린 것이지요. 하하."

용은 동굴 안에 웅크리고 있어도 그 기운이 온 호수에 뻗친다고 했다. 진왕이 딱 그랬다. 그는 젊고 영민한 데다 대범하기로 황족들 사이에서도 정평이 나 있었다.

용이 있으면 이무기도 있는 법. 진왕의 그런 인물됨을 위험하게 여기거나 나아가 대립하는 정적들도 많다고 들었다. 이틀 전 찾아온 자객도 아마 그런 정적들 중 누군가가 보냈을 것이다.

한데 진왕은 두려운 기색이 전혀 없었다. 추측하건대 진왕은 자객이 누군지는 몰라도, 그 자객을 보낸 사람이 누군지는 짐작하는 것 같았다. 적을 알면 두렵지 않은 법이다.

"밤하늘에 북극성이 있어 모든 별들이 주변으로 모여든다고 하더니, 과연 호방하십니다. 전하."

노지량이 감탄스러운 표정을 지었다. 상계에서 평생을 갈고닦은 혓바닥이 재주를 부리는 순간이었다.

한데 진왕의 표정이 갑자기 굳었다.

"남경상단주께서는 말을 조심하십시오. 북극성은 황제의 별, 다른 사람을 함부로 북극성에 비유하는 것은 황상께도, 그리고 당사자에게도 매우 결례가 되는 말입니다."

"죄송합니다. 전하."

노지량이 살짝 놀라는 척하며 머리를 조아렸다.

저 노인네가 그걸 몰라서, 혹은 진왕이 화낼 거라는 걸 모르고 저런 소리를 했을까? 천만의 말씀이다.

황자충이 분위기도 바꿀 겸 화제를 돌렸다.

"오늘부터 제가 이끄는 황룡당의 노련한 표사 서른 명이 이화원에 머물며 전하와 두 분 마마를 모실 것입니다."

"여러모로 폐를 끼치게 됐습니다."

"지난 10년 동안 전하를 멀리서만 뵈었는데, 이렇게 가까이에서 모실 수 있게 되어 영광입니다."

"그럼 이 공자는 어떻게 되는 겁니까?"

"그도 당분간은 함께할 것입니다."

"최선을 다하겠습니다. 전하."

"나야말로 잘 부탁하겠네. 두 사람이 이렇게 힘을 써주겠다고 하니 든든합니다. 하하."

"그런데 서른 명이면 너무 적은 것 아닙니까?"

갑자기 끼어든 사람은 노지량이었다. 눈동자가 뱀처럼 번뜩이는 것이 왠지 불길했다.

황자충이 웃으며 말했다.

"표두도 세 명이나 있습니다. 그리고 모두 10년 이상 경력의 노련한 표사들이니 안심하셔도 됩니다."

"서른 명이라고 해도 밤낮으로 나누어 교대를 해야 할 터이니, 실제로 번을 서는 표사는 열다섯 명에 불과할 것 아닙니까?"

"그래서 전부가 이화원에서 머무는 것입니다. 언제든 호각 소리가 울리면 휴식을 취하던 표사들이 재빨리 합류할 수 있게 말이지요. 해서 말씀인데 표사들의 숙소를 전하와 마마들의 숙소와 최대한 가까운 전각으로 마련해 주십시오."

"천룡표국에 이화원의 보호를 맡긴 첫 번째 목적은 자객을 잡는 것이 아닙니다. 전하와 두 분 마마께서 안전하고 편안하게 지내실 수 있도록 사전에 경계를 철저히 해달라는 것이지요. 한데 호각이 울리면 잠자던 표사들이 재빨리 합류할 거라고요?"

노련한 황자충이 화제를 다른 곳으로 돌려보려 했다. 하지만 더 노련한 노지량은 꽉 붙들고 놔주지를 않았다.

"금룡표국에서도 표사는 서른 명이었던 것으로 압니다. 단주님의 우려는 충분히 알고 있으니 너무 심려치 마시기 바랍니다."

"그거야 자객의 기습이 없었을 때의 이야기지요. 지금은 불과 이틀 전에 불미스러운 일이 있었고 말입니다. 아직 자객이 돌아다니는 데다 심지어 전하께서 이끌고 오신 사병들 중 상당수가 부상까지 당했습니다. 당연히 증원이 필요하지 않겠습니까?"

본래 상단에도 무사가 있다. 다만 표국이나 무림문파처럼 칼을 생업으로 하지 않다 보니 대단한 고수가 필요치 않을 뿐이다. 표국의 보호를 받을 걸 알면서도 진왕이 사병을 대동하고 온 것처럼, 남경상단에서도 해마다 겨울이 되면 이화원 경호를 위해 상단의 무사 스무 명 정도를 파견시켜 놓는다. 이들의 무공 수준은 대부분 이류에 불과하고, 이화원 내의 여러 길목을 지키거나 횃불을 들고 밤에 번을 도는 정도로 쓰인다. 천룡표국에서 표사들을 서른 명으로 확정한 것은 이런 상단 무사들의 배치들을 전제로 한 것이었다.

그런데 남경상단주의 입장에서 보면 이게 꽤 돈이 들어가는 일이었다. 다른 곳에 쓰여야 할 무사를 이화원으로 데려다 놓으니, 다른 곳에서는 오히려 외부의 무사들을 고용해야 하기 때문이다. 이 수전노 같은 노인은 지금 그 비용을 아끼려고 은근슬쩍 표사들의 증원을 요구하고 있는 것이다.

방법은 간단하다. 보호비를 더 받으면 된다. 하지만 황자충의 입장에서는 옛친구를 자처하며 차마 진왕이 보는 앞에서 돈 얘기를 꺼내기가 쉽지 않다. 노지량은 그걸 또 교묘하게 이용하는 것이고.

똥 누러 갈 때와 올 때의 마음이 다르다더니. 금전 백 냥을 아끼게 해준 게 불과 이틀 전인데 배은망덕도 유분수지.

"알겠습니다. 증원을 심각하게 고려해 보겠습니다."

"역시 이해하실 줄 알았습니다. 껄껄껄."

"남경상단주께서 저를 걱정해 주시는 마음에서 그런 것입니다. 황 노야께서는 너무 무리하지 않으셔도 됩니다."

"아닙니다. 전하. 남경상단주의 말씀에도 일리가 있습니다. 우선은 이대로 진행하되 상황을 보아 증원토록 하겠습니다."

사실 몇 명 더 증원하는 것은 어렵지 않다. 진왕이라는 간판을 이용해 얻을 이득에 비하면 크게 손해날 일도 아니고. 다만 앞으로도 계속

저 상계의 늙은 독사에게 놀아날 생각을 하니 약이 바짝 오른다.

금룡표국은 진왕비와 혈연관계로 맺어진 터라 제아무리 노지량이라고 해도 함부로 어쩌질 못했을 것이다. 하지만 천룡표국은 그런 끈끈한 유대가 없으니 얕잡아 보고 저러는 거다. 오늘은 표사들의 증원을 요구하지만, 다음에는 또 무엇을 트집 잡아 제 잇속을 챙기려 할지 모른다.

'저 영감탱이 입을 어떻게 틀어막는다.'

그때 문밖에서 인기척이 들렸다.

"아바마마. 소녀이옵니다."

"들어오너라."

잠시 후, 공주가 시비들을 잔뜩 앞세우고 들어왔다. 시비들의 양손에는 사람들의 머릿수에 맞춰 소반이 하나씩 들려 있었다.

"이게 다 무엇이냐?"

"반가운 손님들이 오셨다고 하여 소녀가 만두를 조금 만들어보았습니다. 술은 북경에서부터 가져온 즉묵노주(卽墨老酒)입니다. 날씨가 쌀쌀하여 은근한 숯불에 데웠고요."

"즉묵노주도 공주가 직접 빚은 것이냐?"

"그렇사옵니다."

"이 늙은이가 복이 많아 올해도 어김없이 공주마마께서 손수 빚으신 술을 맛볼 수 있게 되었군요."

노지량이 말했다. 놀랍게도 공주는 해마다 직접 빚은 술을 가져온 모양이다. 직접 빚을 정도면 그 솜씨가 어떨지 매우 기대됐다. 벌써부터 군침이 돈다.

각자의 자리에 즉묵노주 한 병과 만두가 놓였다.

진왕을 시작으로 모두가 술부터 한 잔씩 따라 마셨다. 그 모습을 공주는 잔뜩 기대 어린 표정으로 바라보았다. 특히 나를 뚫어지게 보고 있었다.

술잔을 꺾고 따뜻한 술이 목구멍으로 넘어가려는 순간 나는 속으로 움찔 놀랐다. 하지만 공주와 눈이 마주치자 아무렇지도 않은 척하며 그대로 꿀꺽 넘겼다.

'이건 그냥 따뜻한 물인데.'

진왕도, 황자충도 조용히 마시기만 했을 뿐 별다른 반응은 보이지 않았다.

노지량이 겨우 짧게 한마디 하고 말 뿐이었다.

"으음, 좋군요."

"만두도 한 점씩 드셔보세요."

모두 젓가락을 들고 만두를 집었다.

만두를 입안에 넣고 한입 씹는 순간 나는 하마터면 그대로 뱉을 뻔했다. 확 하고 터져 나오는 돼지고기 누린내가 너무 역했다. 아무래도 돼지고기를 충분히 익히지 않은 것 같았다.

진왕과 황자충은 이번에도 표정의 변화 없이 오물오물 잘 씹어 먹었다. 나는 두어 번 씹는 척하다가 꿀꺽 삼켰다. 만두가 목구멍으로 넘어갔는데도 누린내가 식도를 타고 스멀스멀 올라오는 것 같았다.

"은은한 고기 향이 입안 가득 퍼지는군요. 맛있습니다. 공주마마."

"감사합니다."

공주는 노지량의 말은 듣는 둥 마는 둥 하고 내게서 시선을 떼지 않았다. 왠지 내가 대답을 해야만 놓아줄 것 같은 분위기다.

"아침을 미처 못 챙겨 먹었는데 마침 잘됐군요. 술과 함께 먹으니 정말 잘 어울리는 것 같습니다. 마마."

배가 고프니까 먹는 거다. 술이 없으면 못 먹을 것 같다. 술의 힘을 빌려 겨우 삼키는 거다…… 대충 이런 뜻이다.

그러자 공주가 살짝 놀라며 말했다.

"아직 식전이셨군요. 제가 몇 점 더 빚어올까요?"

"아닙니다. 공주마마. 괜찮습니다."

"아니에요. 잠깐만 기다리셔요. 그렇지 않아도 재료가 많이 남았는데 잘됐네요. 기왕 빚는 거 다른 손님들 드실 것까지 넉넉하게 빚어오겠어요."

그러더니 얼른 일어나 잰걸음으로 나갔다. 남은 세 사람의 따가운 시선이 내게로 쏟아졌다. 맛있다고 입에 침이 마르도록 칭찬한 노지량은 윗입술을 파르르 떨었다. 나는 괜히 어깨가 움츠러들었다.

"어려서부터 저택에 갇혀 지내서 그런지 어느 순간 요리에 취미를 붙이더군요. 황족의 여자가 그러면 법도에 어긋난다고 타일러도 보았지만 소용이 없었습니다. 한데 보시다시피 소질이 영……."

나도, 황자충도, 노지량도 차마 아니라는 말은 안 나왔다.

"북경에서도 유명 반점들을 찾아다니며 음식을 맛보고 평하고 집으로 돌아와서는 흉내 내 만들곤 했습니다. 하지만 위험하기도 하고, 또 황실 종친들의 시선이 곱지 않아 열두 살 이후로는 일절 바깥출입을 못 하게 했습니다."

열두 살 이후로 저택 안에만 갇혀 있었다고? 이 말이 사실이라면 공주의 삶이 얼마나 단조롭고 답답했을지 상상조차 할 수 없었다.

"그런 와중에 일 년에 한 번씩 항주로 오면 바깥출입을 허락해 줬더니, 그때부터는 겨울이 오기만을 눈이 빠지도록 기다리지 뭐겠습니까. 항주의 유명 반점들을 찾아다니며 강남의 음식들을 섭렵할 생각에 말이지요."

충분히 이해가 된다. 나라도 그랬을 것이다. 다만 하필 왜 음식에 꽂혔는지는 모르겠지만.

"해서 황 노야께 부탁이 한 가지 있습니다."

"하명하시지요."

"공주가 안전하게 항주의 반점들을 구경하고 다닐 방법이 없겠습니까? 아시다시피 자객의 기습이 있고 보니 매우 조심스럽군요."

"필요하면 숙수들을 불러다 드리겠습니다. 하지만 밖으로 나가시는 건 어렵습니다. 전하."

"밖으로 나가는 이유가 꼭 밥만 먹기 위해서겠습니까? 그리고 쉬운 일이면 부탁이라고 했겠습니까?"

"이틀 전에도 무장한 병력이 오십 가까이 있었지만, 궁수 하나가 부리는 재주를 감당하기 어려웠습니다. 아직 자객이 잡히지 않은 상태에서 시내를 돌아다니시는 것은 극히 위험한 일입니다."

"……?"

진왕의 눈빛이 바뀌었다. 실망의 빛이 아니라 노기다. 화기애애하던 분위기가 순식간에 찬물을 끼얹은 것처럼 싸늘해졌다.

이건 부탁이 아니다. 명령이다. 진왕이 황자충을 친구로 대한다고 해서, 내가 공주의 목숨을 구해주었다고 해서 모든 걸 좋게좋게 넘어갈 거라고 생각하면 오산이다. 진왕이 정의롭고 공명정대한 인물일 거라고 기대하는 것 또한 순진하기 짝이 없는 생각이다. 옳고 그름. 공명정대 이런 건 효율적인 통치를 위해 백성들에게 강요되는 덕목일 뿐. 진왕은 그런 거추장스러운 것들을 초월해 존재하는 사람이다.

무조건 방법을 만들어야 한다. 그것도 장원에서 지내는 것만큼이나 안전한 상태에서 시내를 돌아다닐 방법을.

하지만 어떻게? 공주의 요릿집 탐방을 위해 표사를 수십 명씩 증원할 수야 없지 않겠나. 아무리 진왕이라는 간판이 필요해도 그건 미친 짓이다.

황자충의 미간에 주름이 깊게 팼다.

"난 지금 방법이 없냐고 물은 것입니다. 위험을 무릅쓰고 공주를 밖으로 내보내겠다고 고집을 피우는 것이 아니라. 내가 공주를 사지로 보내려고 할 리가 없지 않겠습니까?"

"송구합니다. 전하."

황자충은 고집을 꺾지 않았다. 공주를 위험에 빠뜨리는 것보다 지금 당장의 진노를 감당하는 게 낫다고 판단한 것이다.

저절로 굽혀진 그의 상체가 측은하다. 지금쯤 등에서 식은땀이 줄줄 흐를 것이다.

황자충을 굽어보는 진왕의 눈동자가 매서웠다.

"알겠습니다. 황 노야께서 그렇게까지 말씀하시니 따라야지요. 내가 왕비와 함께 공주를 설득해 보겠습니다. 그나저나 밖으로 나갈 수 없다고 하면 실망이 이만저만이 아닐 텐데……."

천만다행으로 진왕이 한발 양보해 줬다. 이번엔 이렇게 넘어가지만, 다음번엔 어림도 없을 것이다. 하지만 내 생각엔 달랐다. 이번에도 이렇게 넘어가선 안 된다. 무슨 수를 써서라도 진왕과 왕비의 마음을 사로잡아야 한다.

무엇보다 옆에서 좋은 구경거리라도 난 것처럼 지켜보는 노지량이 너무 얄밉다. 황자충과 천룡표국에 대한 진왕의 신뢰가 옅어질수록 저 늙은 독사가 끼어들 여지는 많아진다. 진왕이라는 권력을 등에 업고 천룡표국에 무슨 행패를 부릴지 모른다.

"방법이 있습니다."

황자충과 노지량이 깜짝 놀라 나를 돌아보았다.

진왕이 반색을 하며 물었다.

"그게 정말인가?"

"황 당주의 말처럼 아직 자객이 잡히지 않았으므로 함부로 외출을 하는 것은 매우 위험합니다. 하지만 그 위험을 크게 낮출 수는 있습니다."

"호오. 그 방법이 무엇인가?"

"하오문이 운영하는 흑점(黑店)에 귀물(貴物)이 하나 있습니다. 은린갑(銀鱗甲)이라는 흉갑인데, 어떤 도검이나 화살로도 뚫을 수가 없지요. 얇고 가벼운 데다 약간의 신축성이 있어 공주마마의 체형에도 얼추 맞을 것입니다."

은린갑은 당연히 내가 지금 입고 있는 용린신갑을 염두에 두고 한 말이다. 다만 용린신갑은 귀물 중의 귀물이라 알려지면 노리는 사람이 있을까 봐 은린갑이라고 고쳐 말했다.

"옷 속에 흉갑을 입어라? 고작 그 정도로 공주의 안전을 보장한다는 얘기였다면 실망이네만."

"거기다 역용에 뛰어난 자를 불러다 얼굴을 남자의 그것으로 바꾸고 유생처럼 변복까지 시켜 누구도 알아볼 수 없도록 해야 합니다."
이건 남궁소소 때문에 떠오른 생각이다.
"성별을 바꾼 역용에 변복까지?"
"마지막으로 암기나 철편(鐵鞭) 혹은 연검(軟劍) 같은 비노출 병기를 귀신처럼 다루는 표사 다섯을 역시 유생으로 변장시켜 동행인 것처럼 밀착 호위케 할 것입니다."
"삼중의 보호막이라. 이제야 좀 그럴듯하군. 황 노야의 생각은 어떠십니까?"
"가장 중요한 것은 자객이 공주마마를 알아보지 못하도록 하는 것입니다. 나머지는 다 사후약방문 격이지요. 만약 제가 알아보지 못할 정도로 역용을 완벽하게 한다면 호위의 총책임자로서 허락하겠습니다."
"이렇게 깐깐하셔서야 원. 하하하."
됐다. 일단 진왕의 기분은 완전히 풀린 것 같다. 그가 다시 내게 물었다.
"가능하겠는가?"
"시간이 다소 걸리더라도 최고의 솜씨를 지닌 역용술사를 찾겠습니다. 다만 한 가지 문제가 있습니다."
"그게 무엇인가?"
"표사의 증원은 황 당주가 공주마마께서 손수 빚으신 술을 드셨으니 술값이라 생각하고 감당하실 것이고, 역용술사의 비용은 역시 제가 맡겠습니다. 문제는 은린갑을 빌리는 값인데……."
나는 말을 하면서 슬그머니 노지량을 곁눈질했다. 내 시선이 가니 진왕과 황자충도 자연스럽게 노지량을 바라볼 수밖에 없다.

노지량이 서둘러 말했다.

"그건 당연히 내가 맡아야지. 얼마면 되겠나?"

"금전 한 냥입니다."

살짝 움찔하는 게 느껴졌지만 노지량은 호쾌하게 말했다.

"알겠네. 염려 말게."

"하루에 그렇습니다."

"……!"

노지량도 이번에는 표정을 감추지 못했다. 내게 무언가 생각이 있음을 눈치챈 황자충이 시치미를 떼고 물었다.

"닷새면 금전 닷 냥이란 말인가?"

"그런 셈이지요."

"단지 빌리기만 할 뿐인데도?"

"목숨을 구하는 물건이기 때문에 그렇습니다. 불경스러운 말씀입니다만, 만에 하나 은린갑 때문에 공주마마께서 횡액을 피할 수 있다면 금전 백 냥도 적은 돈이지요."

"술은 나도 마셨으니 그건 내가 준비하겠네."

진왕이 말했다. 여기서 진짜 진왕이 그 돈을 내도록 하면 노지량은 지금껏 들인 공까지도 전부 도로아미타불이 되어버린다.

"전하, 무슨 그런 섭섭한 말씀을 하십니까? 이화원에 머무시는 동안에 드는 비용은 모두 소인이 감당할 것이니 전하께서는 아무런 신경도 쓰지 마십시오."

"이토록 아름다운 원림에서 지낼 수 있도록 편의를 봐주는 것만으로도 고마운데, 그것까지 부담 지울 수야 없지요."

"부담이라니요. 공주마마를 기쁘게 모시는 일에 고작 금전 몇 냥이 무슨 그리 큰돈이라고. 소인 역시 공주님께서 하사하신 술값으로 흔쾌히 내놓겠습니다. 껄껄껄."

말은 저렇게 하지만 머리에서 쥐가 날 것이다. 공주가 이화원에 머무는 날만 무려 석 달이다. 그동안 외출을 고작 다섯 번밖에 안 하겠나. 하루 이틀 나가보았다가 별일 없으면 사흘 나흘 나가려 할 것이다. 사흘 나흘 나가서 아무렇지도 않으면 엿새 이레 나가려 할 것이고.

설사 자객이 나타나도 문제다. 만약 자객이 나타나고 그 자리에서 표사들이 잡아버리기라도 한다면? 근심이 사라졌으니 그때부터는 시도 때도 없이 나가려 들 것이다. 노지량의 입장에서는 자객을 잡았다고 은린갑을 입지 말자고 할 수도 없는 노릇이다.

나와 눈이 마주치는 노지량의 눈까풀이 파르르 떨린다. 나도 지지 않고 노려보며 눈빛으로 말했다.

'표사를 증원하려면 돈을 내야지!'

그때 밖에서 낭랑한 음성이 들렸다.

"아바마마, 만두를 가져왔습니다."

"……!"

밤늦게 천룡표국으로 돌아온 나는 천무진경의 운기행공법을 통해 두 번의 일주천(一周天)을 한 후에야 비로소 잠들었다. 그리고 새벽같이 일어나 애장산 절벽을 또 두 번 오르고 내렸다. 그런 다음엔 귀영무의 보법 삼백쉰다섯 식을 해가 중천에 뜰 때까지 수련했다. 수련이 끝난 후엔 늦은 아침을 먹고 곧장 십칠각으로 달려가 병기고에서 깡깡 망치질을 시작했다.

장삼이 빗자루를 들고 마당을 쓸러 나왔다가 깜짝 놀라 물었다.

"공자님, 여기서 뭐 하고 계십니까?"

"흉갑 개조하고 있어."

"흉갑은 왜요?"

"사람들이 이 물건의 진짜 가치를 알아보지 못하게 하려고. 혹시라도 소문이 나면 노리는 놈들이 있을까 봐."

"이게 그렇게 대단한 물건입니까?"

"딱 보면 모르겠니?"

"잘 모르겠는데요."

"그렇다면 성공했군."

"예?"

"설광(雪光)은 송진 불에 그을려 죽였다만, 가슴 한가운데 있는 이 동전만 한 용 문양이 문제야. 이걸 아무리 망치로 두들겨 짓이기려고 해도 무슨 놈의 쇠로 만들었는지 생채기도 안 나네. 이럴 때 운철검이라도 있었으면……."

"언제부터 이러고 계셨습니까?"

"반 시진쯤."

"그래서 이 겨울에 땀을 그렇게 줄줄 흘리고 계셨군요. 누가 보면 물에 빠졌다가 나온 줄 알겠습니다. 가서 차라도 좀 내올까요?"

"그래 주면 고맙지."

"잠시만 기다리십시오."

장삼이 빗자루를 홱 집어 던지더니 잰걸음으로 사라졌다. 그사이 나는 잠시 망치를 내려놓고 이마에 흐르는 땀을 닦았다.

"환생을 했어도 남의 돈 먹기는 여전히 쉽지 않네."

비노출 병기를 귀신같이 다루는 표사들은 황자충이 알아서 구해주기로 했다. 용린신갑은 정히 용 문양을 감추지 못하면 대충 역청이라도 발라서 입히면 된다.

"문제는 역용술사인데……."

인피면구로 대체하는 방법도 있다. 그러나 인피면구라는 것이 원래 갓 죽은 사람의 얼굴 가죽을 벗겨 만든다. 늙으면 늙은 대로, 젊으면 젊은 대로 다 쓰임새가 다르다. 딱 맞는 걸 구하는 건 둘째 치더라도, 그걸 어린 공주의 얼굴에다 씌우겠다는 말이 진왕 앞에서 차마 안 나왔다.

"그냥 인피면구라고 할걸."

조금 더 용기를 내지 못한 것이 후회는 되지만, 노지량에게서 선불로 받은 금전 닷 냥을 생각하면 웃음이 실실 나온다.

"표사 증원한 만큼만 챙기고 봐줘야지."

그때 차를 가지러 갔던 장삼이 돌아왔다. 한데 그의 꽁무니에 쥘부채를 든 서생 차림의 사내 하나가 붙어서 쫄레쫄레 걸어오고 있었다. 다시 그 사내의 뒤에는 별외조직인 접객당의 무사 두 명이 따라오는 중이었고.

나는 깔고 앉아 있던 거적때기로 용린신갑을 슬쩍 덮어놓았다. 거리가 어느 정도 가까워지자 장삼이 사내를 돌아보며 여기서 기다리라고 했다. 그리고 얼른 내게로 달려와 작은 소리로 말했다.

"손님이 오셨습니다."

"누군데?"

"북경에서 사귄 벗이라고 하는데 신분을 확인할 수가 있어야지요. 해서 접객당의 무사들과 함께 왔습니다."

만에 하나 나를 해코지할 사람일 수도 있으니 무사들을 이끌고 왔다는 소리다.

한데 북경에서 내가 사귄 벗이 있었던가? 노잣돈이 떨어지는 바람에 어리숙한 유생들 몇 명을 구워삶아 밥과 술을 좀 얻어먹기는 했지만. 만약 그들 중 한 명이 온 것이라면 받은 것 이상으로 대접해서 돌려보내야 한다.

"일단 모셔와 봐."

"이리 오시지요."

사내가 쥘부채를 할랑할랑 부치며 다가왔다. 가까이서 보니 백옥처럼 투명한 피부에 기생오라비 찜 쪄 먹을 정도로 잘생긴 미공자였다.

'무슨 남자가…….'

같은 남자인 내가 봐도 가슴이 뛸 정도인데, 웬만한 여자들은 눈도 똑바로 못 마주치지 싶다. 다만 한 가지 흠이 있다면 귓불 아래에 똥파리처럼 붙은 점이랄까. 게다가 한겨울에 뭔 놈의 부채질을…… 가만, 점이라고?

"정룡 공자, 오랜만일세."

"누구시더라?"

"벌써 날 잊은 건가?"

"이름이……?"

"나 양진풍일세."

양진풍? 풍진양?

"……!"

하, 나 참 기가 막혀서. 아니, 왜 또 역용을 하고 나타난 거지? 점은 또 왜 그렇게 고집을 하고. 역용의 완성을 의미하는 어떤 집착 같은 건가?

아무튼, 말도 못 하게 반가웠다. 여자만 아니라면 와락 끌어안고 등이라도 두들겨 주고 싶을 만큼. 그런데 예쁜 본래 얼굴을 못 봐서 좀 아쉽다. 일단 나를 골리려는 것 같으니 맞장구부터 쳐주자.

"양진풍이 누구요?"

"장원급제를 하더니 나 같은 시골 유생 따위는 안중에도 없다 이건가? 그리 안 봤는데 실망이군."

접객당의 무사들이 슬그머니 양진풍의 뒤로 가서 섰다. 여차하면 칼을 뽑아 등을 쪼개 버릴 기세다.

양진풍이 뒤를 힐끗 돌아보았다. 칼을 찬 무사들이 살기를 끌어 올리는데도 불구하고 두려워하는 기색이 눈곱만큼도 없다. 당연히 그러겠지. 한주먹거리도 안될 테니까.

"무슨 뜻인지 알겠소. 벗을 볼 생각에 먼 길을 마다치 않고 달려왔는데 이리 안면박대하니 나도 빌린 물건만 돌려주고 가겠소."

삐친 것처럼 말투도 바꾸더니 붉은색의 길쭉한 비단 주머니를 하나 내밀었다. 생긴 것만 보면 꼭 작은 붓통을 담은 주머니 같았다.

빌린 물건이라 했으니 이건 아마도 운철검을 담은 주머니일 것이다. 그런데 왜 하필 닭이 바위 위에 올라가 있는 그림을 수놓은 걸까? 무슨 주술적인 의미라도 있는 건가?

무심코 입구의 매듭을 열던 나는 눈을 최대한 휘둥그레 떴다. 그리고 최선을 다해 깜짝 놀란 표정을 지었다.

"당신은……?"

"이제야 알아보시는군요. 하하."

그제야 양진풍이 하얀 이를 드러내며 환하게 웃었다. 밤새 내린 봄비에 목련꽃이 활짝 피는 것 같았다.

"한데 얼굴은 또 왜?"

"선비는 헤어진 지 사흘이면 마땅히 눈을 비비고 봐야 할 만큼 달라져야 한다는 말도 있지 않습니까?"

"그게 그 말이 아닐 텐데."

"공자님?"

무사들 중 한 명이 조용히 나를 불렀다. 어찌할지를 묻는 것이다.

"벗이 맞습니다. 그것도 아주 절친한."

그러면서 나는 다시 한번 양진풍을 바라보았다. 눈이 마주치자 양진풍도 환하게 웃어주었다. 그렇게 뛰어난 역용술로도 저 특유의 미소만큼은 어쩌지 못하는 모양이었다.

"장삼이 너는 가서 차를 좀 내오거라. 아니, 아예 식당에 들러서 소반에 술을 좀 가져와라. 가장 비싼 걸로다가."

장삼이 돌아서 뛰어가려는데 양진풍이 말했다.

"아닙니다. 금방 가봐야 합니다."

"오자마자 가겠다고?"

"일이 좀 있어서요."

"다음으로 미루면 안 되오?"

"중요한 약속입니다."

"얼마나 중요한 약속이기에?"

양진풍은 말없이 웃기만 했다. 오랜만에 만나서 그런지 오늘따라 웃음이 후하다.

"아쉽군. 할 수 없지."

나는 장삼을 향해 됐다는 뜻으로 고개를 끄덕였다.

장삼까지 사라지고 나자 전각엔 나와 양진풍, 아니, 남궁소소만 남게 되었다.

남궁소소는 선 자리에서 전각을 휘이 둘러보며 말했다.

"여기가 국주님께 하사받았다는 십칠각이군요. 얘기는 들었어요. 그런데 왜 표사가 한 명도 안 보이는 거죠?"

"직위와 전각만 하사받았소."

"그렇군요. 표사와 쟁자수는 이제부터 한 명씩 채우면 되죠. 정룡 공자라면 틀림없이 잘해낼 거예요. 늦었지만 각주가 되신 것 축하드려요. 장원급제하신 것도요."

"고맙소."

"뭘요."

"그것보다 항주에는 언제 온 거요? 내상은 깨끗하게 치료한 거요? 소저의 오라버니께 대충 전해 듣기는 했소만."

"항주에는 열흘 전에 왔어요."

"열흘? 한데 왜 내게 연락을 안 준거요?"

"지금 이렇게 왔잖아요."

이게 도대체 무슨 감정일까? 갑자기 가슴이 짜르르해지며 그녀가 낯선 사람처럼 느껴졌다. 나는 애써 표정을 감추고 물었다.

"내상은 좀 어떻소?"

"물론 깨끗하게 나았죠."

"다행이구려. 걱정 많이 했소."

"거짓말."

"왜 그렇게 생각하는 거요?"

"그냥 해본 소리예요."

뭐지? 아까부터 왠지 모를 거리감이 느껴진다. 분명 웃고 있는데 진심이 아닌 것 같다. 기분 탓인가?

"한데 왜 역용을 한 거요?"

"운철검을 돌려드리려고요."

"그냥 와도 될 텐데."

"아무도 모르게 왔다 가려고 그랬죠. 안 그래도 다들 이상한 눈초리로 바라보고 있는데."

"이상한 눈초리라니? 누가 말이오?"

"할아버지, 아버지, 오라버니까지요. 제가 표행까지 따라간 걸 아시고는 불필요한 오해들을 하시더라고요. 정룡 공자는 안 그런가요?"

"나도 그렇소. 다들 어찌나 캐물으시는지."

곽 숙부와 손 백부는 이참에 아주 장가를 보내려는 것 같았다. 하지만 차마 그런 분위기까지 말하지 못했다.

"그것 봐요."

"말이 나왔으니까 말인데, 백부님과 숙부님께서 남궁세가주님의 초청장을 무척 기다리고 있소이다. 소저가 그걸 갖고 올 거라고 기대하는 눈치들이시고."

"초대를 할 거라고 저희 오라버니가 그랬나요?"

"그렇다고 들었소."

"걱정 마세요. 초청장은 오지 않을 거예요."

"어째서 그렇소?"

"제가 무슨 수를 써서든 막을 테니까요."

"왜?"

"무슨 뜻이죠?"

"왜 그걸 막으려는 거요?"

"그럼 막지 말까요?"

"아니, 그러니까 그걸 굳이 막으려는 이유가 있는지 묻는 거요."

"오고 싶지 않으시잖아요?"

"누가? 내가?"

"네."

"왜 그렇게 생각하는 거요?"

"오고 싶으세요?"

"……?"

"……?"

나도 남궁소소도 잠시 대화를 끊고 서로를 바라보았다. 이야기가 계속 겉돌고 있다. 뭔가 꼬인 게 있는 것이다. 이럴 땐 곧장 내지르는 게 상책이다.

"내게 화난 게 있구려."

"아뇨. 없어요."

"섭섭한 게 있던가."

"아뇨. 없어요."

"……?"

"네. 있어요."

"말해주시오."

"사람이 어떻게 그래요?"

"뭘 말이오?"

"내상 입은 여자를 혼자 동굴 안에 놔두고 갔으면 어떻게 됐는지 궁금한 게 인지상정 아닌가요? 알밤만 잔뜩 굴에 넣어주고 가면 끝인가요? 제가 무슨 다람쥐인가요? 집으로 무사히 돌아갔는지 궁금하지도 않던가요?"

"방금 물어봤잖소."

"이제서요?"

"그럼 내가 어떻게 했어야 하오?"

"양주까지 찾아오는 건 바라지도 않았어요. 하지만 전서를 보내 안부라도 한 번쯤 물어봐 줄 줄 알았네요. 양주에도 천룡표국 분타가 있으니 마음만 먹으면 어렵지도 않았을 텐데. 뭐, 제가 정룡 공자에게 그 정도의 사람이었다면 어쩔 수 없지만 말이에요."

"……!"

"아, 이런 얘기 진짜 하기 싫었는데. 누가 보면 내가 정룡 공자를 좋아하는 줄 알 거 아니에요. 난 그냥 정말 인간적으로 너무 섭섭해서 그런 건데."

문득 이종산이 내게 했던 말이 떠올랐다.

"당분간 항주에 오지 않을 수도 있지 않으냐? 동굴에서 홀로 남아 내상을 치료했다고 들었다. 안부도 물을 겸, 네가 먼저 전서구를 보내보는 것도 나쁘지 않을 것 같다만."

그때 전서구를 보냈어야 했다. 이건 변명의 여지가 없다. 무조건 내가 잘못했다. 당연히 걱정이 되는 게 맞고, 전서를 보내 안부도 물었어야 했다.

동굴 안에서 혼자 닷새나 운기행공을 하며 얼마나 힘들었을까? 알밤으로 주린 배를 채우며 밤마다 늑대 울음소리에 얼마나 무서웠을까? 고대하던 회시도 보지 못하고 거지꼴이 되어 혼자 세가로 돌아가는 길은 또 얼마나 쓸쓸했을까? 그것도 천룡표국의 표행에 따라나섰다가 당한 일이었는데.

반면에 나는 회시에 장원급제를 했고, 마패를 받았고, 역참마다 들러 말까지 타고 탱자탱자 항주로 돌아왔다.

나는 전생에서 쉰 살이 넘도록 여자를 만나지 못한 이유가 절름발이에 가난한 쟁자수였기 때문이라고 생각했다. 한데 지금에서야 깨달았다. 나는 그냥 배려도 공감도 모르는 채 불평불만만 늘어놓는 멍청한 새끼였다.

"왜 아무 말도 없으세요?"

"소저는 참 좋은 사람이오. 용모도 아름답지만, 마음 씀씀이가 열 배는 더 아름답소. 본인도 아는지 모르겠지만."

"갑자기 그게 무슨 말이에요?"

"아무래도 우리가 만나는 게 오늘이 마지막일 것 같아서 그동안 하고 싶었던 말이나 하려는 것이오."

"왜 그렇게 생각하죠?"

"소저가 날 안 만나줄 것 같소."

"왜요?"

"나라면 그랬을 것 같으니까."

"……?"

"고마웠소. 그럼 잘 가시오."

나는 조용히 돌아섰다. 두 발이 천근처럼 무거웠다. 그때 등 뒤에서 남궁소소가 빽 소리쳤다.

"이럴 땐 사과를 해야 하는 거라고요!"

나는 걸음을 멈추고 뒤돌아보며 물었다.

"날 또 볼 생각이오?"

"그거야 그쪽 하기에 달렸죠."

"내가 그런 인간 같지 않은 짓을 했는데도?"

"아유. 답답이 진짜. 정말 안 볼 생각이었다면 내가 미쳤다고 비단 주머니를 만들어 운철검을 돌려줬겠어요? 새랑 꽃이랑 수까지 놓아서?"

나는 손에 쥔 비단 주머니를 가만히 내려다보았다. 이게 새와 꽃이라고? 닭이 바위 위에 올라가 목을 빼고 우는 게 아니고?

"허구한 날 기녀들이랑 놀아났다고 하더니, 도대체 뭘 배운 거예요? 술만 마신 거예요? 아니면 다른 짓을?"

"소문은 과장되게 마련이라니까. 소저도 그때 인정했잖소. 이제 와서 그런 식으로 말하면 안 되지."

"이것 보라지. 금방 또 태도가 바뀌네."

"아니, 난 그런 뜻이 아니고."

"됐어요. 그만 갈래요."

그러면서 홱 돌아서 가버린다. 나는 얼른 뒤쫓아 가며 말했다.

"소저. 그러지 말고 주루에 가서 술이나 한잔합시다. 내가 사겠소. 그나저나 오늘따라 역용술이 유난히 감쪽같소. 그거 하는데 시간이 얼마나 걸리오? 다른 사람에게도 똑같이 해줄 수 있소?"

"약속 있다고 했잖아요."

"거짓부렁인 거 다 알고 있소."

이정룡과 양진풍이 사라지자 두 명의 노인이 십칠각의 지붕 위에서 조용히 떨어져 내렸다. 흡사 커다란 나뭇잎 두 장이 내려앉는 것 같았다.

"그래서 초청장을 갖고 왔다는 거야? 안 갖고 왔다는 거야?"

"십중팔구 남궁소소의 수중에 있을 겁니다."

"총표두의 생각도 그렇소?"

"대장궤의 생각도 그러십니까?"

"우리만 그렇게 생각하면 무얼 하겠소. 저걸 내놓아야 일이 되는 거지. 억지로 빼앗을 수도 없고, 이것 참."

"그나저나 역용술 한번 기가 막히는군요. 이번에는 저도 감쪽같이 속았습니다. 일신우일신(日新又日新)이라더니."

"남궁세가의 분영축골술은 그 자체로도 이미 무림일절이지. 그나저나 초청장을 어떻게 받아낸다?"

"기다리는 수밖에요. 다행히 정룡이 이제라도 정신을 차리고 뒤쫓아 갔으니 뭔가 진척이 있지 않겠습니까?"

"머리는 그렇게 비상한 놈이 어찌 여자 문제는 저리 맹하단 말인가. 왜 저런 건 제 아버지를 닮지 않았을꼬. 쯧쯧쯧."

"이리 나오게."

곽석산이 소리치자 전각의 뒤쪽에 있던 장삼이 잰걸음으로 달려 나와 허리를 굽실거렸다.

곽석산이 품속에서 작은 전낭 하나를 꺼내 장삼에게 건넸다.

"다음에도 사공자가 낯선 사람을 만나거든 내게 와서 보고 하게."

"그건 좀 곤란합니다."

"어째서?"

"오늘은 총표두님께서 어찌 아시고 절 찾아와 사공자님의 행방을 하문하셨기에 어쩔 수 없이 말씀드린 것입니다."

"자네가 아니어도 용혈들을 찾는 손님이 오면 접객당에서 자동으로 내게 보고하도록 되어 있네. 난 다만 바깥에서의 일을 말하는 것이네."

"죄송합니다."

"싫다는 뜻인가?"

"죄송합니다. 총표두님."

"그러면서 전낭은 잘도 챙기는구만."

"이건 어차피 말씀을 드린 거라서……."

"알았으니 그만 가보게."

장삼이 사라지고 나자 손지백이 물었다.

"총표두의 끄나풀은 원래 가불염이 아니었소?"

"그놈이 언제부턴가 정룡의 편으로 완전히 돌아서 버렸습니다. 보고라고 하는데 허구한 날 알맹이는 쏙 빼고 말을 합니다."

"상황 판단이 빠르군."

"애초에 성정이 박쥐 노릇과는 맞지 않는 사람입니다. 진국이죠. 거기다 아무래도 지난번에 함께 표행을 하다가 정룡에게 무언가 감복한 일이 있는 것 같습니다."

"감복이라……. 참으로 오랜만에 들어보는 말이군. 총표두와 내가 국주를 처음 만났을 때도 그랬지요. 아마."

"정룡의 곁에 점점 사람들이 늘어나고 있습니다. 장삼이야 원래 충성스러운 하인이었으니 그렇다고 치고, 가불염에 이어 요즘은 전립성까지 정룡의 일을 도와주는 것 같습니다."

"장궤 전립성을 말하는 거요?"

"그렇습니다."

"그가 무슨 일을 도와주고 있길래?"

"회시의 포상으로 받은 땅을 팔아주려고 동분서주하고 있습니다. 쓸모없는 땅이라서 고생을 좀 하는 모양이더군요."

"사람이 사람에게 끌린다는 건 좋은 일이지."

"크읍. 좋네요."

"크으, 술은 역시 낮술이지."

"낮술이 아무리 좋아도 얻어먹는 술에 비할 바는 아니죠. 몇 병 더 시켜도 될까요?"

"무슨 술로 시키려고?"

"술 종류에 따라 되고 안 되고가 결정되나요?"

"아니오. 편안하게 시키시오."

"됐어요. 그만 마실래요."

"또 왜?"

"술값 아끼는 거 보고 김샜어요."

"술값을 아끼다니. 무슨 그런 얼토당토않은 말을. 편하게 마시라고 이렇게 우리 둘밖에 없는 별실까지 전세 냈건만."

나는 점소이를 불러다 주루에서 제일 비싼 술로 두 병을 더 주문했다. 순간, 승리감에 도취된 듯 양진풍의 입꼬리가 살짝 올라가는 걸 놓치지 않았다.

그래, 마음껏 즐기고 섭섭한 거 있으면 다 풀어라. 그리고 일어설 때는 내 부탁 좀 들어주고. 오늘 내가 은전 두 냥까지는 시원하게 쏜다.

"그런데 왜 하필 양진풍이오?"

"풍진양 거꾸로 한 거잖아요."

"어쩐지 낯이 익더라니."

"진짜 몰랐어요?"

"깜빡 속아 넘어갔소. 소저가 그 시간에 그런 모습으로 나타날 거라고는 상상도 못 했으니까. 역용도 완벽했고. 특히 점의 위치가 지난번과 달리 아주 절묘했소."

"말 많은 거 보니 눈치챘네."

"정말 몰랐다니까."

"아이, 또 김새려고 그러네."

"점 때문에 잠깐 의심은 했지만, 정말 몰랐소. 진짜요."
"됐고. 그래서 얼마를 받기로 했죠?"
"뭘 말이오?"
"용린신갑을 대여해 주는 값 말이에요."
"은전 한 냥씩 받기로 했소."
"그건 좀 싼 거 아닌가?"
"하루에 한 냥이오."
"그건 너무 비싼 거 아닌가?"
"물건이 물건이다 보니."
"신분도 신분이고요."
"물 들어왔을 때 노 젓는 법이오."
"벼락 칠 때 콩 구워 먹고요."
"마당 쓸고 돈 줍고."
"나무도 하고 밤도 주워 먹고요."
"도와주겠소?"
"싫어요."
"……!"

잘 나가다가 딱 제동이 걸려 버린다. 얼렁뚱땅 엮어보려던 나는 마침 점소이가 갖고 온 새 술을 따라주며 숨을 한번 골랐다.

"자자, 한 잔 더 드시오."
"저 그렇게 쉬운 여자 아닙니다."
"대체 왜 안 된다는 거요?"
"역용술이라는 게 그리 간단한 게 아니에요. 오랜 시간 그대로 두면 근육이 굳어 마비가 와요. 최소 반 시진에 한 번씩은 술사가 손을 봐야 한다고요."

"쉽게 말해주시오."

"잠깐 필요한 역용이라면 도와줄 수 있어요. 하지만 지금 귀하가 말한 의뢰인의 경우에는 제가 계속 따라 다녀야 한다는 말이죠."

"그럼 같이 다닙시다."

"제가 왜요?"

"천룡표국의 임시 표사로 모시겠소. 대우는 표두급이고, 추가로 용린신갑의 대여로 받은 은전을 사흘에 한 냥씩 주겠소. 참고로 은전은 내 주머니에서 나가는 것이오."

"제가 돈이 필요한 사람처럼 보이나요?"

"회시는 이제 안 볼 거요?"

"왜 회시를 다시 볼 거라고 생각하는 거죠?"

"쉽게 포기할 사람이 아니니까."

"……!"

"……?"

잠시 서로의 눈을 노려보며 치열한 탐색전을 펼쳤다. 그러다 어느 순간 양진풍의 눈동자가 흔들리는 걸 보았다.

"백번 양보해서 그렇다고 쳐요. 한데 왜 사흘에 은전 한 냥이죠?"

"두 냥은 내가 먹어야지."

"절반으로 나눠서 귀하와 내가 매일 한 냥씩 번갈아 가져간다면 한 번 생각해 볼게요. 물론, 표두급으로 고용하는 비용은 따로고요."

"좋소. 그렇게 합시다."

"이렇게 쉽게요?"
"좀 이상하지만 사과라 생각하고 받아주시오."
"……?"
"내게 소저는 엄청난 능력을 지닌 무림고수요. 그래서 나도 모르게 걱정을 덜했던 것 같소. 그래선 안 되는 것인데. 정말 미안하오."
착 가라앉은 내 목소리에서 진정성을 느낀 것일까? 양진풍이 고개를 돌리더니 가만히 술을 한잔 꺾었다. 아직 역용을 한 상태인데도 하얗고 가느다란 목덜미가 눈부시게 예쁘다.
그가 술잔을 내려놓으며 말했다.
"저도 아깐 쌀쌀맞게 굴어서 죄송했어요."
내가 더 미안하오. 사실은 금전이오.

"전부 유생으로 역용을 하자고요? 게다가 공주마마는 남자로요? 말도 안 돼. 도대체 누가 그런 발상을 한 거죠?"
"황룡당주님께서 그렇게 말씀하셨소."
"황룡당주님은 무림의 경험도 많으실 텐데 왜 그런 이상한 생각을 하셨는지 모르겠군요."
"대화 중에 즉흥적으로 나온 말씀이었을 것이오."
"그래서 정룡 공자 생각은 어떤데요?"
"나도 별로 마음에 들지 않소."
유생으로 역용하자는 말이 그렇게 이상한가?

"그건 그렇고. 여기 모인 분들이 전부인가요?"

"그렇소. 다들 인사들 하시오."

비도술(飛刀), 비조(飛爪), 철편(鐵鞭), 연검(軟劍)을 잘 다룬다는 표사 네 명이 남궁소소에게 자신들을 소개했다. 마지막으로 인사한 연검의 고수는 다름 아닌 가불염이었다.

연검은 허리춤에 감아두었다가 급할 때 펼쳐 쓰는 낭창낭창한 검으로, 사실 가불염의 성명병기가 아니었다. 하지만 가불염이라는 인간 자체가 필요해서 내가 고집해 끼워 넣었다.

"표사는 총 다섯 분이라고 들었는데요?"

"나도 함께 갈 거요."

"정룡 공자도요?"

"공주마마께서 나도 꼭 함께 가야 한다고 지목을 하시는 바람에 어쩔 수 없이 그렇게 됐소. 사실 항주의 요릿집들에 대해 나만큼 잘 아는 사람이 없기도 하고."

"공주마마께서 지목을 하셨다고요?"

"그렇소."

그건 그렇고, 내가 조장인데 왜 자꾸 남궁소소가 질문을 하지? 나는 또 왜 묻는 말에 꼬박꼬박 대답을 하고 있고.

"좋아요. 그럼 이제 제 소개를 하겠어요. 모두 아시다시피 전 공주마마와 여러분의 역용과 변장을 책임진 남궁소소입니다. 하지만 지금부터는 양진풍이라 불러주세요. 공주마마께도 그렇게 소개할 거고요."

"알겠소."

"그런데 여러분의 몸은 누가 봐도 유생의 그것이 아니에요. 험상궂은 얼굴은 역용으로 어찌어찌 꾸민다고 해도 떡 벌어진 어깨며 대들보 같은 허벅지를 무슨 수로 감출 수 있겠어요?"

표사들이 자신들의 몸뚱어리를 살펴보다 죄지은 사람들처럼 움츠러들었다.

"항주에 차를 사러 온 소상인으로 위장하겠어요. 공주마마는 성별까지 바꾸진 않고 단지 지금보다 열 살 정도 더 나이 들어 보이는 단주로 만들 겁니다. 무리한 역용은 오히려 고수의 눈에 띄기에 십상이에요. 나머지 표사들은 전부 단주를 따르는 짐꾼으로 위장해 드리고요."

"좋은 생각이오."

"정룡 공자는 호위무사예요."

"다른 사람은 다 짐꾼인데 왜 나는 호위무사요?"

"호위무사가 한 명은 있어야 자연스러워요."

"그런데 그게 왜 나냐는 거요."

"칼 든 모습이 제일 어색하고 삼류 같아 보여요. 코딱지만 한 상단주가 일류고수를 호위무사로 거느리면 이상하지 않겠어요? 반면에 다른 표사들은 칼을 들면 고수티가 확 나서 안 돼요."

"……!"

각자의 위치에서 일을 보던 특무조 여섯은 자정이 되자 미리 정해놓은 으슥한 산속 관제묘에서 만났다. 그리고 밤새 남궁소소의 도움을 받아 상인으로 역용과 변복을 했다.

잠깐 눈을 붙인 후 새벽이 되자 남경상단주가 운영하는 차 상점으로 갔다. 그곳에는 밤새 황자충이 표사로 위장해 빼돌려 놓은 공주가 기다리고 있었다.

"단주님을 모시게 될 행수 양진풍입니다."

"단주라고요?"

"이제부터 공주마마께서는 소주의 청화다상(靑話茶商)이라는 상단에서 차를 사러 온 차 상인입니다."

"유생보다 훨씬 낫군요."

"단주라는 말을 입에 붙이기 위해 지금부터 공주마마라는 호칭은 사용하지 않겠습니다. 다른 사람들도 모두 마찬가지고요. 단주님께서도 절 부르실 때 양 행수라고 불러주시면 됩니다. 더 궁금한 것이 있으신가요?"

"이 공자님의 친우시라고요?"

"그렇습니다."

"유유상종이라고 하더니 친구분도 정말 잘생기셨네요. 무슨 말씀인지 다 이해했어요. 이제 역용을 시작해 주세요. 빨리 나가고 싶어요."

알아서 의자에 착 앉는 공주의 얼굴이 잔뜩 상기되어 있었다. 양진풍과 눈이 마주치자 나는 가볍게 고개를 끄덕여 주었다.

양진풍이 공주에게 물었다.

"그렇게 좋으세요?"

"마치 오늘이 제 생일인 것 같아요. 여러분은 저의 생일을 축하해 주러 오신 분들이고요. 그래서 다들 정말 고마워요."

그러면서 별처럼 반짝이는 눈동자에 한 사람 한 사람의 얼굴을 담는다. 평생을 공주로 살아온 사람의 위엄과 여염집 방년 여자아이의 풋풋함이 동시에 느껴진다.

솔직히 말해 아무리 돈벌이로 하는 일이지만, 저 어린 여자아이의 나들이를 위해 이렇게까지 고생해야 하나 하는 생각도 있었다. 한데 잔뜩 상기된 얼굴을 보자니 측은한 마음이 앞선다. 나라면 평생 저택에 갇혀 지내야 하는 공주 따위는 억만금을 줘도 싫을 것 같았다.

10년 만에 찾아온 맹추위라고 했다. 서호가 꽁꽁 얼어붙었다는 소리도 들렸다. 어떤 사람은 태어나서 서호가 어는 걸 처음 봤다고도 했다. 추위를 피해 항주로 왔다는 말이 무색할 지경이었다.

한데도 올해 스물일곱 살의 청화다상 상단주 임청화는 뭐가 그렇게 좋은지 싱글벙글이었다. 부슬부슬한 여우 털 목도리에 폭 싸여 있는 얼굴에서 좀처럼 미소가 떠나질 않는다.

"양 행수, 어디를 먼저 갈까요?"

"이 호위에게 한번 하문해 보시지요. 그가 소싯적에 항주 유흥가를 제법 섭렵했다고 하니 요릿집도 잘 알 것입니다."

"이 호위, 항주에는 어떤 요릿집이 유명하죠?"

"세상 그 어떤 산해진미도 배가 부르면 의미가 없는 법이죠. 일단 항주의 명물인 악왕묘, 단교, 뇌봉탑, 영은사 구경부터 먼저 하시지요. 그런 다음 서호가 내려다보이는 취선루(醉仙樓)에서 교자(餃子—만두)에 소홍주 한 잔씩을 곁들이는 것이 어떻겠습니까?"

"교자라고요?"

"그렇습니다."

"그건 너무 흔한 음식 아닌가요?"

"아무리 맛있어도 교자보다 못하다라는 말도 있지 않습니까. 본래 평범함 속에 비범함이 깃드는 법입니다. 단주님."

"교자는 나도 이미 잘 만드는데……."

"물론 단주님께서 만드신 교자도 일품이지요. 하지만 백 리만 가도 물맛이 바뀐다고 했습니다. 하물며 천 리 밖에 있는 교자의 맛은 당연히 크게 다를 것입니다."

그래도 썩 내키지 않는지 단주는 한참이나 나를 바라보았다.

그냥 네가 먹고 싶은 게 뭐냐고 내가 물으려는 순간.

"좋아요. 이 호위가 그렇게까지 추천하시는 거라면 점심은 가볍게 교자로 시작하도록 하죠."

모든 여행이 그렇지만, 절대 처음에 계획했던 대로 되지 않는다. 특히 호기심 많은 청화상단주의 발걸음을 예정대로 재촉하기에 항주는 볼거리가 너무 많은 도시였다.

그중에서도 특히 그녀의 눈길을 사로잡은 것은 다름 아닌 길거리 마희단(馬戲團)의 무술 공연이었다. 각각의 기예를 지닌 십여 명의 무인이 나와서 차례로 자신들의 재주를 펼쳤는데, 이건 솔직히 무림의 고수가 와서 봐도 재밌을 수밖에 없을 것이다.

한 자나 되는 칼을 입속에 넣고, 커다란 망치로 머리 위에 올려놓은 벽돌을 깨고, 펄펄 끓는 가마솥 속에 구경꾼들이 동전을 던져주면 그걸 맨손으로 건져내는 묘기가 재밌지 않으면 도대체 뭐가 재밌겠나.

그중에서도 청화상단주가 가장 좋아한 것은 어처구니없게도 커다란 뱀이었다. 마희단에 한 명씩은 꼭 끼어 있는 약 장수가 동정호에서 잡은 이무기라며 두꺼운 이불에 싸놓고는, 약 팔이를 하는 내내 이따금씩 보여주는데 몸통이 어른 팔뚝만 했다. 남만에서 흔하게 보이는 대망사(大蟒蛇)를 잡아다 이무기라고 사기 치는 것이다. 이 추운 날 저 뱀이 얼어 죽지 않은 게 신기할 지경이었다.

취선루는 거창한 이름과 달리 서호에서도 가장 한갓진 곳에 위치한 작은 반점이었다. 오가는 사람도 거의 없고, 낡은 단층에다 탁자라고 해봐야 띄엄띄엄 놓아둔 열 개가 전부였다. 아니나 다를까, 안으로 들어가자 한창 점심때인데도 반점 안은 텅 비어 있었다.

창가에 앉아 꾸벅꾸벅 졸던 열서너 살가량의 어린 점소이가 반색을 하며 달려 나왔다.

"어서 오십시오."

"여기가 이 호위가 말한 취선루인가요?"

"그렇습니다."

"생각했던 것보다 훨씬 초라하군요."

실망한 티가 팍팍 난다. 심지어 양 행수조차도 일부러 사람들 눈에 띄지 않게 하려고 이런 곳으로 데려온 줄 알고 눈을 찡긋해 보였다.

하지만 천만의 말씀. 10년 후 이 집은 서호 일대에서 가장 유명한 교자 전문 반점이 된다. 지금은 주인이 바뀐 지 얼마 안 돼 아직 솜씨가 알려지지 않았을 뿐.

나는 단주에게 '교자란 이렇게 만드는 것이다'라는 걸 보여주고 싶었다. 더불어 자신이 만든 교자가 얼마나 형편없는지도 깨닫게 해주고.

나와 단주와 양 행수가 먼저 벽 쪽에 있는 탁자를 차지하고 앉았다. 짐꾼들은 가불염의 주도 아래 차가 잔뜩 들어 있는 등짐을 내려놓고 그다음 탁자에 자리를 잡았다. 뒤쪽으로는 벽이, 앞쪽으로는 짐꾼 네 명이 막고 있는 형국이었다.

따로 시키지도 않았는데도 척척이다. 이래서 내가 가불염을 어떻게든 데리고 다니는 거다.

"뭘로 드릴까요?"

"교자랑 소홍주로 쫙 깔아줘."

"교자는 어떤 걸로 드릴까요?"

"다섯 가지 다 골고루 가져와."

"죄송합니다. 손님. 오늘은 교자가 세 가지만 됩니다. 식재료가 그것밖에 준비가 안 되어서요."

"그럼 그거라도 갖다 줘. 골고루 먹을 수 있도록 한판마다 이것저것 섞어가지고. 그 정도는 해줄 수 있지?"

"물론이죠."

어린놈이 말투 한번 어른스럽다. 참고로 이 아이는 반점의 주인이자 숙수인 왕 씨의 외동아들이다.

"잠깐."

돌아서 가려는 점소이를 단주가 붙잡았다. 그러고는 전낭에서 동전 열 냥을 꺼내 점소이의 두 손에 쥐여주었다.

"손님, 계산은 후불입니다."

"이건 그냥 주는 거야."

"왜요?"

"내 호위무사가 까다로운 부탁을 했으니까."

뭘 그 정도 가지고 까다로운 부탁까지나. 점소이의 입이 찢어질 것처럼 벌어졌다. 양 행수는 의아하다는 표정으로 단주를 곁눈질했다.

잠시 후, 김이 모락모락 나는 교자 여섯 판이 나왔다.

교자가 먹음직스러워 봐야 교자다. 단주를 비롯해 모두가 별 감흥 없이 하나를 집어 입안에 넣고 씹었다. 그리고…….

"……!"

사람들은 너 나 할 것 없이 잠시 그대로 씹기를 멈추었다. 생전 처음 보는 교자의 맛에 충격을 받은 것이다.

"이게 정말 교자인가요?"

"어떻습니까? 단주님."

"쫄깃한 피가 갈라지는 순간 입안 가득 퍼지는 육즙의 맛과 향이 일품이에요. 세상에 이렇게 맛있는 교자는 처음 먹어봐요."

"그렇습니까?"

"이 호위가 이리로 가자고 고집을 피운 이유를 알 것 같아요."

"제가 고집을 피웠었나요?"

"내가 세 번이나 되물었는데도 처음에 했던 주장을 꺾지 않았잖아요. 그런 사람은 처음이에요. 물론 아버지와 어머니는 빼고요."

나도 모르게 침이 꼴깍 넘어갔다. 상대는 공주다. 어리고 연해 보여도 그녀의 한마디면 진왕이 움직이고, 진왕이 움직이면 자칫 피바람이 불 수도 있다. 그러나 나는 공주를 움직여 피바람을 돈벼락으로 바꿀 것이다. 그래서 이 고생을 하는 것이고.

"솔직히 좀 멋있었어요."

이건 또 무슨 소리? 양 행수가 교자를 먹다 말고 아까보다 훨씬 의아한 표정으로 단주를 바라보았다. 그러나 단주는 순진한 척 한마디를 툭 뱉어놓고는 교자 삼매경에 빠져 있었다.

한 사람당 교자를 세 판씩 시켜서 먹었다. 양 행수와 단주도 배 속 어디에 그런 공간이 있는지 남자들과 똑같이 세 판을 먹었다. 먹성이 저리 좋을 수가.

어느 정도 배를 채우자 숙수가 수건에 손을 닦으며 나왔다.

"먹을 만하셨습니까."

"네, 정말 맛있습니다. 매일이라도 먹을 수 있을 것 같습니다. 무슨 특별한 비법이라도 있나요?"

"신선한 재료를 쓰는 것 외엔 특별히……."

질문을 한 단주의 눈동자가 초롱초롱 빛났다. 점소이에게 동전 열 냥으로 미리 기름칠을 해놓은 것도 바로 이것 때문이다. 하지만 눈치 없는 숙수는 겸손만 떨 뿐이었다.

공주의 욕망을 아는 내가 점잖게 나섰다.

"보시다시피 우리는 차 상인입니다. 다른 곳에 반점을 낼 것도 아니고, 상단에서 이따금 만들어 먹으려는 것이니 알려줘도 좋은 선에서 한두 가지만 귀띔해 주시면 안 되겠습니까?"

"아, 뭘 숨기려고 그러는 게 아닙니다. 정말 비법이랄 게 딱히 없습니다. 그래도 굳이 듣고 싶으시다면……."

"네. 듣고 싶어요."

"교자의 맛은 소가 절대적으로 좌우합니다. 특히 돼지고기가 들어갈 때는 신선한 고기를 볶거나 찌는 과정에서 누린내 같은 잡내를 잡는 것이 중요하지요."

숙수는 그 외에도 몇 가지를 더 설명해 주었지만, 목까지 쭉 빼고 열심히 경청하는 사람은 단주뿐이었다.

"그런데 차 상인들이시라고요?"

"그렇습니다만?"

뜬금없이 질문에 내가 끼어들었다.

"손님들께 이런 말씀을 드린다는 게 좀 그렇습니다만, 거기 짐꾼들은 한 달에 얼마씩이나 받을 수 있나요?"

"갑자기 그건 왜 물으시는 겁니까?"

"손님이 너무 없어서 아무래도 반점을 접어야 할 것 같습니다. 목구멍이 포도청이라고 당장 일을 쉴 수가 없는 형편인지라……."

이건 전생과 다른 전개였다. 초창기부터 단골이어서 잘 아는데, 이 반점이 문을 닫았다가 다시 연 적은 없었다. 무언가 잘못됐다.

"왜요?"

"식재료를 항상 신선한 것들로만 갖다 놓는데, 손님이 없어서 걸핏하면 버리기 일쑤입니다. 그러다 보니 너무 남는 게 없어서……."

"여긴 길목이 아니어서 손님이라고는 어쩌다 이곳까지 들어온 서호의 유람객들이 전부일 겁니다. 다시 말해 근처에 살며 끼니를 때우기 위해 수시로 들락거리는 곳이 아니라는 거죠."

쓸데없이 자세한 내 분석에 사람들이 어떻게 그런 것까지 아느냐는 표정으로 나를 바라보았다. 하지만 대책이 없는 분석은 아무런 쓸모가 없다. 그걸 아는지 숙수도 말이 없다.

"혹시 반점을 접으려는 다른 이유도 있습니까?"

"그것이……."

"서호삼견(西湖三犬) 때문이에요!"

어린 점소이가 버럭 외쳤다.

"그게 무슨 말이냐?"

"서호삼견의 수하들이 허구한 날 찾아와서 돈도 안 내고 교자를 배터지게 처먹고 가요. 얼마나 많이 처먹는지 한번 왔다 가면 기본이 교자 서른 판이에요. 흐흐억."

점소이가 말을 하다가 그냥 울음을 터뜨려 버린다. 얼마나 억울했으면 고작 열서너 살밖에 안 된 아이가 저런 험한 소리까지 하며 울음을 터뜨릴까.

서호삼견은 나도 좀 안다. 서호 주변에 성업 중인 주루와 기루는 무려 수백 곳을 헤아린다. 먹을 것이 워낙 많다 보니 대형 흑도방파 네 곳이 서호 주변의 유흥가를 분할해 관리하고 있었다. 그중 서쪽을 먹은 곳이 서쌍교방(西雙鮫幇)이라는 곳이었다. 서호삼견은 바로 그 서쌍교방의 칼잡이들이었고.

싼 티 나는 이름과 달리 이놈들은 아무 곳에나 찾아가 협박하고 돈을 뺏는 그런 삼류 주먹패 따위가 아니었다. 제법 크게 놀고, 큰 싸움판에서도 간간이 이름이 흘러나오는 나름 항주 흑도들 사이에서는 거물급들이었다.

그러나 안타깝게도 놈들의 수하들은 그렇지 않았다. 밑바닥에서 머릿수를 채우는 하급의 흑도들은 자신들의 구역에서 무언가를 처먹을 때 좀처럼 돈을 내는 법이 없었다. 취선루는 수익이 너무 적다 보니 그 정도로 심각한 타격이 되는 것이고.

아마, 서호삼견은 이런 사정까지는 까맣게 모르고 있을 것이다. 보아하니 그래도 영세한 줄은 알아서 아직은 보호세도 받지 않는 눈치고.

한데 문제는 전생의 기억에 따르면 올가을에 이미 죽었어야 할 서호삼견이 아직도 살아 있다는 거다.

이유는 바로 떠올랐다.

'화조신옹…….'

전생에서 화조신옹은 천지령을 섭취한 후 변복을 한 채 자신이 살던 십만대산으로 향한다. 그 여정 중에 잠시 항주를 거쳐 가는데, 그때 시비가 붙어 서호삼견을 비롯해 서쌍교방의 흑도 스무 명을 그 자리에서 처참하게 죽여 버린 후 홀연히 떠난다. 한데 그 화조신옹을 내가 죽여 버렸으니, 이후 흑도와 백도를 포함해 화조신옹에게 죽었어야 할 사람들 전부가 살아 있는 것이다.

'이건 한 번도 생각해 본 적이 없는 전개인데.'

그때였다. 왁자지껄한 소리와 함께 십여 명의 험상궂은 사내들이 들이닥쳤다. 하나같이 칼이며 검 따위를 허리에 찼는데, 무기까지 언급할 것 없이 얼굴만 봐도 피 냄새가 철철 났다.

점소이와 숙수가 하얗게 질렸다. 서호삼견이 수하들을 이끌고 온 것이다.

내가 화조신옹을 죽이고, 화조신옹에게 죽었어야 할 놈들을 내가 여기서 다시 만난 게 순전히 우연일까?

'아, 찝찝하다.'

나는 흑도 놈들이 자리를 잡느라 어수선한 틈을 타 재빨리 젓가락에 물을 찍어 탁자 위에 썼다.

〈서호삼견(西湖三犬)〉

양 행수와 단주가 깜짝 놀란 표정을 지었다. 분위기로 미루어 질이 좋지 않은 자들이라는 건 알았지만, 하필 좀 전에 점소이가 말한 서호삼견일 줄은 몰랐던 것이다.

"우리도 교자와 소홍주로 부탁한다."

"먹다가 모자라면 짜증 나니까 넉넉하게."

"돼지고기도 좀 삶아내고."

"삶은 돼지고기는 따로 팔지 않습니다만……."

"사다가 삶아주는 방법도 있지 않을까?"

점소이를 돌아보는 흑도의 눈빛이 싸늘하다.

점소이는 찍소리도 못 하고 고개를 숙인 채 물러났다. 그나마 알았다는 대답이라도 하지 않는 건 작은 저항일 것이다. 한데 흑도는 그것마저도 용납하지 않았다.

"왜 대답이 없어?"

"아, 아닙니다. 얼른 다녀오겠습니다."

말은 그렇게 하는데 나가질 못하고 쭈뼛거린다. 돼지고기를 살 돈이 없는 거다. 그렇다고 돈을 좀 미리 달라고 했다가 무슨 봉변을 당할지 몰라 말도 못 꺼내고 있었다.

"우리 돈부터 받고 가."

눈치 빠른 양 행수가 점소이를 불렀다. 충분한 음식값이 건네지자 굳었던 점소이의 얼굴이 그제야 펴졌다.

"우린 곧 나갈 것 같아서 미리 주는 거야."

"고맙습니다. 고맙습니다."

점소이가 나간 지 얼마 지나지 않아 문이 열리며 또 한 사람이 불쑥 들어섰다. 서호삼견의 또 다른 패거리인가 했더니만 아닌 모양이었다.

"어? 어!"

사내는 외진 곳의 작은 반점이 뜻밖에도 손님으로 가득 찬 걸 보고 첫 번째로 놀라고, 그중에 칼잡이들이 열 명이나 있는 걸 보고 두 번째로 놀랐다. 얼른 돌아서 나가려는 사내를 주방에서 숙수가 불러 세웠다.

"뭘 드릴깝쇼?"

"교자 한 판만……."

"좀 걸릴 것 같습니다만."

"그럼 나중에……."

"빨리 해드리겠습니다."

"아, 알았습니다."

그사이 흑도들은 한 놈도 빠짐없이 이쪽을 힐끔거렸다. 특히 단주를 위아래로 훑어댔다. 양 행수가 역용으로 얼굴을 만져주긴 했지만, 타고난 미모는 여전했다. 예전에는 귀여운 예쁨이었다면 지금은 나이를 열 살이나 더 들어 보이게 하는 바람에 오히려 성숙한 예쁨이 있었다.

평소 누군가 공주를 저런 눈으로 훑었다면 눈알을 뽑히고도 남을 불경죄였다. 하지만 오늘 우리는 자객을 피해 철저하게 신분을 숨겨야 한다. 그러려면 사람들의 이목을 끄는 말썽도 최대한 피해야 했다.

"단주님, 식사는 어떠셨습니까?"

내가 물었다. 이미 좀 전에 했던 질문이지만, 슬슬 일어날 준비를 하란 신호를 단주와 짐꾼들에게 주기 위해 다시 물은 것이다.

"최고였어요. 마희단 공연을 구경하느라 배고픈 줄도 몰랐는데, 교자를 먹는 순간 조금 더 일찍 올걸 하고 후회되더라고요."

"마희단 공연이 그렇게 재밌었습니까?"

"어려서부터 마희단 구경하는 걸 좋아했어요. 아버지께서 여자라고 바깥출입을 못 하게 하시는 와중에도 마희단이 오면 함께 데리고 나가 주시곤 하셨거든요."

"그러셨군요."

이쪽에서 개인사를 이야기하니 흑도 놈들이 귀를 쫑긋 세운다.

더 이상의 관심은 사양이다. 눈치 빠른 양 행수가 딱 맞춰 보조를 해주었다.

"식사도 끝났는데 이제 그만 일어날까요? 오후에 부지런히 차방(茶房)을 돌려면 서둘러야 할 것 같습니다."

"그럴까요?"

단주도 분위기를 알고 호응해 주었다. 문제는 흑도 놈들이었다.

"못 보던 사람들 같은데……."

결국 한 놈이 말을 걸어오고 말았다. 서호삼견은 아니고, 그 아래에서 제법 오른팔 노릇 정도는 하는 놈 같았다.

양 행수에게 내게 맡기라는 눈짓을 보낸 후 돌아서며 말했다.

"차를 사러 온 상인들입니다."

"북방 말투를 쓰던데."

"북쪽이 고향인 사람들이 많다 보니."

"젊은 여단주께서는 벙어리요? 아닌데, 방금 말하는 걸 봤는데?"

순간, 나와 시선이 마주친 가불염의 눈동자에 살광이 감돈다. 짐꾼들의 눈동자에도 살기가 뻗쳤다. 지금 이 순간 내 한마디면 방금 입을 놀린 저 새끼는 목이 떨어진다. 하지만 그럴 수가 없다.

다행히 단주를 보니 표정에 아무런 변화가 없었다. 속으로는 어떤지 모르지만 일단 감정은 숨길 줄 아는 것이다.

"용건이 없으시면 그만 가보겠습니다."

"술 한잔 더 하고 가지 않겠소?"

"사양하겠습니다."

"나도 북방 사람이오. 타지에 가면 열 개의 관청보다 고향 사람 한 명이 낫다고 했소. 혹시 또 아오? 내가 싸고 좋은 차방을 소개해 줄지."

말투가 딱 남방 촌놈 말투인데 개소리를 지껄인다. 아니나 다를까 여기저기서 킥킥대는 소리가 들린다. 칼부림이 일어날 걸 예감했는지 어리바리가 교자도 포기하고 슬그머니 줄행랑을 치는 게 보였다.

외출이고 뭐고 이것들을 싹 다 조져 버리고 싶은 마음이 굴뚝같았다. 가불염을 비롯해 표사들도 내 명령이 떨어지기만 기다리고 있었다.

놈들이 저러는 건 전부 젊고 예쁜 단주 때문이다. 한데 당사자인 단주가 이 모멸감을 견뎌내고 있었다. 눈을 감고 입술을 부르르 떨지언정 내게 모든 걸 맡긴 채 일절 대응을 하지 않았다. 모처럼의 행복한 생일을 망치고 싶지 않은 거다.

"그만들 해라!"

나직한 일갈에 킥킥대던 웃음소리가 뚝 그쳤다. 수하들의 입을 닥치게 한 건 쉰 살가량의 장년인이었다. 서호삼견 중 첫 번째인 일견 탁맹방이었다.

참고로 서호삼견이니 일견이니 하는 건 전부 강호인들이 붙여준 별명이다. 서쌍교방 내에서 저들의 공식적인 별호는 서호삼절(西湖三絕)이었다. 각각 도, 검, 창으로 나름 흑도들 사이에서는 달인 소리를 듣는 고수들이기 때문이다.

일견이 자리에서 일어나더니 나를 향해 정중하게 포권지례까지 하며 말했다.

"못 배운 것들이라 아무리 가르쳐도 예의를 모르오. 호위무사께서는 어서 단주를 모시고 갈 길을 가시오."

단주를 놔두고 굳이 내게 저리 말하는 것은 사과를 하고 싶지 않기 때문이다. 하긴 사과를 할 정도로 양식이 있었다면 처음부터 수하들에게 허튼짓을 못 하도록 했겠지.

됐다. 이 정도로 끝낸 것만도 다행이었다.

나는 양 행수에게 밖으로 나가자고 눈짓을 했다. 모두가 밖으로 나가기 위해 궤짝들을 짊어졌다. 한데 단주는 불끈 쥔 양 주먹을 허벅지에 딱 붙이고 서서 꼼짝을 하지 않았다. 어깨가 잔뜩 올라가 있는 것이 무언가 터져 나오려는 걸 사력을 다해 참는 눈치다.

"단주님, 어서 나가……."

"귀하들이 서호삼견인가요?"

결국 터져 나와 버렸다.

나도, 양 행수도 깜짝 놀랐다. 세상에 누가 개라고 불리는 걸 좋아하나. 별호에 견(犬) 자가 붙는 건 전부 강호인들이 그 대상을 경멸해서 붙이는 이름이다.

서호삼견의 눈이 허옇게 뒤집혔다. 다른 흑도들은 너무나 황당한 나머지 멍한 얼굴로 단주를 바라보았다.

"수하들이 허구한 날 돈도 없이 교자를 먹고 다니는 걸 아시나요? 왜 그랬는지 짐작 못 하는 바는 아니나, 그런 행동들이 이런 작은 반점에는 치명적인 피해를 줄 수도 있어요. 그것 때문에 반점이 문이라도 닫아버려 이렇게 맛있는 교자를 더 이상 먹을 수 없다면 얼마나 안타까운 일이겠습니까. 그러니까 제발…… 돈 좀 내고 먹으라고 하세요."

나는 눈매를 좁혔다. 여태 속으로 꾹꾹 눌러 담고 있던 말이 자신에게 불경스럽게 군 것에 대한 진노가 아니라, 반점이 문을 닫을까 걱정한 것이라고? 양 행수 또한 적잖게 당황한 모양이었다.

솔직히 좀 어처구니가 없었지만, 나는 단주를 응원해 주고 싶었다. 그녀의 이 한마디로 말미암아 한바탕 싸움이 벌어진다고 해도 다 해결해 주고 싶었다. 어차피 자기가 엎질러 버린 물이니 신분이 밝혀져도 이제 내 책임은 아닌 거고.

"그렇게 하겠소. 한데 방금 젊은 여단주께서 우리에게 서호의 세 마리 개라고 욕한 건 아시는지?"

"네?"

"수하들이 보는 앞에서 나와 두 아우를 모욕했으니 그 대가는 치러야겠소. 안 그러면 항주의 강호 형제들이 우리 서호삼절을 배알도 없는 놈들이라고 손가락질하지 않겠소?"

"무슨 말씀인지 이해했어요. 실언을 해서 죄송합니다. 제가 어떻게 보상해 드리면 될까요?"

"사과는 필요 없소. 그리고 보상이 아니라 대가요. 단주의 것도 좋고 다른 사람의 것도 좋으니 팔을 세 짝만 내놓고 가시오. 하면 돼지고기 대신 그걸 수하들과 구워 먹고 깨끗이 잊겠소."

스릉! 스릉! 스릉!

말이 끝나기 무섭게 세 명의 흑도가 칼을 뽑아 들고 다가왔다.

스릉!

나 역시도 칼을 뽑아 들고 앞을 막아섰다. 그러면서 재빨리 외쳤다.

"모두 뒤로 물러나시오!"

내가 해결해 볼 테니 아직은 나서지들 말라는 소리다. 가불염을 비롯해 각자의 병장기를 꺼내려던 짐꾼들이 내 말을 듣고 조용히 한발 뒤로 물러났다.

"서호삼절의 명성은 나도 익히 들어서 알고 있소. 이번 일은 내가 모시는 단주께서 강호의 경험이 부족해 빚어진 실수이니 부디 선배들께서는 이 후배의 체면을 보아 한 번만 양보해 주시길 바라오."

"뭣들 하는 거냐. 저 호위 놈 팔목부터 잘라라!"

씨알도 안 먹혔다. 흑도 놈들이 나를 덮치려는 일촉즉발의 순간.

쾅!

문이 터져 나갈 것처럼 울어대며 십여 명이 괴한들이 들이닥쳤다.

놀랍게도 저잣거리에서 보았던 마희단 패거리였다. 칼을 목구멍에 넣고, 머리 위에 올려놓은 벽돌을 망치로 깨고, 물이 펄펄 끓는 가마솥에 손 넣는 기예를 보이던 자들.

"이것들은 또 뭐야?"

빡!

가까이 있던 흑도 하나가 눈알을 부라리다가 갑자기 정강이가 뚝 부러진 채 쓰러져 굴렀다.

"으아악!"

"시끄러!"

빽!

얼굴에 발길질을 맞은 흑도가 비명을 뚝 그쳤다. 까무러친 것이다. 범인은 마희단의 오척단구 난쟁이. 그는 고작 두 자도 안 되는 몽둥이를 공중으로 한 바퀴 휙 던졌다가 받더니 다시 허리춤에 꽂았다.

"이런 썅!"

빽!

두 번째로 덤비던 흑도 역시 쓰러져서는 게거품을 물고 경련을 일으켰다. 머리에 무언가를 맞은 것 같은데 아무래도 정상으로 돌아오지 않을 듯싶다. 범인은 난쟁이의 옆에 서 있던 사마귀 형상의 인간. 펄펄 끓는 가마솥에 손을 넣어 동전을 줍던 자였다.

채채채챙챙! 채채채채챙!

흑도들이 먼저 일제히 도검을 뽑아 들었고, 그에 반응하여 마희단 패거리들도 각자의 병장기들을 뽑아 들었다. 평화롭던 반점은 순식간에 살벌한 싸움터가 되어버렸다.

"모두 물러서라!"

일견이 소리쳤다. 예사로운 자들이 아님을 깨달았기 때문이다. 그것도 서 있는 위치로 미루어 한참이나 수하로 보이는 난쟁이와 사마귀에게 당했으니.

일견이 한 걸음 앞으로 나서며 말했다.

"우리는 서호삼절이라고 하오. 내 수하들을 병신으로 만든 고인들이 누구인지 알아야겠소이다."

목소리에 노기가 가득하다. 상대가 고수임을 알아보고 신중한 것이지 결코 겁을 집어먹은 얼굴이 아니었다. 하지만 누구도 대답을 해주는 이가 없었다. 심지어 일견을 바라보지도 않았다. 마희단 패거리는 전부 나와 차 상인으로 위장한 일행을 보고 있었다.

"이것 보시오!"

"아가리 닥치고 있어!"

사마귀의 일갈에 일견은 한순간 어안이 벙벙한 얼굴을 했다. 그사이 흑삼에 검은 죽립을 쓴 자가 우리 쪽을 향해 조용히 포권지례를 해왔다.

"공주마마를 뵙습니다."

나는 당황하지 않았다. 이들이 문을 박차고 들이닥치는 순간, 난쟁이와 사마귀가 비범한 솜씨로 흑도 둘을 꽂아버리는 순간 이미 평범한 마희단이 아님을 알아차렸기 때문이다. 이들이 하고많은 반점 중에 이곳을 찾아온 것이 결코 우연이 아니라는 것도.

당황하진 않았지만 속으로 깜짝 놀랐다. 이처럼 과감하게, 그리고 빠르게 손을 쓰는 자들은 일찍이 본 적이 없었다.

한편, 공주마마라는 말에 서호삼견 패거리들은 얼굴이 하얗게 변했다. 수하 두 명이 쓰러지는 와중에도 한 가닥 평정심을 잃지 않던 일견조차 눈동자가 흔들리고 있었다.

"용케도 알아차렸군."

양 행수가 가만히 짐꾼들을 제치며 앞으로 나왔다. 그리고 죽립의 사내를 똑바로 노려보며 말했다.

"닷새 전 아바마마를 시해하려 한 놈이 너였더냐?"

놀랠 노 자였다. 양 행수의 목소리가 단주의 목소리와 똑같았다. 심지어 단주 특유의 북경식 억양까지. 언젠가 주워듣기로 역용술의 최고 경지는 누군가의 얼굴은 물론 목소리와 말투까지 그대로 흉내 내는 것이라고 했다. 양 행수는 절체절명의 순간에 남장한 공주 흉내를 낸 것이다. 그렇다면 단주로 위장한 진짜 공주는 본래 시비였는데 만약의 경우를 대비해 단주로 위장한 것이 되고.

한데 이게 통할까?

"누군지 모르지만 재밌는 재주를 가졌군."

안 통했다. 솔직히 내가 생각해도 무리수였다. 그래도 잘했다. 싸움을 피할 수만 있다면 뭐든 해보는 거지 뭐.

"눈썰미가 좋군요."

"여자인 건 맞군."

"말투를 보아하니 귀하들이야말로 회수의 위쪽에서 내려온 것 같은데, 북방의 유명한 살수문파라면 살막(殺幕)? 백백곡(魄魄谷)? 귀총(鬼塚)? 어느 쪽이죠?"

"강호의 문파들에 대해 많이 아는군."

"집안 내력이라서."

"어떤 집안인지 궁금하군."

"남궁세가."

"……!"

"할아버지의 별호가 뇌검이시죠."

"뜨헉!"

갑작스러운 비명은 흑도들 중 누군가의 입에서 튀어나온 것이었다. 공주에 이어 남궁세가주의 손녀까지 등장하자 서호삼견을 비롯한 흑도들은 그야말로 공황 상태에 빠져 버렸다.

놈들도 귀가 있으니 진왕이 왕비와 공주를 이끌고 이화원으로 와서 머물고 있다는 것쯤은 들었을 것이다. 그 진왕과 공주를 시해하려 한 자들이 눈앞에 있고, 공주가 있고, 공주를 지키려는 남궁세가주의 손녀까지 있다. 복수고 뭐고 지금쯤 밖으로 뛰쳐나가고 싶은 생각이 굴뚝같을 것이다.

하지만 마희단 패거리들이 입구를 떡하니 막고 있어서 이러지도 저러지도 못했다.

놀란 건 흑도와 마희단만이 아니었다.

"여자였어요?"

공주가 깜짝 놀라 물었다. 남궁소소는 눈앞의 죽립인에게서 눈을 떼지 않은 채 말했다.

"공주마마, 자리가 자리인 만큼 자세한 설명은 나중에 따로 드리겠습니다. 우선은 벽에서 떨어지지 마십시오."

그러고는 허리춤에서 두 자가량의 철척(鐵尺)을 척 하고 뽑아 쥐며 격투의 자세를 취했다. 철척은 상단의 행수들이 흔히 갖고 다니는 강철로 된 자였다. 이걸 조금 더 두껍고 단단하게 만들면 똑같은 이름의 무림인들이 쓰는 무기가 된다.

척! 척! 척! 척!

남궁소소를 시작으로 네 명의 짐꾼들도 등짐을 벗어 던져 버리고 각자의 병장기를 뽑아 쥐었다. 그러자 덩치만 큰 짐꾼들의 모습은 온데간데없고 찐득찐득한 살기를 뿌려대는 일류고수들이 그 자리를 차지했다. 멋모르고 깝죽대던 흑도들은 또 한 번 오금을 저렸다.

반면, 남궁소소가 위험을 무릅쓰고 자신의 신분까지 밝혔건만, 살수들은 조금도 물러날 기색이 없었다.

결국 나까지 나섰다.

“어떻게 알아차렸지?”

“귀하가 조장인가?”

“척 보면 모르나?”

“공주마마께선 마희단 공연을 그냥 지나치시는 법이 없지. 닷새 동안 하루도 쉬지 않고 공연을 하며 기다렸다.”

“그 많은 사람들 중에 우리가 공주마마의 일행인 줄은 어떻게 알고 반점까지 따라온 거지?”

“여자 하나와 남자 여럿의 조합. 호위를 하는 듯한 짐꾼들의 동선, 북경에선 흔히 볼 수 없는 뱀을 넋 놓고 바라보는 젊은 여자, 그리고 북경 말투.”

“사람들이 많은 곳에선 말을 한 적이 없는데.”

놈들의 뒤쪽에서 한 사람이 쓰윽 고개를 내밀었다. 아까 교자를 사러 왔던 그 어리바리였다.

“지난 닷새 동안 저 친구가 뒤를 밟은 사람들만 무려 서른 명이 넘…….”

“졌으니까 그만해.”

“너무 자책하지 말라고. 우리는 평생을 이런 일로 먹고 살아온 사람들이니까. 솔직히 말하면 당신의 작전은 아주 훌륭했…….”

“됐고. 그래서 어쩔 거지?”

“공주마마를 넘겨달라면 줄까?”

“아직 식전인가?”

“그건 왜 묻지?”

“욕이나 좀 푸짐하게 얻어먹고 꺼지는 건 어때?”

나는 심장이 벌렁거렸다. 하지만 뻥을 칠 땐 확실하게 쳐야 한다. 기싸움에서부터 밀리기 시작하면 끝장이다.

“더 할 얘기가 없을 것 같군.”

“감당할 수 있겠어?”

“일단 거추장스러운 것들부터 치우지.”

죽립인이 구석탱이에 모여 있는 서호삼견과 그 수하들을 돌아보며 말했다.

“밖으로 나가도 좋다. 우리가 누군지는 굳이 얘기하지 않겠다. 밤에 자다가 뒈지기 싫으면 지금부터 반 시진 동안은 누구도 만나지 말고 말도 섞지 마라.”

문을 막고 있던 죽립인의 수하들이 슬그머니 길을 터주었다. 흑도들이 그때까지 바닥에 쓰러져 뒹굴던 두 명의 동료들을 챙겼다.

서호삼견은 분노로 얼굴이 시뻘게져 있었다. 특히 일견의 눈동자에는 불길이 일렁이고 있었다.

“어떤 일을 하는 분들인지 짐작은 가오. 오늘은 그냥 물러나겠소. 그러나 나와 서쌍교방의 형제들은 반드시 혈채(血債)를 받으러 갈 것이오.”

“누구 마음대로!”

흑도들이 발걸음을 뚝 멈추고 나를 돌아보았다. 나는 품속에서 마패를 꺼내 흑도들에게 척 보여주며 말했다.

"나는 금의위 암행위사 방자광이다. 네놈들이 감히 진왕 전하와 공주마마를 능욕하고도 목이 붙어 있기를 바랐더냐!"

공주, 남궁세가에 이어 금의위 암행위사까지. 흑도들은 하얗게 질리다 못해 죄다 넋이 나가 버렸다. 저들에게 나는 지옥에서 온 저승사자처럼 보일 것이다.

"하지만 살길을 열어주겠다. 저 흉악한 무리로부터 목숨 걸고 공주마마를 지켜라. 만약 공주마마의 털끝 하나라도 상하면 네놈들이 어디에 숨든 세상 끝까지 쫓아가 한 놈도 남기지 않고 도륙할 것이다. 또한 열흘 안에 서쌍교방을 불태워 쓸어버리고, 너희의 일족까지 모두 찾아내 씨를 말릴 것이다!"

장내가 심연의 동굴처럼 조용해졌다. 흑도들은 감히 밖으로 나갈 생각도 못 하고 그 자리에서 얼어붙어 버렸다.

금의위 암행위사라는 말에 그 꿈쩍 않던 죽립인도 어깨가 살짝 움찔하는 게 느껴졌다.

다른 상황에서 만나 내가 마패를 내밀며 금의위 암행위사 어쩌고 했더라면 다들 눈곱만큼도 믿지 않았을 것이다. 하지만 공주를 뒤에 세워놓고 이렇게 큰소리를 치니 흑도든 살수들이든 모두 깜빡 속아 넘어갔다. 사실 아주 거짓말도 아니지만.

스릉! 스릉! 스릉!

서호삼견이 뒤늦게 각자의 무기를 뽑는 소리였다. 일견이 반점이 떠나가라 사자후를 내질렀다.

"서호삼절과 서쌍교방의 형제들은 오늘 여기서 공주마마와 생사를 함께한다. 모두 자리를 잡아라!"

"정말 금의위가 맞나?"

"그걸 물어보고 알면 어떡해."

뒤쪽에 있는 살수들 중 한 놈이 죽립인에게 쓰윽 다가가 속삭였다. 작은 목소리였지만 '황실에서 사용하는 마패가 맞습니다'라고 하는 걸 모두 들을 수 있었다.

당연히 진품이지. 내가 이부시랑에게 직접 받았는데.

금의위 암행위사라는 벼슬이 서류로만 존재하는 가짜 벼슬이어서 그렇지 마패는 엄연한 진짜다. 살수가 확인까지 해주는 바람에 혹시라도 긴가민가했던 흑도들조차 이젠 확실하게 믿는 눈치였다.

오히려 남궁소소와 공주 그리고 표사들이 어리둥절한 표정을 감추느라 애를 먹었다. 그 어리둥절함 속에는 내가 장원급제 후 '암행위사'라는 벼슬을 이미 받았으면서 그동안 일부러 숨겼구나라는 생각이 포함되어 있을 거다.

상관없다. 다급해지면 쓰라고 진왕이 하나 쥐여주었다고 하면 된다. 황족인데 설마 마패 하나 정도는 하사할 힘이 있겠지.

"금의위까지 개입한 줄은 몰랐는걸."

"황실의 보호를 받는 공주마마를 시해하려 하고도 네놈들이 살기를 바란 건 아니겠지? 장담컨대 너희가 어떤 살수문파에서 왔든 멸문지화를 각오해야 할 것이다."

"우리야 가격만 맞으면 황제의 목도 따다 주는 사람들이라서. 공주마마의 목숨 정도야 사실 망설일 것도 없지."

"혹시 다른 황족의 비호를 받는 건가?"

"궁금한 게 많군."

"아니면 사주를 받았거나?"

"후."

"웃는 걸 보니 맞네."

"그럴 수도 아닐 수도 있고."

"물타기 하고 있네."

"우린 명령이 떨어지면 움직이는 칼에 불과할 뿐. 칼을 휘두르는 사람까지는 알아도 칼을 산 사람이 누군지는 전혀 모른다는 뜻이다."

"그건 좀 그럴듯한 대답이네."

"금의위치고는 우리 사정을 너무 모르는군. 황실이냐 무림이냐의 차이만 있을 뿐. 하는 일은 크게 다르지 않을 줄 알았는데. 혹시 마패 훔친 거 아닌가?"

"근본도 없는 살수 망나니 따위가 감히 문과에 장원급제한 나와 비교하려 들다니. 내 아무래도 오늘 그 천한 주둥아리를 찢어 본으로 삼아야겠구나."

"발끈하는 걸 보니 정말 의심이 드는군."

이 작자 아무리 흔들어보려고 해도 꿈쩍하지를 않는다. 평정심을 잃어야 실수도 하고, 실수를 해야 정보를 얻을 수 있다. 한데 오히려 나를 흔들려고 든다. 옆구리 찔러서 들을 수 없는 이야기라면 대놓고 물어볼 수밖에.

"반 시진은 무슨 뜻이지?"

"……!"

"시치미 뗄 생각 마."

"이번엔 제대로 찌르는군."

"아까 넌 분명히 흑도들에게 반 시진 동안 누구도 만나지 말고 말을 섞지도 말라고 했다. 대체 반 시진 동안 무슨 일을 꾸밀 생각이었지?"

남궁소소, 공주, 표사들 전부 표정이 굳었다. 대수롭지 않게 여겼다가 내 말을 듣고 과연 이상하다는 생각이 든 것이다.

"공주마마를 제거한 후 종적을 감추는 데 필요한 시간이지."

"연기처럼 나타났다가 사라지는 족속들이 무슨 헛소리를."

"그럼 당신 생각을 들어볼까?"

"시간을 끌고 있군. 처음엔 공주마마를 납치해서 어딘가로 이동하며 시간을 끌려고 했어. 한데 흑도들이 끼어들면서 사정이 여의치 않자 지금은 대치 상태에서 내 말을 들어주는 척하며 시간을 끌고 있고. 무슨 꿍꿍이냐? 뭘 기다리는 거지?"

"성동격서!"

비명 같은 신음을 내지른 사람은 남궁소소였다. 나는 죽립인에게서 시선을 떼지 않은 채 소리쳐 물었다.

"무슨 뜻인지 자세히!"

"공주마마는 진짜 목표가 아니었어요. 단지 이화원의 병력을 빼내기 위한 인질에 불과할 뿐."

"이화원에서 어떻게 병력을 뺀다는 거요?"

"공주가 사로잡혔으니 서둘러 지원병을 보내야겠죠. 진왕 전하를 호위하는 데 필요한 최소한의 병력만 빼고 전부. 아니면 고수들로만 추려서 보낼 수도 있고요. 어느 쪽이든 살수들의 입장에서는 훨씬 수월하게 진왕 전하의 앞에까지 진입할 수 있을 거예요."

"나도 그 생각을 안 해본 건 아니오. 하지만 공주가 사로잡혔다는 확실한 증거가 있지 않은 한 진왕 전하도 황룡당주도 함부로 병력을 뺄 사람들이 아니오."

"역용, 차 상인, 여자 하나 남자 여섯. 이 세 가지 얘기만 들어도 진왕 전하와 황룡당주께서는 우리가 정체를 간파당해 위험에 처했다고 생각하실 거예요."

"아바마마!"

공주의 놀란 외침이었다. 아버지와 어머니가 위험에 처했다는 걸 깨닫자 크게 흥분한 것이다.

여기서 이화원까지는 십 리, 반면에 천룡표국까지는 두 배인 이십 리다. 황룡당주가 천룡표국에 급히 지원을 요청해 우리에게 가도록 하기에는 너무 늦다.

내가 황룡당주라면 일단 이화원에 있는 고수들을 최대한 많이 추려서 이곳으로 급파할 것이다. 그래야 기동성을 조금이라도 높일 수 있을 테니까. 동시에 진왕과 이화원 경계를 위해서는 천룡표국에 지원을 급히 요청할 것이고.

그러니까 천룡표국에서 지원조가 출발해 이화원에 도착할 때까지 약 일각 정도 전력의 공백이 생기는 셈이다.

"또 당했네. 젠장할."

나도 모르게 쟁자수 시절의 험한 입버릇이 튀어나왔다. 도둑 하나를 열 명의 포쾌가 못 당한다는 말이 있기는 하다. 하지만 명표가 되겠다며 출사표를 던져놓고 연달아 두 번이나 살수들에게 속으니 자존감이 말이 아니었다. 약이 아주 바짝 오른다.

"저들의 전령도 아직 이화원에 도착하지 못했을 거예요. 지금이라도 말을 타고 달려가 이리로 오고 있는 지원조의 말 머리를 돌리면 공백을 절반으로 줄일 수 있어요."

다시 남궁소소가 말했다. 하지만 여기서 어떻게 발을 뺀단 말인가. 발을 빼기는커녕 공주를 지키기에도 급급한데.

"눈치를 보아하니 더는 시간을 끌 수 없을 것 같군."

죽립인이 말했다. 그는 흑도들을 돌아보며 덧붙였다.

"서호삼절, 저들은 오늘 여기서 모두 죽을 것이오. 하니 스스로 떠벌리고 다니지 않는 한 당신들이 공주를 능욕한 사실은 아무도 모를 것이오. 한데도 구태여 목숨을 걸겠소?"

흑도들 사이에서 동요하는 기색이 느껴졌다. 누가 보아도 솔깃할 제안이었다. 우리 일행이 여기서 모조리 죽어버리기만 하면 자신들이 했던 짓은 공기 중에 증발해 버리니까. 게다가 돌아가는 분위기로 미루어 우리 쪽이 훨씬 불리하고.

그러나 죽립인이 미처 모르는 게 있다. 서호삼절이 왜 강호인들에게 서호삼견이라고 불리는지를. 하는 짓이 개 같아서가 아니다. 한번 죽이기로 작정을 하면 개처럼 물고 놓지를 않는다고 해서 삼견이다.

"다들 동요하지 마라. 살수고 나발이고, 저 새끼들도 배에 칼이 들어가면 죽는 인간이다. 공주마마 시해의 목격자인 우리를 살려 보내주려 한 것만 보아도 알 수 있지. 우리까지 가세하면 감당할 수 없을 것 같으니 처음부터 제외하려 했던 것이다."

"굳이 함께 지옥으로 가겠다면야 어쩔 수 없지."

살수들이 도검을 고쳐 잡고 방위를 점하기 시작했다. 그에 반응하여 흑도들도, 표사들도 모두 방향을 잡고 검투의 자세를 취했다.

무인들이 끌어 올린 살기로 좁은 반점 안의 허공이 마치 바늘로 가득 찬 것처럼 따가웠다. 숨소리조차 들리지 않는 일촉즉발의 순간. 내 머릿속에서 남궁소소의 다급한 전음이 울렸다.

[여긴 너무 좁아요. 우리 쪽 숫자가 훨씬 많으니 전면전이 벌어지면 아군끼리 칼부림이 일어날 공산이 커요.]

"잠깐!"

팽팽하던 장내의 공기가 잠시 출렁였다.

"손바닥만 한 공간에 살수, 흑도, 금의위까지. 무려 스물일곱 명이나 들어와 있다는 거 알아? 반점이 무슨 개밥그릇도 아니고."

"어쩌자는 거지?"

"탁 트인 곳에서 시원하게 싸우자고. 어차피 산모퉁이 넘어 한갓진 곳이라 지나가는 사람도 없고. 그게 서로 좋지 않겠어?"

"아군끼리 칼부림이 날까 두려운가?"

"당신들도 손해 보는 계산은 아닐 텐데. 이렇게 좁은 장소라면 아군끼리 칼부림이 나든 어쨌든 결국 숫자가 많은 쪽이 유리하지 않겠어?"

"……?"

"이젠 이런 걸로도 시간을 끌 건가?"

"좋아. 그렇게 하지."

"그전에 내 용무부터 좀 봅시다."

묵직한 저음에 돌아보니 한 사내가 장검 한 자루를 품은 채 입구에서 있었다. 사람들은 적아를 구분할 것 없이 모두 화들짝 놀랐다. 입구라면 사실상 반점 안이나 다름없는데, 누구도 낯선 사내가 이렇게 가까이 다가오는 걸 눈치채지 못했던 것이다.

건장한 체구에 서른을 넘기지 않았을 것 같은 사내는 엄청난 용모의 미공자였다. 그리고 기세가 있었다. 단지 두 걸음을 앞으로 내디뎠을 뿐인데 흡사 산이 밀고 들어오는 것 같았다.

문 앞을 장악하고 있던 살수 십여 명이 사내의 기세에 밀려 저도 모르게 반점 안쪽으로 세 걸음이나 들어왔다. 그 바람에 문 앞은 이제 사내의 차지가 되어버렸다. 그러자 살수들을 가운데 두고 주방 쪽은 흑도들이, 창가 쪽은 우리가 버티고 선 채 포위한 형국이 되었다. 저 사내가 우리 편이라면 말이다.

그런데 우리 편이 맞다. 나는 저 사내가 누군지도 알고, 북경에서 돌아오던 날 표국에서 인사도 나누었다. 다만 지금은 역용을 하고 있으니 그가 나를 못 알아볼 뿐.

맙소사. 그가 나타날 줄이야!

문 쪽과 가까운 곳에 있던 사마귀 형상의 살수가 물었다.

"당신은 누구요?"

"여동생을 찾으러 왔소."

"여동생?"

사내는 모두를 둘러보며 말했다.

"미안하지만 내 여동생을 찾아 안전을 확인할 때까지 모두 반점을 나갈 수 없소이다. 본인의 행사에 의롭지 못한 면이 있다면 일이 끝난 후 시시비비를 따져 사과드리겠소."

“무슨 헛소리를!”

“헛소리?”

사내가 고개를 아래로 꺾어 사마귀를 가만히 내려다보았다. 살기도 없고, 횃불도 담기지 않은 그저 평범한 눈. 한데도 사마귀는 무언가에 짓눌린 듯 옴짝달싹하지 못했다.

그 순간, 지척에 있던 난쟁이가 벼락처럼 몽둥이를 뽑아 사내의 정강이를 향해 휘둘렀다. 그러나 몽둥이는 두 번이나 헛되이 허공을 갈랐을 뿐이었다. 난쟁이가 몽둥이를 세 번째 휘두르는 순간, 사내의 신형이 허공으로 살짝 뜨는 듯했다. 그리고 이어지는 육중한 타격음.

빵!

고개가 뒤로 꺾이며 나가떨어진 것은 난쟁이였다. 그는 하필 흑도들이 있는 곳으로 날아갔다. 바닥에 떨어졌을 때 이미 입안이 터져 피를 철철 흘리고 있었다. 아무래도 사내의 발길질이 난쟁이의 입에 박힌 모양이었다.

그때부터 난쟁이를 향한 흑도들의 일방적인 구타가 시작되었다.

“이 새끼 죽여 버려!”

퍽! 퍽! 퍽!

그때였다.

쇅!

혼란을 틈타 또 다른 살수의 칼이 사내의 목을 베어갔다. 그야말로 전광석화와 같은 속도. 고도의 집중력을 통해 이능력을 발동하지 않았다면 나는 절대로 보지 못했을 것이다.

따앙!

맹렬한 금속성과 함께 살수의 칼날이 손잡이 윗부분에서 뚝 부러졌다. 사내가 어느새 품고 있던 검집에 내공을 실어 막은 것이다. 막상 검은 뽑지도 않았다.

놀란 살수가 재빨리 물러났다. 그 순간 사내의 검집에서 번쩍하고 검이 뽑혔다.

스캉!

물러나는 살수의 칼 쥔 손목이 싹둑 잘려 나갔다.

"억!"

그때쯤엔 세 번째 살수가 사내의 가슴을 향해 직검을 찔러가고 있었다.

싸악! 푸욱!

"허억!"

그러나 검에 가슴을 꿰뚫린 사람은 사내가 아니라 직검을 찔러 들어가던 살수였다. 결과적으로 봤을 때 살수는 사내의 검 끝을 향해 자신의 가슴을 밀고 들어간 셈이 되었다.

지금 이 반점 안에서 사내의 검이 움직인 길, 즉 검로(劍路)를 본 사람은 나를 비롯해 서호삼견 그리고 죽립인 정도가 전부일 거라고 나는 확신했다.

그만큼 오묘하고 빨랐다. 100년에 한 번 나올까 말까 한 검술의 천재이자 서른 살에 이미 절정의 반열에 오른 고수라고 하더니 과연…….

"모두 멈춰!"

죽립인이 외쳤다. 한 번의 주고받는 공방도 없이 단 여섯 초식 만에 자신의 수하 셋을 쓰러뜨리는 고수가 나타났다. 일단 여기서 멈추지 않으면 무슨 일이 일어날지 모르는 것이다. 짐작건대, 저 죽립인을 제외하고는 살수들 중 누구도 새로 나타난 사내의 상대가 되지 못할 것 같았다.

죽립인이 정중하게 물었다.

"귀하는 누구요?"

"남의 신분을 물으려면 자신부터 소개를 해야지. 수하들도 그렇고 우두머리도 그렇고, 도무지 예의라곤 없는 걸 보니 좋은 무리는 아니군."

"우리는……."

"알고 있소. 백백곡의 귀신들. 시체 썩은 냄새에 대낮에도 검은 죽립을 쓰고 돌아다니는 걸 보니 귀하가 흑두귀(黑頭鬼)이겠군?"

"어떻게……."

"방금 나를 공격한 두 칼잡이의 수법이 백백곡의 백인도법(魄刃刀法)과 백라검법(魄羅劍法)이 아니오?"

"……!"

"그나저나 목숨 한번 질기시오. 올해 일흔은 넘기셨을 텐데 아직도 살아 계신 걸 보면. 그 많은 업보를 어떻게 다 감당하시려고."

죽립인의 어깨가 어느 때보다 크게 떨리고 있었다.

나는 속으로 깜짝 놀랐다. 여태 많아야 마흔 안팎이라고 생각하고 거침없이 반말을 해댔다. 한데 일흔 살이라니. 대체 어떤 사이한 무공을 익혔기에 저렇게 청년 같은 목소리와 체격을 가졌을까.

그러나 더 놀라운 건 살수들의 소속과 죽립인의 정체까지 한 번에 간파해 버린 사내의 놀라운 능력이었다. 나는 한 차원 높은 강호의 경험과 견문을 느낄 수 있었다.

사내가 얼이 빠져 있는 사람들을 쓸어 보며 또 말했다.

"지금부터 내가 적아를 완벽하게 파악하기 전까지는 모두 손가락 하나 움직이지 마시오. 만약 이를 어길 시 나와 여동생을 해치려는 것으로 간주하고 그 즉시 대가를 치르도록 하겠소."

사내는 다시 살수들을 노려보며 덧붙였다.

"특히 당신들은."

그야말로 압도적인 검술에 반점 안의 공기는 숨이 막힐 정도로 무겁게 가라앉았다. 갑자기 나타난 단 한 명의 초고수가 상황을 깨끗이 정리해 버린 것이다.

다시 죽립인이 물었다.

"내가 누군지 알았으니 이제는 말해주시오. 귀하는 대체 누구요?"

"이름을 묻는 것이라면 남궁세옥이오."

"창룡검(蒼龍劍)!"

"아아!"

흑도들 사이에서 동시에 터져 나온 별호와 감탄사였다. 그제야 사내가 적이 아님을 알아차린 흑도들과 표사들은 흥분을 감추지 못했다. 반면 살수들의 얼굴은 썩어 문드러졌다. 남궁세옥이라는 고수가 나타나지 않았어도 이번 싸움은 승부를 장담하기 어려웠다. 하물며 그가 나타난 후에는 말할 필요도 없다. 게다가 입구까지 막고 있으니.

살수들이 이러지도 저러지도 못하는 사이 남궁세옥이 흑도들과 우리 쪽을 번갈아 보며 물었다.

"썩 나오지 못하겠느냐?"

이건 또 무슨 전개지? 가만 그러고 보니 오라버니가 도착했는데 남궁소소는 왜 아까부터 모른 척하고 있는 거지?

"이런 망아지 같은 녀석, 대체 허구한 날 무슨 짓을 하고 돌아다니는 것이냐? 이 사람들은 다 무엇이고. 살수는 또 웬 말이냐."

남궁소소는 나를 도와 잠시 표국 일을 한다는 사실을 숨겼나 보다.

하긴 절대 비밀로 해야 하는 일이었으니. 그렇다면 남궁세옥은 이 자리에 공주가 있다는 사실도 모를 것이다.

"이런다고 내가 널 못 찾을 것 같으냐?"

남궁세옥이 두 눈을 부릅뜨고 사람들을 하나하나 눈에 담기 시작했다. 역용술이 아무리 경지에 들었어도 친누이를 알아보지 못할 오라비는 없다. 하물며 그 오라비가 남궁세옥이라면 더더욱.

남궁소소를 끌어들인 나는 나중에 남궁세옥에게 혼구녕이 나지 않기 위해서라도 무언가 해야 한다는 걸 느꼈다.

남궁세옥과 눈이 딱 마주치자 나는 얼른 혓바닥을 있는 대로 뽑아 왼쪽을 가리켰다. 나의 왼쪽 하고도 뒤쪽에는 공주가 있었고, 어느새 공주의 뒤로 가서 공주의 뒤통수에 자신의 얼굴을 반쯤 가리고 선 남궁소소도 있었다.

남궁세옥의 시선이 정확히 남궁소소를 향했다.

"냉큼 나오지 못하겠느냐!"

그제야 남궁소소가 쭈뼛쭈뼛 걸어 나왔다.

"오라버니 오셨어요."

살수들을 상대로 철척을 척 꺼내 자세를 잡던 그 당당함은 온데간데없었다. 남궁세옥이 작은 은가락지를 들어 보이며 말했다.

"점소이가 이걸 가져왔더구나. 누군가 나를 찾아가 이걸 전해주랬다고. 대체 이번엔 또 무슨 말썽을 부리고 다니는 것이냐?"

"실은 제가 사정이 있어서 역용을 하고 있었는데, 아무래도 항주의 흑도들이랑 시비가 엮일 것 같아서요. 때마침 우리 다원이 가깝기로, 오라버니께서 지나가는 협객인 것처럼 나타나 좀 도와주시라고……."

"백백곡의 살수들이 고작 흑도라고 말할 자들이냐?"

"저들의 등장은 저도 예상치 못했습니다."

구석에서 살수들과 대치 중인 흑도들의 얼굴이 또 한 번 꺼멓게 변했다. 자신들을 혼내주라고 남궁세가의 영애가 오라비인 남궁세가의 대공자를 불렀다는 말에 가슴이 철렁 내려앉지 않을 사람은 없을 것이다.

"나를 속이고 천룡표국의 표사로 들어가 그 난리를 치른 지가 언제인데 또 이러고 다니느냐? 한 번만 더 말썽을 부리면 양주로 돌려보낸다고 내가 분명히 일렀거늘."

"죄송해요. 오라버니."

천하의 남궁소소도 호랑이 같은 제 오라버니 앞에서는 옴짝달싹 못하는구나.

나는 이 상황이 왠지 모르게 웃기기도 하면서 한편으로는 등에서 식은땀이 났다. 만약 또다시 천룡표국, 그중에서도 나와, 그것도 내가 먼저 엮었다는 걸 알면 저 무시무시한 고수가 내 다리를 부러뜨리려 할지도 모른다.

에라 모르겠다.

"소저. 뒤를 부탁하오!"

나는 뒤돌아 후다닥 달려가 창밖으로 몸을 훌쩍 던졌다. 안 그래도 빨리 이화원으로 달려가 봐야 하는데 마침 잘됐다.

2장

나는 표사다

이화원에서 취선루로 오는 길은 열 곳이 넘는다. 나는 그중에서도 저잣거리를 가로지르는 길을 택했다. 새벽부터 밤까지 사람들로 북적이는 저잣거리는 사실 말을 타고 달리기가 매우 불편하면서도 위험했다. 대신 가장 빠른 길이었다.

숨이 턱 밑까지 차오르도록 한참을 달렸다.

과연 북적이는 사람들 너머 말을 타고 전속력으로 질주해 오는 천룡표국의 표사들이 보였다. 그 숫자가 무려 열 명이나 되었다.

"비키시오!"

"비키시오!"

멀리서부터 두 명의 표사가 번갈아 가며 고함을 질렀다. 그러나 사람들이 질서정연하게 길을 터주기란 쉬운 일이 아니다. 그럼에도 불구하고 말과 표사들은 사람을 짓밟거나 들이받는 법이 일절 없었다.

"멈추시오!"

나는 길 한복판으로 뛰어들며 양팔을 크게 벌렸다. 한데도 표사들은 말을 달려오는 속도를 전혀 줄이지 않았다.

"난 천룡표국의 이정……."

목구멍이 찢어지도록 외쳤지만 열 필의 말들은 양쪽으로 쫙 갈라져서는 쏜살같이 지나쳐 버렸다.

"……룡이오!"

지축을 울리는 말발굽 소리에 내 목소리가 묻히기도 했지만. 저들은 내가 역용을 했다는 사실 자체를 까맣게 모른다. 아마 질주를 방해하는 미친놈 정도로 여긴 모양이다.

"이런 망할!"

저 말들을 추적해 가기란 불가능했다. 이대로 취선루로 돌아가서 얘기를 전하는 것도 의미가 없었다. 저들이 도착하는 순간 남궁소소가 다 얘기해 줄 테니까.

결국 나 혼자라도 이화원으로 달려가야 한다. 하지만 경공도 모르는 내가 십 리를 달려서 갈 수는 없는 노릇이었다. 지금도 심장이 터질 것 같은데.

그 순간 번쩍하고 떠오르는 생각이 있었다.

"역참!"

어느 도시든 역참은 사람의 왕래가 가장 잦은 곳에 설치되어 있다. 지금도 모퉁이를 돌면 바로 역참이 한 곳 나온다.

안개에 잠긴 이화원은 고요하기만 했다. 어디에서도 살수의 침입이나 격전의 징후는 느껴지지 않았다. 심지어 문도 굳게 잠겨 있었다.

그러나 담벼락을 타고 넘어 들어가자 상황이 돌변했다.

진왕의 사병과 남경상단의 무사들이 곳곳에 널브러져 있었다. 한데 여전히 격전의 흔적은 없었다. 심지어 쓰러진 사람들 모두 피를 흘리지도 않았다.

재빨리 한 사람의 목에 손을 대보니 맥이 느리긴 했어도 정상적으로 뛰고 있었다. 몇 명을 더 살펴보았지만 똑같았다. 마치 전부가 미혼산(迷魂散-수면제)에라도 당한 것처럼 의식만 잃었을 뿐 목숨은 멀쩡하게 붙어 있었다.

순간, 갑자기 아찔한 현기증이 느껴졌다. 동시에 의식이 몽롱해지며 똑바로 서 있기가 힘들었다. 뭐지? 내가 한 일이라곤 안개에 잠긴 장원으로 뛰어든 것뿐인데.

"독무(毒霧)!"

강호엔 온갖 기괴한 재주를 부리는 자들이 있다. 그중에는 기문진법에 능하여 안개를 인위적으로 만들고 거두는 자들도 있다는 얘길 들었다. 이런 안개에 독연(毒煙)을 섞으면 독무가 된다.

독무는 적은 양의 독으로 광범위한 지역을 오염시켜야 한다는 제약이 있었다. 오랜 시간 호흡하며 폐에 축적하지 않는 이상 살상력까지 지니긴 어렵다. 때문에 독무는 모르고 당하면 속수무책이지만, 미리 알기만 하면 수건으로 입과 코를 틀어막는 것만으로도 한 식경 정도는 충분히 견딜 수 있다.

문제는 나는 몰랐다는 것이다. 게다가 말을 타고 전속력으로 달려오느라 숨까지 가쁘게 몰아쉬었고.

"빌어먹을!"

하늘이 한 바퀴를 핑 도는가 싶더니 그대로 뻣뻣하게 넘어가 버렸다.

쿵! 하고 등줄기에서 짜르르한 고통이 느껴졌다.

"돌겠네."

그때였다. 갑자기 하단전에서 정체를 알 수 없는 불덩어리가 튀어나와 전신의 혈도를 따라 질주하기 시작했다. 한데 그 불덩어리가 달리는 길이 내가 지난 한 달여 동안 밤마다 죽어라고 수련했던 천무진경의 운기행공로와 똑같았다.

순간, 현기증이 마치 햇볕을 만난 안개처럼 빠르게 사라지기 시작했다. 불덩어리가 독기를 몰아내고 있음을 알 수 있었다.

한데 이 불덩어리는 몸의 심연 속 어딘가에 가라앉아 있는 부적의 그것이 아니었다. 극음의 성질을 지닌 채 몸 전체에 퍼져 있는 천지령의 천년진기도 아니었다. 이건 전에는 없던 기운, 즉 공력이었다.

전생에서 표행을 하던 중 뱀에 물린 표사를 치료해 주며 가불염이 했던 말이 떠올랐다.

"술독을 몰아내는 데는 10년의 공력이면 족하지만, 뱀독을 몰아내는 데는 최소 20년의 공력이 필요하다."

작용기전이 다르긴 하지만 독무의 경우 일반적인 뱀독보다 그 독성이 훨씬 약하다. 그러나 운기행공을 통하지 않고 이렇게 즉석에서 불침(不侵)의 수준으로 몰아내려면 최소 30년 이상의 공력이 필요하지 않을까?

지금 이화원에 파견된 표사들은 모두 일류급 고수들이었다. 그러나 그들의 공력은 사실 30년을 넘기 어려웠다. 그런데 고작 한 달을 운기행공한 내게 30년 이상의 공력이 생겼다고?

"무슨 이런 말도 안 되는!"

한 가지 퍼뜩 떠오르는 가설이 있기는 하다. 일반적인 무림인들의 경우 먼저 오랜 시간 운기행공을 통해 진기를 만들어야 한다. 그와 동시에 진기를 다시 언제든 발출하고 거둘 수 있는 공력으로 변환해 하단전에 축적해야 한다. 단전을 만들고 내공을 수련한다고 함은 바로 이 두 가지 지난한 과정을 동시에 일컫는 말이다.

한데 나는 이미 천지령의 천년진기가 몸 안에 가득 퍼져 있었다. 때문에 가장 힘들고 오랜 시간이 걸리는 진기를 만들 필요가 없었다. 여기에 만약 부적이 조화를 부려 운기행공하는 동안 나를 둘러싼 주변의 시간이 열 배나 느리게 흐르도록 만들었다면? 그러면 한 달 수련한 것만으로도 20년 30년 공력을 쌓는다는 게 말이 된다.

갑자기 이런 어처구니없는 생각을 한 것은 운기행공을 할 때마다 고도의 집중 상태인 삼매경(三昧境)에 빠져들면서 시간이 어느 때보다 느리게 흐른다는 느낌을 자주 받았기 때문이다.

"만약 이 가설이 맞다면……."

겨울이 지나고 봄쯤이면 천지령의 천년진기를 전부 백년공력으로 변환시킬 수 있다. 화조신옹을 압도하는 엄청난 내가고수가 되는 것이다.

온몸에서 전율이 흐르는 것 같았다.

그때였다.

깡! 깡! 깡!

검이 맹렬하게 부딪치는 소리가 서쪽에서 울렸다. 진왕의 거처가 있는 곳이었다. 나는 칼로 옷자락을 잘라내 입과 코를 틀어막은 다음 서둘러 소리가 난 곳으로 달려갔다.

진왕의 거처로 달려가는 동안 곳곳에서 쓰러진 살수들과 표사들을 만날 수 있었다. 살수들은 대부분 칼에 맞아 쓰러진 상태였고, 표사들은 반대로 독무에 중독되어 의식을 잃은 것 같았다. 독무 속에서 꺼져가는 의식을 붙잡고 기어이 살수들을 한두 명씩은 베고 쓰러진 것이다.

살수들은 하나같이 황건(黃巾)으로 얼굴 전체를 친친 감은 상태였다. 독무로 인한 독기가 폐로 흡입되는 양을 조금이라도 줄이려는 조치다.

그들을 모두 지나쳐 마침내 진왕의 거처에 도착했다. 신기하게도 진왕이 기거하는 정원에는 독무가 솜뭉치처럼 군데군데 떠돌기는 하나 거의 보이질 않았다.

나는 우선 할 수 있는 만큼 숨을 죽인 다음 전각의 모퉁이 뒤에 숨어 안쪽을 유심히 살폈다.

황자충이 세 명의 표두와 함께 진왕이 머무는 전각의 계단 앞에 버티고 서서 결사 항전 중이었다. 황건으로 얼굴을 가린 다섯 명의 살수들은 마지막 방어선을 뚫기 위해 맹공을 퍼붓는 중이었고.

그동안의 격전이 어떠했는지를 말해주듯 바닥에는 무려 일곱 명이나 되는 살수들이 피를 흘린 채 쓰러져 있었다.

"모두 방위를 지켜라!"

황자충이 천둥 같은 일갈을 내질렀다. 지친 표두들로 하여금 긴장의 끈을 놓지 않도록 하려는 것이다.

'다행히 잘 견뎌주셨구나.'

남은 살수들의 숫자는 다섯. 모든 방어선을 뚫고 들어온 데다 마지막까지 남은 만큼 가장 고강한 자들일 것이다. 저 중에 한 명만 내가 등을 쪼개줘도 전세를 뒤집을 수 있다.

하지만 현재 내 실력으로는 어림도 없었다. 방법은 한 가지, 저들로 하여금 내가 가까이 다가갈 때까지도 전혀 경계를 하지 않도록 하면 된다.

'조금만 더 기다리십시오!'

나는 지나온 길을 되돌아 달려갔다. 잠시 후, 표두들에게 당한 것으로 짐작되는 살수 두 명이 쓰러져 있는 곳에 도착했다.

한 놈은 칼에 맞아 옷이 잘려 나갔고, 한 놈은 주먹에 맞았는지 입으로 피를 토하는 바람에 황건이 시뻘겋게 물들어 있었다.

나는 입으로 피를 토한 놈에게서는 옷을, 칼에 맞아 죽은 놈에게서는 황건을 취해 내가 입고 둘렀다. 마지막으로 놈들의 손에 쥐여 있는 칼집을 빼앗아 허리에 차고 칼까지 집어 드니 영락없는 살수로 변신했다.

'나중에 남궁소소를 졸라서 변장술이라도 좀 가르쳐 달라고 해야겠다.'

변장을 끝낸 나는 다시 진왕의 거처를 향해 전속력으로 달려갔다.

전각 모퉁이를 지나 격전이 벌어지고 있는 마당으로 훌쩍 뛰어드는 순간, 나는 하마터면 그 자리에서 까무러칠 뻔했다.

'엇!'

아까는 미처 보지 못한 두 명의 인물이 떡하니 서 있는 게 아닌가. 내가 숨어서 지켜보았던 전각의 바로 앞 벽 쪽에 서 있는 바람에 미처 발견을 못 한 것이다.

'이런 씨발!'

하나는 초로의 노인이었고, 하나는 젊고 아름다운 여자였다.

여자는 북방의 유목민들처럼 가죽으로 만든 합당고(合襠褲-좁은 바지)를 입고 있었다. 그 바람에 몸의 굴곡이 훤히 드러나서 안 그래도 아름다운 용모가 더욱 돋보였다. 그리고 화살이 가득 든 전통(箭筒)에 거무튀튀한 장궁(長弓)을 들고 있었다.

'그때 그 궁사!'

진왕이 항주에 도착한 날 내게 무시무시한 화살을 쏘았던 바로 그 궁사였다.

'여자였을 줄이야!'

초로인은 키가 좀 크다는 것 외에는 이렇다 할 특징이 없었다. 그는 뒷짐을 진 채 살수들과 격전을 벌이는 황룡당주를 가만히 지켜보고만 있었었다. 한데도 그 모습에서 뭐라 말할 수 없는 압박감이 느껴졌다.

나는 저 노인이 모든 일을 주관한 두령임을 직감했다.

내가 건물 뒤쪽에서 갑자기 등장하자 궁사의 시선이 자연스럽게 나를 향했다. 눈이 딱 마주치는 순간 나는 얼른 고개를 절도 있게 숙였다. '뒤쪽은 모두 정리했습니다!'라고 보고하는 것처럼 비치길 간절히 바라면서. 그러자 궁사의 시선이 가만히 나를 떠나 다시 격전이 벌어지고 있는 곳으로 향했다.

'휴우, 큰일 날 뻔했네.'

그나저나 이를 어쩐다. 같이 끼어들어서 황룡당주와 표두들을 공격할 수도 없다. 그렇다고 슬그머니 끼어드는 척하다가 살수 한 놈의 등을 와락 쪼갤 수도 없다. 그렇게 하면 한 명을 더 죽일 수는 있으나 전세를 바꿀 수는 없다. 빨리 다른 방법을 찾아야 한다. 또한 뭐라도 해야 한다. 계속 이렇게 멍청하게 있다가는 정체를 들킬지도 모른다.

그때였다.

펑!

저 멀리 동쪽 하늘에서 굉음이 울렸다. 재빨리 시선을 던져보니 신호용 폭죽이 터져 불꽃을 뿌려대고 있었다. 신호용 폭죽은 문파마다 불꽃이 터지는 모양이 다르다. 저건 내게 너무나 익숙한, 그리고 나도 지금 하나 품속에 가지고 있는 천룡표국의 신호용 폭죽이었다.

"국주님께서 오고 계시다!"

황자충이 또 사자후를 내질렀다. 지쳐가던 표두들의 얼굴에 확실히 생기가 돌기 시작했다. 반대로 궁수와 초로인의 표정은 어두워졌다.

그때 궁사가 전통에서 화살을 한 대 뽑아 재더니 혼전 중인 황자충을 향해 쏘아버렸다. 그야말로 눈 깜짝할 사이에 벌어진 일.

'헛!'

한데 황자충의 몸 어디에도 화살은 박히지 않았다. 그는 여전히 혼자서 노련한 살수 셋을 상대로 팽팽하게 싸우고 있었다.

화살은 궁수의 바로 옆에 있던 초로인의 쭉 뻗은 손에 잡혀 있었다. 궁수가 화살을 쏘는 순간 그걸 잡아챈 것이다.

'미친!'

나는 순간적으로 전의가 상실되는 것 같았다.

저 궁수의 활 솜씨가 어떤지는 익히 알고 있다. 그걸 옆에서 낚아채

버리는 신기라니.

'대체 얼마나 고수이기에…….'

초로인은 달랑 화살 하나를 들고서 갑자기 격전 속으로 뛰어들었다. 그리고 황자충이 허공에 만들어내는 칼의 그물 속에 슬쩍 찔러 넣었다.

순간, 황자충의 칼과 초로인의 가느다란 화살이 맹렬하게 격돌했다.

땅! 따당! 땅땅땅!

'철전(鐵箭)!'

놀랍게도 궁수가 쏜 화살은 강철을 두들겨 만든 철전이었다. 철전은 사실상 작은 창이라고 보면 된다.

'세상에 저걸 활로 쏜다고?'

싸움의 양상은 황자충의 파상적인 칼질을 초로인이 철전으로 막는 것처럼 진행되었다. 한데도 황자충은 곤란한 기색이 역력한 반면 노인은 느긋했다.

지칠 대로 지친 황자충에게 초로인은 감당하기 힘든 고수였다. 게다가 왠지 모르게 초로인은 황자충의 칼이 어디로 어떻게 들어올지를 매번 꿰뚫어 보는 것 같았다.

까가가강! 쩡!

여느 때와 다른 쇳소리가 울리더니 황자충의 칼이 손잡이 바로 위에서 뚝 하고 부러져 버렸다. 그와 동시에 황자충의 가슴팍에 정확히 꽂히는 초로인의 섬전과도 같은 오른발.

펑!

"허억!"

황자충은 삼 장이나 날아가 석등에 등을 부딪친 후 주저앉았다. 입으로 피를 한 모금이나 토해내는 것이 아무래도 내상을 입은 것 같았다.

"당주님!"

세 명의 표두들이 다른 살수들과 혼전 중에도 황자충을 소리쳐 불렀다.

"모두 자리를 지켜라!"

그러면서 황자충이 다시 몸을 일으켰다. 그리고 품속에서 단검 두 자루를 꺼내 초로인을 향해 격투의 자세를 취하며 말했다.

"금의위 출신의 고수가 망나니로 살고 있을 줄은 몰랐군. 기왕 망나니로 살 바에야 당신이 대두령이었으면 좋겠군."

나는 그제야 초로인이 황자충의 초식을 모두 꿰뚫고 있었던 이유를 알았다.

초로인은 말 한마디 없이 황자충을 향해 다가갔다. 더 이상은 무리다. 다시 격돌하면 황자충은 목숨을 잃고 말 것이다.

더는 기다릴 수가 없어 나라도 칼을 들고 뛰어들려는 순간.

"멈춰라!"

우렁찬 외침과 함께 나타난 것은 진왕이었다. 그는 전각과 이어진 계단 꼭대기에 서서 아래를 굽어보고 있었다. 하얗고 부슬부슬한 모피옷이 오늘따라 유난히 고급스러워 보인다.

표두들이 살수들의 칼을 떨치고 계단 위쪽으로 일 장이나 물러나면서 싸움이 한순간 중단되었다.

진왕이 황자충에게 물었다.

"괜찮으십니까?"

"물론입니다. 전하."

진왕이 다시 초로인에게 말했다.

"누가 너희를 보냈는지 잘 알고 있다. 물건은 비처에 숨겨두었고 그 장소 역시 나만 알고 있다. 너희가 원하는 건 공주와 왕비의 목숨을 볼모로 내 입을 열게 하는 것이겠지?"

진왕은 잠시 사이를 두며 초로인을 눈으로 꾹 눌렀다. 무공이라고는 일초반식도 모르는 그였지만, 대신 어떤 고수와 견주어도 밀리지 않는 위엄이 있었다.

"한데 나는 왕비를 지키고 싶고 너희에게는 시간이 별로 없는 듯하구나."

"원하시는 게 무엇입니까?"

"내가 인질로 따라갈 테니 더는 애꿎은 사람을 희생시키지 말라. 하면 너희를 내게 보낸 사람도 실패했다고는 말 못 할 것이다."

그러면서 진왕은 황자충을 돌아보며 말했다.

"황 노야. 왕비를 지켜주겠소?"

"전하!"

"대답을 해야 내가 편히 갈 게 아니오."

"신 황자충, 목숨을 걸고 왕비마마를 지키겠습니다."

말을 하는 황자충의 어깨가 분노로 바르르 떨리고 있었다.

진왕은 지금 자신을 희생해 아끼는 왕비를 지키려는 것이다. 기왕 왕비를 지킬 바에야 황자충과 표두들의 목숨도 구해주고.

"날씨가 춥다. 어서 마차를 가져오너라."

진왕이 대답도 듣지 않고 초로인에게 명령했다. 초로인은 표두들과 대치 중인 살수들을 향해 말했다.

"내가 탈 말도 함께 끌고 와라."

가장 말석으로 보이는 살수 한 명이 마구간을 향해 쏜살같이 달려갔다. 이어 초로인은 궁수를 돌아보며 말했다.

"나는 진왕과 함께 먼저 갈 테니, 월주는 수하들을 이끌고 시체들을 모두 처리한 후 따라서 오게."

"복명!"

죽은 살수들을 말하는 모양이다. 십중팔구 화골산(化骨散)을 뿌려 시체를 녹여 없애려는 것이다. 일종의 증거인멸이었다.

'네놈이 누구인지 다 알고 있다.'

궁수와 나머지 살수들이 우르르 장원 쪽으로 달려갔다. 나도 그들의 뒤를 한 박자 늦게 따라갔다. 그러나 전각의 마당을 빠져나가는 순간 방향을 바꿔 곧장 마구간으로 달렸다.

마구간에도 독무가 퍼졌는지 말이 절반이나 쓰러져 있었다. 앞서 뛰어온 살수는 가장 튼튼해 보이는 세 마리를 골라 두 마리는 쌍륜마차에 연결하고 한 마리는 마차의 뒤에 묶었다. 한데 그 마차가 하필이면 두촌 포구에서 이화원까지 우리가 왕비와 공주를 태우고 왔던 바로 그 철갑마차였다.

나는 놈에게 다급하게 다가가며 외쳤다.

"이것 좀 보십시오!"

"뭔데 그래?"

뻑!

"몽둥이다. 새끼야."

머리통을 정통으로 맞은 살수는 그대로 고꾸라져 버렸다.

살수의 키와 덩치가 나와 비슷하다는 건 행운이었다. 쓰러진 놈의 겉옷을 전부 벗겨 내가 입었다. 여기에 차가운 바람에 미리 대비하려는 것처럼 황건으로 눈만 빼놓고는 머리까지 전부 친친 감고 보니 영락없는 놈이었다.

변장을 끝낸 다음엔 마구간 한쪽 구석에 각종 연장들을 놓아둔 곳으로 달려갔다. 말에게 줄 콩도 삶고, 편자도 박고, 간단하게 마구도 수리하는 이곳은 대형 장원의 마구간이라면 어디에나 붙어 있는 일종의 정비고였다.

나는 정비고에서 얇은 편자 두 개와 가죽을 고정할 때 쓰는 손톱만 한 납작못 그리고 얇은 가죽끈들을 챙겨 품속에 넣었다. 겨울이라 두꺼운 옷을 잔뜩 껴입었더니 웬만큼 넣어도 티가 안 났다.

그리고 돌아서려는데 가득 쌓인 장작더미 사이로 비스듬히 세워져 있는 커다란 도끼 한 자루가 눈에 들어왔다.

"딱 좋군."

마지막으로 도끼를 집어다 마차 안에 던져 넣은 후 짚으로 덮었다.

마부석에 앉아 마차를 끌고 진왕의 거처로 왔더니 초로인 혼자서 황룡당주를 비롯한 세 명의 표두들과 대치 중이었다. 한데도 전혀 밀린다는 느낌이 없었다. 다행히 궁사와 다른 살수들은 아직 도착하지 않은 상태였다.

"빨리 전하를 모셔라."

나는 마차에서 훌쩍 뛰어내려 진왕을 향해 문을 열어주었다.

진왕은 마차에 올라타기 직전 어느새 전각의 회랑까지 뛰쳐나와 눈물을 뚝뚝 흘리는 왕비를 잠시 눈에 담았다. 그러다 그녀의 앞을 막아선 황자충과 마지막까지 결사 항전을 해준 표두 셋을 바라보며 말했다.

"모두 고마웠소."

"전하!"

격정을 참지 못하고 뛰어 내려오는 왕비를 표두들이 막아섰다.

마차에 올라타 떠나는 진왕을 향해 황자충이 무릎을 꿇고 외쳤다.

"신이 반드시 모시러 가겠습니다!"

"이랴!"

이히히힝!

진왕을 태운 마차가 달리기 시작했다.

나는 마부석에 앉아서 말 두 마리를 마치 수족처럼 능숙하게 부렸다. 전생에서 절름발이였던 내가 30년 동안 쟁자수로 버틸 수 있었던 이유 중 하나가 이거였다. 나는 표사가 아니었기에 말을 탈 일도 없고 함부로 탈 수도 없었다. 하지만 신체적 약점 때문에 표행 중에도 마부석에 앉아 마차를 모는 일이 많았다. 그건 어디까지나 쟁자수의 일이었으니까.

처음엔 동료 쟁자수들로부터 많은 욕을 먹었다. 한데 몇 년이 지나고 보니 마차를 모는 건 나의 특기가 되어버렸다. 나는 절름발이 쟁자수에서 글을 아는 쟁자수로, 글을 아는 쟁자수에서 다시 마차를 귀신처럼 모는 쟁자수로 사람들에게 불렸다. 절름발이라는 약점을 강점으로 극복한 것이다.

'진왕은 이제 내 것이다.'

"끼랏! 끼랏!"

두 마리 말이 갈대숲 옆으로 난 길을 질풍처럼 내달렸다. 바퀴가 돌부리를 타고 넘을 때마다 철갑마차가 요동쳤지만 나는 조금도 개의치 않았다.

이십여 장 정도 떨어진 앞쪽에서는 초로인이 말을 탄 채 척후를 살피며 달리고 있었다. 그를 따라가기만 하면 되기 때문에 어디로 가야 할지 몰라 정체를 들킬 염려는 없었다.

물론 나는 끝까지 따라갈 생각이 없었지만.

쿵! 우당탕탕!

"이놈아, 천천히 가자!"

마부석과 연결된 작은 창문을 통해 진왕이 빽! 소리 질렀다. 돌부리에 걸린 마차가 튀어 오르면서 한 바퀴 구른 모양이다.

나는 달리는 와중에도 주변을 열심히 살폈다.

초로인은 북경이 있는 북쪽으로 갈 거라는 내 예상과 달리 동쪽을 향해 달리고 있었다. 이대로 가면 전단강 하구가 나온다. 항주의 모든 호수와 운하가 꽁꽁 얼어붙었지만, 짠물이 들고나는 전단강 하구는 얼지 않았을 것이다.

'바다로 빠져나갈 생각이군.'

십중팔구 전단강 하구 어디쯤 배가 기다리고 있을 것이다. 광활한 바다로 빠져나가 버리면 누구도 이들을 찾을 수가 없다.

'서둘러야겠구나.'

나는 마차의 속도를 표 나지 않게 늦추며 초로인과의 거리를 조금씩 벌렸다.

쿵! 우당탕탕!

"이런 무식한 놈을 봤……."

나는 얼른 뒤돌아보며 작은 목소리로 말했다.

"공주마마께선 무사하십니다!"

"뭐?"

"지금쯤 자객들은 전부 제압당하고 공주마마께선 천룡표국과 남궁세가의 보호 아래 안전하게 계실 겁니다. 하니 안심하십시오."

"네놈은 누구냐?"

"이정룡입니다."

"천룡표국의 이정룡?"

"그렇습니다."

"무슨 말도 안 되는!"

"아시다시피 역용을 하는 바람에 황건을 벗어도 알아보지 못하실 겁니다. 하지만 저를 믿으셔야 합니다."

하지만 진왕은 쉽게 믿는 눈치가 아니었다. 평생 황족으로 살면서 몸에 밴 습관일 것이다.

그때였다.

쐐애액 깡!

귀청을 찢는 파공성에 이어 강렬한 금속성이 터졌다. 동시에 마차의 지붕에서 불똥이 튀었다.

황급히 뒤쪽을 돌아보니 백여 장 밖에서 궁수가 말을 전속력으로 달려오며 화살을 쏘고 있었다.

"저런 미친!"

"무슨 일이냐?"

"이화원에서 보았던 젊은 여자 궁수가 백 장 밖에서 말을 달리며 쏜 화살이 마차 지붕에 맞았습니다."

"그녀가 왜?"

"제가 마구간에서 살수를 한 명 때려눕힌 후 대충 짚으로만 덮어놓고 왔는데, 말을 훔치러 갔다가 그걸 발견한 모양입니다. 하지만 안심하십시오. 마차는 철갑을 둘러 화살이 뚫지 못합니다."

"정녕 자네가 이정룡이란 말인가?"

그 순간 '쐐애액' 하며 또 한 발의 화살이 날아오는 소리가 들렸다. 무슨 연유인지는 모르겠으나 며칠 전보다 훨씬 빨리 그리고 선명하게 들렸다. 나는 재빨리 상체를 납작 엎드렸다.

깡!

화살은 또다시 마차 지붕에 불똥을 일으킨 후 왼쪽으로 튕겨 나갔다.

나는 서둘러 앞쪽을 살폈다. 화살이 마차의 강철 지붕을 연거푸 두 번이나 때리고 울렸으니 엄청난 고수인 초로인이 모를 리가 없었다. 아니나 다를까, 그가 말을 달리는 와중에도 뒤를 돌아보았다.

처음엔 활을 쏘는 자가 천룡표국의 지원조라고 생각한 모양이다. 그러다 백여 장 밖에서 달려오는 자신의 수하를 알아보고는 황급히 고삐를 당겨 말을 세웠다. 그때쯤엔 초로인과 마차의 거리가 삼십여 장으로 벌어져 있었다.

때마침 갈대숲 사이로 난 샛길이 코앞에 나타났다.

"이제부터 제가 전하를 모시겠습니다. 마차의 왼쪽 벽에 최대한 꽉 붙어 서십시오. 그리고 뭐라도 좀 잡으시고요. 끼럇! 끼럇!"

말 두 필이 왼쪽으로 거의 직각에 가깝게 방향을 꺾었다.

질주하던 마차의 한쪽 바퀴가 번쩍 들리면서 넘어지기 직전이었다. 순간, 나는 마부석의 왼쪽 가장자리를 잡고 매달리다시피 하며 마차가 뒤집히지 않도록 찍어 눌렀다.

쿵! 우당탕탕탕!

들려 올라갔던 바퀴가 다시 땅을 찍으면서 마차는 갈대숲 사이로 난 길을 전속력으로 내달렸다.

그때부턴 웃자란 갈대 때문에 궁수도 초로인도 보이지 않았다.

쐐애액! 쐐애액!

화살이 연거푸 두 대나 날아들었지만 한참이나 빗나갔다.

놀란 꿩이며 참새 떼들만 푸드덕푸드덕 날아올랐다.

"어, 어디로 가는 것인가?"

"서호로 달려가는 중입니다."

"서호는 왜?"

"건너려고요."

"닷새나 이어진 한파로 호수가 꽁꽁 얼었다는데 무슨 수로. 혹시 걸어서 갈 것인가? 하면 금방 따라 잡힐 텐데."

"마차를 타고 건널 것입니다."

"그게 무슨 소……."

쿵! 우당탕탕!

"괜찮으십니까? 전하."

대답은 한참 있다가 나왔다.

"내 걱정은 말고 전속력으로 달리게. 지금쯤 '앗 뜨거라' 하고 있을 늙은이의 얼굴을 생각하니 아파도 아픈 줄을 모르겠네. 음하하!"

한참을 미친 듯이 달려가다 보니 수십 장 앞에 꽁꽁 얼어붙은 서호가 나타났다. 나는 달리는 말의 속도를 절반 정도로 늦추었다.

이히힝! 이히힝!

얼어붙은 호수를 처음 본 말들이 달리는 와중에도 투레질해 댔다. 나는 말들이 놀라지 않도록 살살 다독이며 얼어붙은 호수 위로 진입했다. 덜컹하며 마차가 다시 한번 크게 흔들렸다.

"이랏! 이랏!"

인간과 달리 사족 보행을 하는 말은 눈밭에서도 전속력으로 질주하는 것이 가능하다. 빙판이 눈밭과 같을 리 없겠지만, 인간보다는 비교도 할 수 없을 만큼 빨리 달릴 수 있다.

나는 전생에서 한겨울에 산동으로 표행을 갔다가 그곳 표사들이 얼어붙은 호수 위를 마차를 끌고 지나가는 걸 보았다. 그때 말이 빙판 위를 달릴 수 있다는 걸 처음 알았다.

말들은 미끄러운 빙판 때문에 처음엔 당황한 듯했다. 그러나 계속 앞으로 굴러가려는 마차의 힘에 밀려 어쩔 수 없이 발을 움직였다. 그리고 곧 중심을 잡고 조금씩 달리기 시작했다.

말이 마차를 끌고 있지만, 역설적이게도 말과 마차를 연결하는 네 개의 견인목이 말들로 하여금 균형을 잡게 하는 데 큰 도움을 주었다. 여기에 나의 노련한 솜씨가 가미되었다.

"맙소사! 정말 마차를 타고 호수를 건너고 있군."

진왕이 옆 창밖으로 고개를 내밀며 말했다.

"끼랏! 끼랏!"

나는 좀 더 속도를 냈다. 일단 안정적인 주행을 할 수 있게 되니 말들도 자신감이 생긴 듯했다. 그러자 따그닥 따그닥 하며 빙판을 울리는 말발굽 소리부터 달라졌다. 물론 땅 위를 전력 질주하는 것에 비교할 정도는 아니었다. 그래도 사람이 빙판 위를 달리는 것보다는 몇 배로 빨랐다.

"곧 놈들이 호숫가에 나타날 걸세."

"놈들 앞에는 얼어붙은 호수가 나타날 겁니다."

"따라오지 못할 거라고 보는 건가?"

"훨씬 속도가 줄 겁니다."

말과 달리 이족 보행을 하는 인간은 빙판 위에 오르는 순간 달리는 속도가 땅 위에 비해 십 분의 일 정도로 확 줄어버린다. 그건 달리는 게 아니라 걷는 거다.

경공의 고수라면 어떨까? 내가 비록 무림의 고수는 아니지만, 경공의 원리가 어떤 건지는 잘 알고 있었다. 보통 사람이 땅을 세 번 밟고 달릴 때 경공의 고수는 한 번만 밟고 상대적으로 긴 거리를 비상한다. 그만큼 한 번 디딜 때 도약하는 힘이 강하다.

도약하는 힘이 강하다는 것은 발끝을 통해 지면을 튕기는 힘이 크다는 것을 의미했다. 한데 만약 미끄러운 빙판 위에서라면? 제아무리 상승의 경공술을 익혔다고 해도 아무런 쓸모가 없어진다.

호수 위를 이십여 장 정도 나아갔을 때 호숫가 쪽에서 '이히힝!' 하고 말 울음소리가 들렸다.

"늙은이가 도착했네!"

진왕이 옆 창밖으로 고개를 내밀어 척후를 살피고 있다가 재빨리 알려주었다. 뒤를 돌아보니 역시 얼어붙은 호수를 처음 본 말이 머뭇거리며 들어오지 않으려고 했다.

초로인이 고삐를 거칠게 잡아채며 강제로 말을 몰아 호수 위로 뛰어들었다. 말은 처음엔 제법 빠르게 쫓아오는 듯했다. 급기야 성질 급한 주인이 뱃가죽이 찢어져라 박차를 가하자 통제하기 힘든 수준까지 속도를 올렸다.

그러다 그만 크게 미끄덩하더니 네 발을 하늘로 향한 채 벌러덩 자빠져 버렸다. 쿵! 하며 울리는 충격파가 어찌나 큰지 호수의 얼음 전체가 출렁거리는 것 같았다.

그때부터 말은 육중한 몸을 일으키지 못하고 늪에 빠진 것처럼 버둥대기 바빴다. 그 바람에 내가 탄 마차는 무려 삼십 장 넘게 거리를 벌리며 도망칠 수 있었다.

"으하하! 내 살다 살다 이렇게 재밌는 구경은 처음이구나. 으하하!"

진왕이 죽겠다며 웃어댔다.

초로인은 말을 포기하고 혼자 달려오기 시작했다. 한데 그 속도가 내가 생각한 그림이 아니었다. 크게 도약하지도 않고, 짧은 보폭으로 유령처럼 미끄러지듯 달려오는데 놀랍게도 마차만큼이나 빨랐다.

진왕이 웃음을 뚝 그치며 말했다.

"저런 괴물 같으니라고!"

"아까는 맨손으로 화살도 잡았습니다."

"나도 봤네. 한데 저건 대체 무슨 경공인가?"

"경공을 펼치지 못하니 임기응변으로 저러는 것입니다. 그러고도 저렇게까지 빠를 줄은 저도 몰랐습니다."

"이대로 가면 호수를 절반쯤 건넜을 때 따라잡힐 것 같네."

"그런 일은 없을 겁니다."

나는 고삐를 마부석에 잠시 감아두었다. 이어 자유로워진 양손으로 품속에 챙겨왔던 물건들을 전부 꺼냈다.

닳아서 얇아진 편자에는 각 열 개씩 못 구멍이 나 있었다. 그곳으로 납작못을 전부 끼웠다.

안장에 가죽을 고정할 때 박는 납작못은 장식을 위해 대가리는 널찍한 데 반해 길이가 새끼손가락 끝 한마디를 채 넘지 않는다. 이걸 편자의 못 구멍으로 통과시키자 반대쪽으로 열 개의 뾰족한 침이 나온 듯한 모양이 만들어졌다. 그런 다음엔 못을 바깥쪽으로 향하게 해서 신발 바닥에 붙였다. 그리고 가죽끈으로 편자와 발등까지 전체를 친친 묶었다. 충격이 가해질 때 빠지거나 유격이 생기지 않도록 발목까지 감아가며 최대한 단단하게 묶었다.

그렇게 양쪽 신발 모두에 편자를 묶었을 때 척후를 살피고 있던 진왕이 외쳤다.

"궁수도 나타났네."

말이 떨어지기 무섭게 대기를 찢는 화살 소리가 들렸다.

쐐애액!

나는 하던 일을 멈추고 재빨리 상체를 납작 엎드렸다. 거리가 있다 보니 파공성만 일찍 들으면 피하는 데는 크게 무리가 없었다.

깡!

화살은 마차의 지붕에 불똥을 튀긴 후 귓불을 아슬아슬하게 스치고 지나갔다. 황급히 뒤쪽을 돌아보니 어느새 호숫가에 도착한 궁수가 말에서 내려 두 번째 화살을 재고 있었다. 철갑마차를 뚫을 수 없으니 나를 노린 모양이었다. 자세가 안정된 만큼 정확도도 높아졌다.

그러나 말을 노릴 생각은 못 했다. 철갑마차가 달리는 말의 궁둥이를 완벽히 가려주고 있었기 때문이다.

"괜찮나?"

"끄떡없습니다."

"활 솜씨 한번 기가 막히군."

"전하, 도끼를 좀 건네주십시오."

진왕이 마부석과 연결된 창문을 통해 도끼를 건네주었다. 나는 도끼를 받음과 동시에 마부석에 묶어둔 고삐를 풀어 창문 속으로 밀어 넣어주었다.

"이걸 받으시고요."

"어쩌라는 건가?"

"마차를 끄는 말들은 고삐를 통해 사람의 손길이 느껴지지 않으면 멈춰 버립니다. 말을 타실 때처럼 팽팽하게 긴장을 유지하면서 계속 소리쳐 재촉하십시오. 그렇게 호수를 다 건널 때쯤이면 천룡표국의 표사들이 마중을 나올 것입니다."

"자넨 어쩌려고?"

"시간을 끌어보겠습니다."

"늙은이는 감당하기 힘든 고수네. 차라리 마차를 조금 더 빨리 달려 나와 함께……."

"이게 제 일입니다."

"……!"

"이런 상황에서 외람되지만, 한 가지 청을 드려도 되겠습니까?"

"말해보게."

"만약 소생이 오늘 전하를 무사히 지켜낸다면 훗날 작은 부탁 한 가지만 들어주십시오."

"살수들의 협박보다 더 무서운 청이로군."

"내키지 않으시면 없던 일로……."

"그렇게 하겠네."

"제가 무슨 부탁을 드릴 줄 알고요."

"자네는 이미 공주와 나의 목숨을 구했네. 부탁이 무엇이든 우리 두 사람의 목숨값만큼 비싸지는 않을 걸세."

나는 사실 혹시라도 이부시랑이 벼슬을 내리며 강제 소환을 하면 진왕에게 바람막이가 되어 달라고 부탁할 작정이었다. 한데 이렇게까지 화통하게 나오자 살짝 당혹스러웠다. 만약 이부시랑이 중간에 죽거나 하면 다른 걸 요구해 볼까 하는 생각도 들고.

쐐애액 까강!

말을 하는 와중에도 또 한 발의 화살이 불똥을 일으킨 후 나를 비껴갔다. 그때쯤엔 초로인이 어느새 이십여 장 뒤까지 따라잡은 상태였다.

나는 마지막으로 품속에서 신호용 폭죽을 꺼내 마차가 달려가고 있는 호수 건너편의 하늘을 향해 쏘았다.

슈슈슈슉…… 펑!

저 폭죽은 지금쯤 취선루에서 이화원으로 달려오고 있을 남궁가의 남매와 표사들에게 이정표가 되어줄 것이다.

"잠시 후 뵙겠습니다. 전하."

폭죽이 충분히 높이 올라갔음을 확인한 후 나는 달리는 마차에서 훌쩍 뛰어내렸다. 아직 낙법을 익히지 못한 탓에 그대로 자빠지며 십여 바퀴나 데굴데굴 구른 후에야 비로소 멈출 수 있었다.

"무운을 비네!"

멀어져 가는 마차에서 진왕의 외침이 들려왔다. 그리고 벌떡 일어났을 때는 십여 장 앞까지 달려온 초로인이 보였다. 부릅뜬 두 눈에서는 두 줄기 화염이 폭사되고 있었다. 화가 머리 꼭대기까지 난 것이다.

나는 그가 대여섯 장 앞까지 다가오길 기다렸다가 왼쪽으로 질풍처럼 내달렸다.

척 척 척 척 척 척 척!

귀영무의 보법을 펼치며 정확히 일곱 걸음을 달려간 다음 딱 멈춰 섰다. 달리고 멈추는 것이 땅 위에서와 하등 다를 바가 없었다. 아니, 멈추는 것은 오히려 더 용이했다.

반면 내가 자신의 진로에서 갑자기 벗어나자 초로인은 두세 장을 쭈욱 미끄러진 다음에야 겨우 멈춰 설 수 있었다. 그러고는 두 눈을 동그랗게 뜨고 날 노려보았다. 어안이 벙벙한 것이다.

초로인은 나와 멀어져 가는 마차를 번갈아 보며 갈등했다.

나는 도끼를 한쪽 어깨에 척 얹으며 말했다.

"제가 순순히 보내줄 것 같습니까?"

그 순간, '쐐애액' 하는 소리와 함께 또 한 대의 화살이 허공을 찢으며 날아들었다.

척 척!

나는 두 걸음을 재빨리 물러나는 것으로 간단하게 화살을 피했다. 화살은 십여 장을 더 날아간 다음 얼음을 한 뼘이나 뚫고 들어가 박혔다.

"화살 좀 그만 쏘라고 하십시오. 수하들이 곡주 알기를 얼마나 우습게 알면 고작 표사 하나 상대하는 데도 옆에서 저렇게 화살을 빵빵 쏘아댑니까?"

초로인이 한 손을 들고 외쳤다.

"모두 마차를 쫓아라!"

그러자 궁수가 화살을 재다 말고 막 도착한 수하들과 함께 얼어붙은 호수 위를 가로질러 건너오기 시작했다. 하지만 저들은 초로인에 비할 바가 아니었다. 마차는 저 멀리 달아나지, 마음은 급하지, 달리는 것도 아니고 걷는 것도 아니고 우왕좌왕하다가 미끄러져 엉덩방아를 찧기 일쑤였다.

지난 한 달여 동안 내가 가장 공들여 수련한 것이 있다면 단연코 귀영무의 보법이었다. 월성교 아래에서 북해투왕이 선보인 첫날의 충격을 잊지 못해서다.

어느 날 북해투왕이 내게 말했었다.

"천하의 모든 무공은 제각각의 약점이 하나씩은 반드시 있다. 한데 어떤 무공을 익혔든 모두가 공통적으로 갖는 약점도 있느니라."

"그게 무엇입니까?"

"발을 묶으면 모두 무용지물이 된다는 것이다."

"발을 어떻게 묶습니까?"

"그건 나도 모른다."

"그런 엉터리 같은 대답이 어딨습니까?"

"그럼 이건 어떻느냐? 네가 그들보다 월등히 뛰어난 보법을 갖는 것이다. 마치 어른과 아장아장 걷는 아이의 차이만큼. 하면 그들의 발을 묶는 것과 다를 바가 없지 않겠느냐?"

"……!"

나는 아직까지 세상의 무림인들을 압도할 만큼 보법을 익히지 못했다. 하지만 적어도 오늘 저 초로인의 발은 확실하게 묶었다. 이제 지난 한 달 동안 죽으라고 수련한 귀영무의 보법을 써먹어 볼 차례였다.

"네놈은 누구냐?"

"천룡표국의 표사입니다."

"고작 표사 따위가 감히!"

"귀하는 백백곡의 곡주이시지요?"

"……!"

"놀라시는 걸 보니 맞군요."

"어떻게 알았느냐?"

"죽립을 눌러 쓰고 시체 썩은 냄새를 풍기는 귀신이 수하들을 잔뜩 이끌고 찾아왔었습니다. 백인도법에 백라검법, 이것들 죄다 백백곡의 무공이지요?"

백백곡주의 눈동자가 어느 때보다 커졌다.

"그들은 어떻게 되었느냐?"

"지금쯤 죽거나 피투성이가 되어 쓰러져 있을 겁니다. 확실한 건 그들의 목숨은 이제 그들의 것이 아니라는 것이지요."

"대체 네놈은 누구냐?"

"방금 해드린 말도 기억을 못 하셔서야 원. 그쯤 되면 바깥출입을 삼가고 뒷방으로 물러나셔야 하는 것 아닙니까? 이 많은 업보를 어떻게 감당하시려고."

취선루에서 보았던 남궁세옥을 한번 흉내 내봤다.

"이노옴!"

그가 쌍수를 뻗으며 나를 덮쳐왔다. 그러나 신법이며 보법을 사실상 전혀 펼칠 수 없었던 탓에 금방이라도 찢어 죽일 것 같은 기세와 달리 속도는 답답할 정도로 느렸다. 그에 반해 나는 다섯 걸음을 옆으로 척척척척척 달려간 다음 뚝 멈춰 서는 것으로 백백곡주와 또다시 대여섯 장의 거리를 유지했다.

반면에 백백곡주는 이번에도 반 장이나 쭉 미끄러진 후에야 겨우 멈춰설 수 있었다. 그러곤 망연자실한 표정으로 내 얼굴과 발을 번갈아 바라보았다.

"진정하십시오. 덫에 걸린 범이 발버둥을 치면 빠져나가지도 못하고 제 발목만 계속해서 상하는 법입니다."

"무어?"

"잠시 후면 마차가 달려가는 건너편 호숫가에 천룡표국의 일급표사 열다섯 명과 남궁세가의 무시무시한 고수 한 명이 나타날 겁니다."

"……!"

"그리고 우리가 방금 지나온 갈대숲 쪽으로는 천룡표국의 국주님께서 수십 기의 지원조를 이끌고 무거운 철갑마차의 발자국을 추적해 따라오다 나타나실 거고요. 한데 귀하와 귀하의 수하들은 전부 얼어붙은 호수 위에서 저러고들 있군요."

말끝에 나는 갈대숲이 있는 호숫가 쪽을 힐끗 가리켰다.

젊은 여자 궁수와 네 명의 살수들이 비틀거리는 와중에도 잰걸음으로 호수를 가로질러 오고 있었다. 하지만 그건 어디까지나 주어진 조건에서의 잰걸음이었다. 땅 위에서라면 도저히 달린다고 말할 수 없을 지경이었다.

"아직도 모르시겠습니까? 백백곡의 작전은 실패했고, 귀하와 남은 살수들은 완벽히 포위당했습니다. 어디 도망칠 곳도 마땅히 없고요."

백백곡주의 얼굴이 분노로 붉으락푸르락해졌다. 야광주처럼 노랗게 변한 눈동자에서 두 줄기 화염이 폭사되었다.

북해투왕의 말이 뼈저리게 실감 났다. 발을 묶는다는 것이 이토록 압도적인 영향을 끼칠 줄이야.

그러나 방심해선 안 된다. 단 한 번이라도 그의 손에 잡히는 순간 내 목숨은 끝장난다.

"신발에 못을 박은 모양인데, 고작 그 정도로 나를 어찌할 수 있을 것 같더냐. 잡히는 순간 네놈은 갈기갈기 찢어질 것이니라."

"손에 잡힐 일이 없으니까 문제지요."

이제 진짜 사냥꾼이 누구인지를 가르쳐 줄 때다.

나는 한 손에 들고 있던 도끼를 양손으로 고쳐 잡았다.

"이제부터 제가 곡주님의 주위를 뛰어다니며 얼음장을 깨부술 것입니다. 잘 통제가 안 돼서 그렇지 힘 하나는 장사거든요. 그러니 이 추운 겨울날 호수에 빠져 얼어 죽지 않으시려면 발을 빨리 놀리셔야 할 겁니다."

"내 말을 오해했군. 고작 애송이 표사 하나 잡는 데 손까지 쓸 일이 무엇이냐. 대신 이것으로 잡아주마."

백백곡주가 상의 아래로 손을 쓱 집어넣더니 허리춤에 감아둔 가느다란 쇠사슬을 철겅철겅 풀었다. 이어 쇠사슬의 끄트머리를 바닥에 툭 떨어뜨렸다.

척!

얼음장에 묵직하게 박히는 것은 어른 주먹만 한 쇠뭉치였다.

"유성추(流星錐)!"

유성추 중에서도 쇠뭉치에 못이 숭숭 박혀 있는 저것은 낭아추(狼牙錐)였다. 한 손에 추려 잡은 쇠사슬의 길이는 어림잡아도 삼(三) 장. 함부로 들어갔다가 저 쇠뭉치에 머리라도 찍히면 그 자리에서 터지며 즉사할 것이다. 어디 머리뿐이겠나. 배에 맞으면 구멍이 뚫리고, 다리에 맞으면 그대로 뼈가 박살 날 것이다.

이화원에서 황자충을 상대할 적에도 궁수의 철전을 빌려 쓰기에 당연히 공권박투, 즉 맨손 싸움의 고수인 줄 알았다. 한데 유성추라니! 그것도 쇠못이 박힌!

"아니, 그런 걸 왜 숨기고 다니십니까?"

"그럼 이 흉한 걸 드러내 놓고 다니리?"

"그건…… 그러네요."

"죽을 준비는 되었느냐?"

"선공은 당연히 양보해 주시겠지요?"

쩡!

나는 대답도 기다리지 않고 도끼로 얼음을 힘껏 내리찍었다. 도끼날을 백백곡주가 서 있는 방향과 일직선이 되게 해서.

하지만 얼음은 딱 도끼날만큼만 패이고 그 사이로 호숫물이 쑮붕쑮붕 올라왔을 뿐, 아무런 일도 일어나지 않았다.

"……?"

"……!"

등에서 식은땀이 쭈르륵 흘렀다. 이거 뭔가 내가 생각한 것과 그림이 다르다.

순간, 내가중수법이라는 말이 떠올랐다. 내 단전에 30년 추정의 공력이 있음도 생각났다.

"이젠 내가 공격해도 되겠지?"

백백곡주가 유성추를 질풍처럼 돌리는 한편 종종걸음을 치며 달려왔다. 나는 천무진경의 운용법에 따라 도끼에 구성의 공력을 담아 다시 한번 힘껏 내려쳤다.

꾸웅 쩌저저적!

번개 자국 같은 금이 삼 장이나 쭉 뻗어 나갔다. 실금이 아니라 완전히 쪼개진 금이었다. 무게를 견디지 못한 얼음장이 푹 꺼졌다. 가장 가까운 곳에 있던 나부터 발아래가 허전해지는 걸 느꼈다. 나는 발작적으로 귀영무의 보법을 펼치며 물러났다.

순간, 유성추가 날아들었다. 아슬아슬하게 비껴간 유성추는 갑자기 튕기듯 되돌아가며 바닥으로 뚝 떨어졌다. 그러곤 '펑!' 소리를 내며 얼음장을 완전히 관통해 들어갔다.

백백곡주는 쇠사슬을 힘껏 잡아당기며 꺼져가는 얼음장에서 아슬아슬하게 빠져나오는 데 성공했다. 그 바람에 나와의 거리가 순식간에 삼 장으로 다시 좁혀졌다. 대경실색한 나는 또다시 도끼로 바닥을 힘껏 찍었다.

꾸웅, 쩌저저적!

여지없이 얼음장이 깨지며 백백곡주의 신형이 무너졌다. 나는 한발 앞서 옆으로 쓰러지듯 상체를 눕히며 도망쳤다.

척 척!

고작 두 걸음을 옮겼을 때 빗나간 유성추가 또 얼음을 뚫고 들어갔다. 백백곡주는 발목 아래가 흥건하게 젖었으나 이번에도 쇠사슬을 당겨 무사히 빠져나왔다. 유성추로 내 몸의 일부를 노리고, 실패하면 얼음장에 박아 몸을 빼고, 또 회수해 내게 쏘아 보내는 세 가지 동작이 마치 하나의 동작처럼 빠르고 민첩했다.

나 역시도 얼음장을 깨고, 유성추를 피하고, 도망치기를 번갯불에 콩 볶아 먹는 듯했다. 안 그러면 내가 먼저 빠지거나 유성추에 맞아 죽을 테니까.

몇 번 해보니 이것도 요령이 생겼다. 선 자리에서 얼음을 깰 때와 달리 빠르게 달리면서 깨니 빠져나오기가 수월했다. 물론 신발에 못 편자를 붙여 귀영무의 보법을 마음껏 펼칠 수 있었던 것이 모든 걸 가능케 했다.

백백곡주에게는 유성추가 그것을 대신했다.

"유성추가 쓸모가 많군요!"

"시끄럽다!"

"꼭 두꺼비 혓바닥 같습니다."

"닥쳐라 이놈아!"

나는 무공의 격차를 실감했다. 이런 자를 만약 땅 위에서 만나 싸웠다면 어떻게 됐을까? 장담하건대 단 한 방으로 배에 주먹만 한 구멍이 뚫렸을 것이다.

'방법을 찾아야 한다!'

그나마 다행인 건 이능력으로 말미암아 유성추가 날아오는 게 또렷이 보인다는 것이다. 세상 그 어떤 위력적인 무공 초식도 허릿심으로부터 시작된다. 그 허리를 받쳐주는 것은 단단한 땅을 딛고 선 다리다. 한데 빙판 위인지라 백백곡주의 다리가 불안정한 것이 유성추의 속도를 느리게 하는 첫 번째 이유였다. 거기에 내게 공력이 생기면서 이능력이 조금 더 강해진 측면도 있는 것 같다.

공력은 곧 몸놀림의 빠르기와도 직결된다. 그렇다면 백백곡주가 유성추를 박고 쇠사슬을 잡아당기는 순간을 한번 노려볼 만하지 않을까?

펑!

또다시 유성추가 얼음을 파고들었다. 순간, 나는 쇠사슬을 잡아당기며 얼음 구덩이에서 빠져나오는 백백곡주를 향해 냅다 돌진했다.

"에라 모르겠다!"

"이런 미친놈이!"

변칙적인 공격에 깜짝 놀란 백백곡주가 좌장을 힘차게 뻗어왔다. 손이 닿기도 전에 엄청난 장력이 몰아쳤다.

순간, 내 두 발이 나도 모르게 유령처럼 움직였다. 부지불식간에 수백 번 반복해 수련한 귀영무의 보법 중 한 식이 펼친 것이다.

나는 바람에 펄럭이는 깃발처럼 장력을 타고 넘었다. 이어 급박하게 방향을 꺾으며 발끝으로 백백곡주의 발목을 슬쩍 걷어찼다.

쿵! 소리와 함께 백백곡주의 신형이 너무나 쉽게 무너져 버렸다.

그 순간 나는 '척!' 하고 오른발을 찍어 멈춘 다음 뒤로 번개처럼 돌아섰다. 동시에 쓰러진 백백곡주를 향해 도끼를 힘차게 내려쳤다.

"죽엇!"

백백곡주는 실로 괴물이었다. 찰나의 순간에도 그는 유성추의 쇠사슬을 양손에 잡고 당기며 자신의 가슴으로 떨어지는 도끼날을 막았다. 한데 그게 결정적인 패착이었다. 내려찍는 도끼의 힘을 막아야 한다는 생각에 공력을 무리하게 주입해 당긴 쇠사슬이 그만 '깡!' 하고 끊어져 버린 것이다. 쇠사슬의 희생으로 도끼의 힘을 대부분 죽였다는 것이 다행이라면 다행이었다.

나는 재빨리 대여섯 장 밖으로 후다닥 도망쳤다.

벌떡 일어난 백백곡주는 두 개로 끊어진 유성추를 바라보며 망연자실한 표정을 지었다. 하필이면 추가 달린 쪽의 길이가 채 반 장이 안 됐다. 더는 유성추로 나를 공격하는 것도, 먼 곳의 얼음에 박아서 빠져나오는 것도 어렵게 되었다.

"혓바닥이 잘렸군요."

"닥쳐라!"

분기탱천한 백백곡주가 쇠뭉치를 내게로 던졌다. 빠르기가 예사롭지 않더라니, 머리끝이 쭈뼛 서며 이능력이 자동으로 발동됐다.

하지만 이번만큼은 나도 똑바로 보지 못했다. 갑자기 눈앞에 커다란 점이 생기는 것 같았다. 나는 거의 본능적으로 도끼를 뻗어 막았다.

꽝!

굉음과 함께 유성추에 맞은 도끼의 옆면이 내 가슴을 때렸다. 막강

한 힘을 견디지 못한 나는 무려 삼 장이나 날아간 다음에 떨어졌다.

대포알에 맞으면 이런 기분이 들까? 한순간 숨이 턱 막히며 오장육부가 뒤집히는 것 같았다.

"쿨럭쿨럭!"

하늘이 한 바퀴 핑 돌고서야 겨우 기침을 하며 숨을 다시 내뱉을 수 있었다. 노인네가 쇠뭉치에 엄청난 공력을 담아 던진 모양이었다.

저벅, 저벅, 저벅.

백백곡주가 내게로 걸어오며 말했다.

"아직 끝나지 않았다."

나는 몸을 벌떡 뒤집고 일어났다. 이어 바닥에 떨어져 있는 쇠뭉치부터 발로 툭 차서 얼음 구멍으로 처넣어 버렸다.

"맞습니다. 이제부터 시작입니다."

척 척 척 척!

나는 백백곡주와 대여섯 장의 거리를 유지한 채 크게 원을 그리며 달리기 시작했다. 그리고 삼 장 간격으로 얼음장을 꽝꽝 깨뜨렸다. 그때마다 번개 같은 금이 백백곡주를 향해 쩍쩍 뻗어 나갔다.

사태의 심각성을 알아차린 백백곡주가 열심히 보법을 펼쳤다. 그러나 짧은 보폭으로 달리는 그가 얼음을 척척 찍으며 질주하는 내 속도를 따라잡을 순 없었다.

어떻게든 내게서 탈출하기 위해 백백곡주는 사력을 다해 달리기도 하고, 방향을 틀기도 했다. 그러나 번번이 내가 도끼로 찍어대는 금에 가로막혔다. 그러던 어느 순간 그가 딛고 선 주변의 얼음장이 철퍽하고 무너져 내렸다.

그 와중에도 백백곡주는 몸을 스스로 쓰러뜨리며 질풍처럼 뒤집어 도는 것으로 아직 무너지지 않은 쪽 얼음 위를 구르며 타고 올라왔다.

"선배님, 그건 나려타곤(懶驢打滾)이 아닙니까?"

"제발 입 좀 닥쳐라!"

나려타곤, 게으른 당나귀가 바닥을 구른다는 뜻이다. 체면을 아는 무림인이라면 절대로 쓰지 않는다는 수법이다.

"그럼 입 닥치고 계속하던 일 하겠습니다."

꿍 쩌저저적!

고작 한 번을 더 찍었을 뿐이었다. 한데 쩌저적 뻗어 나간 금이 앞서 찍어놓은 다른 금들과 만났다. 동시에 백백곡주를 둘러싼 주변 삼 장의 얼음이 세 갈래로 쪼개지며 무너졌다. 그 여파는 내게도 미쳤다. 나는 다시 한번 귀영무의 보법을 펼치며 대여섯 장 밖으로 빠르게 물러났다.

"어유, 깜짝이야!"

이 지경까지 되자 천하의 백백곡주도 용빼는 재주가 없었다. 그는 무너지는 얼음과 함께 결국 차가운 호숫물 속으로 빠져 버렸다. 살고자 하는 욕망은 무서운 것이어서 백백곡주는 아직 깨지지 않는 얼음을 찾아 어떻게든 올라오려고 했다. 하지만 손이 계속해서 미끄러지자 지공(指功)을 펼쳐 손가락으로 얼음을 뚫고 박으며 올라오려고 했다.

"더럽게 질기네."

그때였다.

쐐애액!

소리를 듣는 순간 나는 돌아볼 겨를도 없이 상체부터 뒤로 꺾었다. 눈

앞을 아슬아슬하게 스쳐 간 화살은 얼음을 타고 끝도 없이 미끄러져 갔다.

"이것들이 진짜!"

고개를 홱 꺾어보니 불과 이십 장도 안 되는 곳에서 궁수와 살수들이 종종걸음으로 달려오고 있었다. 살수들은 도검을 뽑아 든 상태였고, 궁수는 손을 뒤로 뻗어 전통을 더듬었다. 한데 화살이 더는 남아 있지 않았다. 결국 궁수는 화살 쏘는 걸 포기하고 외쳤다.

"저놈부터 죽여라!"

"어디 죽일 수 있으면 죽여보시지."

나는 얼음물에서 빠져나오려는 백백곡주 대신 그들의 주변을 돌며 달렸다. 그리고 삼 장 간격으로 열심히 얼음을 찍어댔다. 대여섯 번쯤 찍었다고 생각했을 때였다. 갑자기 '쩌저저정!'하며 반경 수십 장의 얼음이 비명을 질러댔다.

순간, 나도 살수들도 그대로 멈추었다. 갑자기 모골이 송연해지며 똥구멍이 간질간질했다.

쥐 죽은 듯한 침묵이 흐르길 잠시, 예의 그 소리가 또다시 울렸다.

쩌저정!

"뛰엇!"

나도 모르게 외쳤다. 동시에 나는 빙판을 찍으며 호수 건너편을 향해 질풍처럼 달렸다. 달려가는 와중에도 바닥이 비스듬히 기우는 게 느껴졌다. 등 뒤로 흡사 산에서 굴러 내려온 수백 개의 바윗덩어리가 호수로 떨어지는 듯한 소리가 들렸다.

뒤를 돌아볼 여유조차 없이 혼비백산하여 달리길 한참. 소리가 잠잠해진 후에야 비로소 달리길 멈추고 뒤를 돌아보았다. 수백 평 넓기의 얼음이 폭삭 주저앉은 가운데 크고 작은 얼음 덩어리들이 수면과 함께 출렁이고 있었다. 그 사이로 백백곡주는 물론이고 궁수와 다른 살수들까지 밥알마냥 둥둥 떠다니고 있었고.

"하마터면 내가 깨고 내가 빠질 뻔했네."

그때였다.

두두두두!

지축을 울리는 말발굽 소리가 호숫가의 갈대숲 쪽에서 들렸다.

잠시 후, 이종산이 삼십여 명의 표사들을 이끌고 나타났다. 약간의 차이를 두고 마차도 한 대 나타났다.

마차가 멈추자마자 문이 벌컥 열리며 두꺼운 털옷을 입은 눈부신 용모의 여자가 모습을 드러냈다. 황자충이 부상을 당한 와중에도 왕비를 싣고 달려온 모양이었다.

왕비도 황자충도 진왕의 생사가 궁금하여 견딜 수 없었을 것이다. 그들은 호수 위의 상황을 발견하고는 어찌 된 영문인지 몰라 한참이나 멍하니 바라보았다.

그러다 곽석산이 외쳤다.

"밧줄을 준비하라!"

곽석산을 필두로 이십여 명의 표사들이 일제히 말에서 내려 호수를 엉금엉금 건너오기 시작했다. 몇몇 표사들은 안장에 걸어둔 밧줄을 챙겨서 왔다.

삐이익!

길게 울리는 호각 소리에 고개를 돌려보니 이번엔 마차가 달려간 쪽

호숫가에서도 표사들 십수 명이 우르르 빙판으로 쏟아져 들어오는 중이었다. 땅 위에서는 진왕과 공주가 나란히 서서 이쪽을 바라보고 있었다. 남궁소소와 남궁세옥이 두 사람의 곁을 지키고 있었고.

"어느 쪽으로 간다?"

나는 양쪽을 번갈아 보다 이종산이 도착한 갈대숲 쪽으로 얼음을 척척 찍으며 달려갔다. 호수 가운데가 폭삭 주저앉았기에 한참을 빙 돌아서 가야 했다. 중간에서 곽석산을 만났지만 십여 장의 거리를 두고 어긋나며 달렸다. 그러자 곽석산이 내 쪽을 향해 달려왔다.

한데 표정이 심각하다. 꼭 나를 붙잡으려는 것처럼.

그제야 나는 역용을 하고 있다는 사실을 깨달았다.

"총표두님, 접니다!"

"이정룡?"

"그렇습니다."

"얼굴이 왜?"

"공주마마를 호위하다 갑자기 달려와서 그렇습니다."

"목소리를 보니 확실하군. 다친 곳은 없느냐?"

"멀쩡합니다."

"어떻게 된 일인지 나중에 자세히 얘기해 줘야 한다!"

"알겠습니다."

잠깐 스치며 대화를 나누는데도 모든 표사들의 고개가 나를 따라 움직였다.

잠시 후, 나는 호숫가 갈대숲에 도착했다. 백백곡주와 살수들을 건지러 간 통에 호숫가에는 이종산과 황자충 그리고 몇몇 표두와 표사들만 왕비를 호위하며 남아 있었다.

내가 뭍에 오르자 다들 무슨 괴물 쳐다보듯 했다. 곽석산과의 대화를 들었으니 내가 누구인지는 구태여 설명할 필요가 없었다.

"어떻게 된 일이냐?"

이종산이 물었다. 얼마나 다급한 마음을 안고 달려왔는지 목소리에서 아직도 격정이 사라지지 않은 상태였다.

"백백곡의 살수로 위장한 다음 진왕 전하께서 타신 마차를 탈취해 얼어붙은 호수로 유인했습니다. 이후 도끼로 얼음을 깨뜨려 저들을 빠뜨렸고요."

"백백곡이라고?"

"지금 총표두님께서 두들겨 패고 계신 노인이 백백곡의 곡주입니다."

밧줄을 잡고 물 밖으로 나온 백백곡주가 도주할 틈을 만들기 위해 표사 두 명을 기습해 때려눕힌 모양이었다. 그러나 대로한 곽석산에게 잡혀 곤죽이 되도록 얻어터지는 중이었다. 그 서슬에 놀란 궁수와 다른 살수들은 감히 저항할 생각도 못 하고 한쪽에 오들오들 떨며 서 있었다.

사실 백백곡주도 그렇고 다른 살수들도 그렇고, 얼음물 속에서 한참 만에 건져진 터라 제대로 싸우려야 싸울 수 있는 몸이 아닐 것이다.

"네가 대체 무슨 수로 백백곡의 곡주를 잡았다는 것이냐?"

나는 대답 대신 신발 바닥을 살짝 들어 보였다. 그러자 너 나 할 것 없이 전부 입이 떡 벌어졌다.

그 틈을 타 나는 초조한 기색의 왕비에게 얼른 말했다.

"왕비마마, 진왕 전하께서는 마차를 타고 무사히 호수를 건너셨습니다. 하니 안심하십시오."

“그게 사실인가요?”

“소생이 조금 전 호수 한가운데서 보았사온데, 진왕 전하께서는 공주마마와 함께 호수 건너편에 나란히 서 계십니다.”

“공주도 함께라고요?”

“그렇습니다.”

“다친 곳은요?”

“없습니다.”

“정말 믿어도 되나요?”

워낙 큰일을 겪어서인지 왕비는 좀처럼 안정을 찾지 못했다.

그때 이종산이 함께 온 호위장을 돌아보며 말했다.

“자네 천리경 있지?”

“물론입니다. 국주님.”

“왕비마마께 드리게.”

호위장 가뢰압이 품속에서 천리경을 꺼내 왕비에게 전해주었다. 이종산을 호위하면서 항상 척후를 살펴야 하다 보니 저런 귀한 물건을 가지고 다니는 모양이었다.

‘탐난다.’

천리경으로 호수 건너편을 살피던 왕비의 눈에서 눈물이 주르륵 흘러내렸다.

황자충이 물었다.

“마마, 어찌 그러십니까?”

“잘생긴 어떤 무사님께서 내가 천리경으로 자신들을 보는 줄 어찌 알고 옆에 계신 전하께 무어라 말을 전했어요. 그러자 전하께서 공주의 손을 꼭 잡고 나를 향해 손을 흔들어주고 계시고요."

아마도 남궁세옥일 것이다. 절정의 고수이다 보니 그 먼 곳에서도 여기가 보이는 모양이다.

황자충이 나를 돌아보며 말했다.

"이화원에서 갑자기 튀어나온 살수가 자네였군. 어리바리하게 왜 저러고 있나 했더니만."

"아깐 돕지 못해 죄송했습니다."

"그랬다면 전하를 구할 기회가 없었겠지."

"이해해 주셔서 감사합니다."

"애썼네."

"당주님도요."

"어깨를 다친 것 같네만."

"끄떡없습니다. 저보다 당주님은 좀 어떠십니까? 내상을 입은 것 같았습니다만."

"나도 끄떡없네."

"다행이군요."

우리는 서로를 바라보며 잠시 말없이 웃었다.

"그만 가봐야겠습니다."

"어딜?"

"제 임무는 공주마마를 모시고 안전하게 외출을 했다가 돌아오는 것이었습니다. 한데 공주마마께서 아직 바깥에 계십니다. 서둘러 호수를 건너간 다음 공주마마와 진왕 전하를 모시고 이화원으로 향하겠습니다."

"자네 말이 옳네. 이화원에서 보세."

나는 왕비와 황자충 그리고 이종산에게 차례로 인사를 한 후 다시 호수를 가로질러 돌아가려 했다.

빙판 위를 대여섯 장 정도 갔을 때 왕비가 갑자기 나를 불러 세웠다.

"잠깐만요."

뒤를 돌아보니 놀랍게도 왕비가 얼어붙은 호수 위를 걸어오고 있었다. 당황한 이종산과 황자충 등이 황급히 말에서 내려서는 왕비의 좌우를 호위하며 함께 우르르 빙판 위로 올라왔다.

왕비는 내 앞에 서더니 양손을 모으고는 갑자기 공손하게 머리를 숙였다.

황족은 누구에게도 머리를 숙이지 않는다. 숙여서도 안 되고, 숙일 필요도 없다.

화들짝 놀란 나는 황급히 허리가 부러지도록 꺾었다.

"마마, 어찌 이러시는 겁니까?"

옆에서 나보다 더 놀란 황자충이 물었다.

"목숨을 구해준 은인에게는 황제도 머리를 숙인다고 했습니다. 하물며 남편과 딸의 목숨을 번갈아 구해준 은인에게 내가 고개 숙이지 못할 게 무엇입니까?"

"마마……."

"진왕가는 이정룡 공자와 천룡표국에 큰 빚을 졌습니다. 언젠가 반드시 몇 배로 갚아드릴 날이 있을 겁니다."

그러면서 또다시 머리를 숙였다. 이번엔 천룡표국까지 언급한 터라 이종산과 황자충도 나와 함께 세 방향에서 동시에 왕비를 향해 허리를 숙였다. 조금 떨어진 곳에 있는 표사들 역시 마찬가지였다.

"그럼 전 이만."

나는 황망함에 도망치듯 호수를 가로질러 달렸다.

멀어져 가는 이정룡을 바라보며 이종산이 말했다.

"내게는 보고 한마디 없군."

"이 임무의 책임자는 저니까요."

"나는 국주외다."

"질투하시는 겁니까?"

"무슨 그런 말을."

"저야말로 국주님이 부럽습니다."

"어째서 말이오?

"저는 십칠각주에게 고작 이번 임무의 상관에 불과하지만, 국주님께서는 평생 우러러볼 아버지시니까요."

이종산의 시선이 다시 호수로 향했다. 그의 입꼬리가 귀밑까지 찢어져 올라갔다.

전문 살수 집단이 노상에서 공주를 납치하려 하고, 왕이 머무는 별장까지 침투해 왕과 왕비를 겁박한 일은 보통 큰 사건이 아니다.

소식을 들은 항주부 지부대인 왕인탁은 관병 수백 명을 이끌고 가서 이화원을 둘러쌌다. 그는 자신의 목이 달아나는 건 아닌지 걱정을 태산같이 했다.

왕인탁 못지않게 똥줄이 탄 사람이 한 명 있었다. 바로 이화원의 소유주이자 남경상단의 단주인 노지량이었다. 그는 하필 자신의 별장에서 진왕과 왕비가 횡액을 당할 뻔하자 식겁을 한 나머지 천룡표국을 찾아왔다.

이종산은 황자충에게 미뤘고, 황자충은 다시 나와 상의해 보라며 또 미뤘다. 항주의 늙은 독사를 상대하는 데는 내가 제격이라고 생각한 모양이었다.

"금전 이백 냥을 더 주겠네."

"갑자기요?"

"당장 표사를 두 배로 증원해 주게."

"그건 안 됩니다."

"돈이 모자란가?"

"돈은 충분합니다."

"한데 왜?"

"소식 못 들으셨습니까?"

"무얼?"

"진왕 전하께서 이화원을 떠난다고 하셨습니다."

"뭐!"

"정말 못 들으셨나 보군요."

"혹시 다른 정원으로 옮기신다든가?"

"북경으로 돌아가신답니다."

"북경? 왜?"

"글쎄요."

"혹시 그 자객들 때문인가?"

노지량은 그제야 약간 안심하는 눈치였다.

"말씀으로는 추위를 피해 항주로 왔는데, 항주가 오히려 더 추워서 북경으로 돌아가겠노라고 하셨습니다."

"그거야 대외적으로 하는 말씀이신 거고. 더는 조용히 넘어갈 수 없다고 판단하신 모양이군. 아무래도 황족들 사이에 한바탕 큰 싸움이 벌어질 것 같은데……."

그러다 갑자기 무언가 생각난 듯 말했다.

"그나저나 내년에도 항주로 피한을 오실지 모르겠군. 이번에 그런 일까지 겪었으니."

노지량은 자신이 끈 떨어진 연 신세가 될까 봐 걱정되는 모양이었다. 하기사 그동안 진왕비라는 뒷배를 믿고 밀무역을 잘 해먹었는데, 갑자기 왕비가 나 몰라라 해버리면 장사 접어야 할 수도 있다.

"걱정 마십시오. 진왕께서 항주의 고즈넉한 풍광을 좋아하시니 내년에도 틀림없이 오실 겁니다."

"그럴까?"

"그게 이화원이 될지는 모르지만요."

"뭐?"

"말씀하신 것처럼 이화원에서 불미스러운 일을 겪었지 않습니까? 왕비마마께서 재수가 없다시며 다른 장원을 고집하실지도 모르지요. 진왕 전하는 왕비마마를 아끼는 마음이 지극하시니 당연히 들어드릴 것이고요."

"자네가 잘 좀 말해주게. 듣자 하니 왕비마마께서 자네에게 머리까지 숙이며 감사를 표했다고 하던데."

"헛소문입니다."

"나 남경상단주 노지량일세. 항주에서 일어나는 일치고 내가 모르는 게 있을 것 같은가? 이렇게 하세. 만약 내년에도 진왕 전하와 왕비마마께서 이화원을 찾는다면 내 그땐 금전 삼백 냥으로 계약을 하겠네."

"말씀은 감사합니다만, 제가 뭐라고 제 한마디에 진왕 전하 내외께서 이화원으로 오고 말고를 결정하시겠습니까? 그건 지나친 비약이십니다."

"만약 항주로 피한을 오신다면 왕비마마께서는 분명 자네와 천룡표국에 호위를 맡기려 하실 걸세. 그때 자네가 안전상의 이유로 이화원을 추천한다면 마음이 쏠리시지 않겠는가?"

상계의 늙은 독사라서 그런지 확실히 이런 쪽으로는 머리가 비상하게 돌아간다.

"그건 좀 그럴듯하군요."

노지량이 전낭 하나를 쓰윽 밀어놓는다.

"이게 뭡니까?"

"자네가 금을 좋아한다고 해서 조금 준비해 보았네. 참고로 내 앞에서는 마음에도 없는 겸양 같은 거 떨 필요 없네. 통하지도 않고."

슬쩍 눈을 내리깔고 보니 한 주먹에 꽉 찰 것 같은 것이 금전 열 냥쯤 되겠다.

나는 전낭을 도로 밀어놓으며 말했다.

"이 돈은 그때 받도록 하겠습니다."

"어째서?"

"미리 받으면 빚이 됩니다. 고작 열 냥에 발목을 잡히고 싶진 않습니다."

"계산 한번 철두철미하군."

"상대가 상대이시니까요."

독사가 누굴 물려고.

"진왕 전하께서 예왕(詣王)에게 심각한 타격이 될 수 있는 치부책을 가지고 있으셨답니다. 예왕이 그동안 왜국 왕실과 은밀히 통교를 해왔는데, 놀랍게도 진왕 전하께서 왜와 밀무역을 하는 남경상단에 사람을 심어두고 오랜 세월 관찰해 왔다고 하더군요."

진왕을 배웅 나온 길에 이을룡이 이갑룡에게 슬쩍 귀띔하는 말이었다. 틀림없이 외가에서 알아낸 정보일 것이다.

지금 이화원에는 이종산이 자식들은 물론 총표두와 오당의 당주 그리고 대장궤까지 전부 끌고 와 있었다. 정확히 말하면 이종산은 총표두와 황자충만 데리고 오려 했다. 한데 지부대인과 남경상단주가 대동하고 온다는 관병과 무인들의 숫자를 듣고 청룡당주 유지평이 조언했다.

"항주의 늙은 여우와 독사가 잔재주를 부리는군요. 자칫하다간 피는 천룡표국이 흘리고 소문과 평판은 엉뚱한 사람들에게 돌아가겠습니다. 우리가 이 일을 한 첫 번째 이유가 소문과 평판 때문임을 잊어선 안 될

것입니다."

이런 식으로는 아무도 생각해 본 적이 없기에, 유지평의 한마디는 모두로 하여금 정신이 번쩍 들게 했다. 해서 예정에 없던 이갑룡, 을룡, 병룡, 오당 당주, 대장궤가 모두 동원되었다.

유지평의 말을 빌리자면 배웅하러 나온 사람들을 최대한 화려하게 꾸려 이번 일을 주도한 곳이 어디까지나 천룡표국임을 모두가 확실히 알게 해야 한다는 것이다.

그런가 하면 비록 하루일망정 나의 부탁으로 공주를 함께 호위했던 남궁소소도 와 있었다. 곁에는 마지막에 나타나 백백곡의 살수들을 일망타진하는 데 결정적인 기여를 한 남궁세옥도 있었고.

'이렇게까지 할 필요가 있을까?'

아무리 진왕이라는 간판이 필요하다고 해도 너무 노골적이라 내가 다 민망할 지경이었다. 하지만 나도 결국 그 대열에 끼어 세 명의 형들과 함께 말석에 나란히 서 있었다. 그런데…….

"남궁세옥 옆에 있는 여자 남궁소소 맞지?"

"그렇다고 합니다."

"남궁소소가 저렇게 예뻤었나?"

"예사로운 미모가 아니라는 말은 들었지만, 오늘 보니 설부화용(雪膚花容)이라는 말을 어떨 때 쓰는 것인지 알겠군요."

이갑룡과 을룡의 조그마한 대화였다. 여기에 이병룡이 역시 자신들만 들을 수 있는 소리로 슬그머니 끼어들었다.

"갑룡 형님은 남궁세옥 공자와 친우가 아니십니까? 한데 그동안 남궁소소를 한 번도 못 보셨습니까?"

"7년쯤 전에 잠깐 봤었지. 허구한 날 마상 무예를 수련하다 떨어져 얼굴에 멍을 달고 사는 말괄량이였었는데, 오늘 보니 어느새 숙녀가 다 됐군."

"저도 남궁소소와 친합니다만, 오늘 본 모습이 그중 가장 아름답습니다. 항주 사대미인이고 뭐고 하나도 기억이 안 날 정도로요."

"훗, 미친놈."

이을룡이 실웃음을 흘리며 쏘아붙였다.

"왜 또 그러십니까?"

"네가 부끄러움을 알면 지금 정룡을 옆에 두고 남궁소소랑 친하다는 말이 나오느냐? 아예 형님께 남궁소소를 소개해 주겠다고 하지 그래?"

이병룡은 이번에도 찍소리조차 내지 못했다. 지난번 월성교의 기루 건으로 둘이서 정보를 주거니 받거니 하며 잘 지내는 것 같더니만 다시 틀어진 모양이었다.

"다들 조용히 해라."

이갑룡의 낮은 호통에 을룡과 병룡도 입을 닫았다. 그러면서도 세 사람은 저마다의 표정으로 나를 힐끔거렸다. 언제나 그렇지만 오늘도 질투, 분노, 시기, 부러움 등등의 감정들이 읽힌다. 나의 활약이 두드러지다 못해 압도적이다 보니 이제는 슬슬 두려워하는 눈빛도 느껴지고.

그러거나 말거나 나는 가만히 남궁소소에게로 시선을 주었다. 그녀는 눈처럼 하얀 모피 옷을 입고 엷게 화장까지 한 상태였다. 내가 봐도 오늘따라 유난히 힘을 준 티가 났다.

'안 꾸몄을 때가 더 예쁜데.'

그건 그렇고, 남궁소소는 왜 아까부터 나와 눈을 한 번도 안 마주치는지 모르겠다. 어쩌다 눈이 마주치면 피하는 게 아니라, 아예 모르는 사람처럼 이쪽으로는 눈길도 주지 않았다.

'뭔가 어긋나긴 어긋났는데.'

짚이는 바가 있다. 취선루에서 남궁세옥이 나타났을 때 남궁소소가 혼쭐이 나는 걸 보면서도 혼자 내뺐다. 사정도 있고, 이유도 있었지만 그래도 섭섭한 건 섭섭한 것이다. 한 번도 아니고 두 번씩이나 그랬으니 얼마나 얄밉겠나.

'취선루에 가서 교자라도 먹자고 할까? 맛있어 하는 것 같던데.'

그때 진왕과 일가족이 나왔다. 일가족이라고 해봐야 왕비와 공주가 전부지만.

세 사람은 처음 항주에 나타날 때처럼 두꺼운 털옷을 입었는데 그렇게 우아하고 단란해 보일 수가 없었다. 특히 부슬부슬한 모자에 폭 싸인 왕비와 공주의 얼굴은 여전히 아름답고 귀여웠다. 그러고 보니 남궁소소가 오늘 입은 옷도 왕비와 공주의 옷을 빼닮았다.

진왕은 왕비와 함께 황자충, 이종산, 노지량, 지부대인 순으로 작별인사를 고하며 그간의 노고를 치하했다.

그리고 내 차례가 왔다. 나의 옆에는 이갑룡, 을룡, 병룡이 있었었지만 진왕과 두 명의 여자는 모두를 지나쳐 내 앞에 섰다.

"올해 나이가 몇인가?"

"스물둘입니다. 전하."

"한데 형님들이 모두 미혼이라고?"

"그렇습니다. 전하."

"그렇군."

그러면서 탐욕스러운 눈빛으로 나를 노려본다. 왕비가 옆에서 '음음' 하고 살짝 헛기침을 하고서야 진왕이 눈빛을 거두었다.

"고마웠네."

"편안히 다녀오십시오. 전하."

"다녀오라고?"

"기회를 주신다면 내년에도 소생이 전하를 모시고 싶습니다. 그땐 이번과 같은 실수는 하지 않을 것입니다."

"하하하. 아무렴, 내 항주에 와서 자네에게 호위를 맡기지 않으면 누구에게 맡기겠나. 하지만 절대 자네가 모는 마차는 타지 않을 것이네."

"죄송합니다. 전하."

진왕은 내 어깨를 친히 두어 번 두드려 준 후 왕비에게 시간을 양보해 주었다.

왕비의 작별 인사는 담백했다.

"북경으로 표행을 오는 길이 있으면 진왕부(賑王府)에도 들러주겠어요? 동행한 표사들과 함께 와도 좋고요."

"꼭 그리하겠습니다. 마마."

다음엔 공주 차례였다. 그녀는 비단 보퉁이에 곱게 싼 용린신갑을 건네주며 말했다.

"잘 쓰고 돌려드려요."

"결과적으로 필요 없는 물건이 되었습니다."

"쓸 일이 없어서 다행이었죠. 저야 이것 때문에 안전했겠지만, 생채기라도 났으면 얼마나 물어주어야 할지 모르잖아요."

"네?"

"아바마마께 들었어요. 본래는 하오문의 물건인데, 하루 빌리는 데만 무려 금전이 한 냥씩이나 드는 귀물이라고요?"

순간, 나는 머리끝이 쭈뼛 서며 자동으로 남궁소소가 있는 쪽을 곁눈질했다. 그리고 오늘 처음으로 그녀와 눈이 마주쳤다. 한데 그녀의 눈동자에 두 개의 횃불이 켜져 이글이글 불타고 있었다.

나는 마른침을 꿀꺽 삼켰다.

"그리고 이건 제 선물이에요."

공주가 손바닥만 한 비단 주머니를 내밀었다.

"이게 무엇입니까?"

"나중에 풀어보세요."

"감사합니다. 공주마마."

정원엔 수많은 인사들이 있었지만 진왕이 직접 말을 걸고 작별 인사를 한 사람은 고작 열 명에 불과했다. 그리고 진왕에 이어 왕비와 공주까지 나서서 작별 인사를 한 사람은 황자충과 나 둘뿐이었다. 마지막으로 왕비로부터 진왕부에 초대받고 공주에게 선물까지 받은 사람은 내가 유일했다.

특히 내가 왕비에게 진왕부로의 초대를 받는 순간부터 이종산을 필두로 천룡표국 수뇌부의 눈동자가 모두 흔들리고 있었다. 지부대인 왕인탁과 남경상단주 노지량 역시 놀라서 어쩔 줄을 몰라 했다.

많은 사람들이 황족과의 인맥을 자랑하지만, 안사람 격인 왕비에게 직접 초대를 받는다는 건 상상조차 할 수 없는 일이기 때문이다. 이거야말로 인맥의 끝판왕이라 할 수 있었다.

하지만 내 신경은 온통 남궁소소에게 쏠려 있었다. 좀 전엔 눈동자만 이글이글 불타는 것 같더니, 지금은 콧구멍에서 김도 펑펑 뿜어져 나오고 있었다.

아닌가? 겨울이라서 원래 그런 건가?

'아, 신경 쓰이네.'

이윽고 진왕과 일가족이 탄 두 대의 마차가 관병들의 호위를 받으며 이화원을 떠났다.

장내가 대충 정리되었을 때 남궁세옥이 남궁소소를 이끌고 이종산에게로 왔다.

"고생이 많으셨습니다. 국주님."

"반점에서 자네의 공이 컸다고 들었네."

"동생을 데리러 갔다가 우연히 조금 거들었을 뿐입니다."

"내 아들 녀석이 남궁세가의 귀한 영애를 두 번이나 꼬여내 위험에 처하게 했네. 그 바람에 자네는 물론이거니와 왕장(王丈-너의 할아버지)께도 면목이 없네."

"구태여 따지자면 정룡보다 두 살이나 많으면서도 무작정 따라나서고 본 망아지 같은 제 동생의 불찰이 더 클 것입니다."

점잖게 예의를 차리지만 결국 일이 이렇게 된 것에 대한 불편한 마음을 숨기지 않는다.

그런데 잠깐만, 남궁소소가 나보다 두 살이나 많다고?

'그럼 누난데.'

어쩐지 처음에 이병룡 일당과 어울려 다니더라니.

슬쩍 남궁소소를 돌아보니 갑작스러운 남궁세옥의 폭로에 얼굴이 시뻘게지고 있었다.

그때 이갑룡이 슬그머니 끼어들었다.

"자네는 이리 예쁘고 현숙한 동생을 왜 망아지라고 부르는 것인가. 아무리 오라비라도 말이 좀 심한 것 같네. 하하."

"어려서부터 말들과 함께 뛰어노는 걸 좋아해 할아버지께서 망아지라고 부르기 시작하셨는데, 그게 그만 내 입에도 붙어버렸네. 실제로도 망아지 같은 구석이 있고."

"오라비가 동생을 놀리는 말인 줄 알았는데 사실은 애칭이었군. 우애 깊은 오누이 사이가 보기 좋네. 하하."

"갑룡은 너도 일전에 본 기억이 있겠지?"

남궁세옥이 남궁소소를 돌아보며 물었다. 질문의 형식이지만 어서 예의를 갖추라는 은근한 암시였다.

"갑룡 오라버니, 오랜만에 뵙습니다."

"오라버니?"

"세옥 오라버니의 친우이시니 당연히 오라버니라고 불러 드려야지요. 저보다 나이도 한참 많으시고요."

함지박만 하게 벌어지던 이갑룡의 입이 빠르게 좁혀졌다. 이건 옆에서 내가 봐도 남궁소소가 좀 심했다. 이갑룡의 나이가 올해로 서른이고 남궁소소가 스물넷이니 고작 여섯 살 차이밖에 안 나는데.

남궁세옥이 다시 이종산과 곽석산에게 말했다.

"실은 이 녀석이 두 분께 드릴 말씀이 있다고 해서 결례를 무릅쓰고 잠시 발길을 붙잡았습니다."

그러면서 남궁소소를 돌아보았다.

남궁소소는 한 걸음 앞으로 나와 이종산과 곽석산에게 차례대로 포권지례를 올렸다.

"지난번엔 정말 죄송했습니다. 소녀가 작은 재주를 믿고 감히 무림의 까마득한 선배님들을 속인 것도 모자라 타 문파인 천룡표국의 표행에까지 함부로 따라갔습니다. 어리석게도 할아버지와 오라버니께 혼이 나고서야 저의 잘못을 깨달았습니다. 부디 용서해 주십시오."

"자네를 꼬드겨 나를 속여달라고 부탁한 진짜 범인이 따로 있음을 내 모르지 않네. 오히려 그 일로 자네가 겪은 고초를 내가 무엇으로 보상해야 할지 모르겠구먼."

"국주님……."

"천룡표국은 자네에게 두 번이나 신세를 졌네. 내 이를 잊지 않을걸세. 그리고 혹 표국의 다른 일들이 궁금하거든 언제든 또 찾아주게. 단 이번엔 진짜 구경만일세."

"이해해 주셔서 감사드립니다."

"탓하지 않아줘서 나도 고맙네."

슬쩍 고개를 들어 이종산을 바라보는 남궁소소의 얼굴에 오늘 처음으로 미소가 번졌다. 그런 남궁소소를 바라보는 이종산의 얼굴에도 온화함이 가득했다.

'누가 보면 부녀지간인 줄 알겠네.'

예전 일이 매듭지어진 듯하자 남궁세옥이 품속에서 노란 괴황지 봉투를 내밀었다. 옆에서 그걸 본 곽석산과 손지백이 두 눈을 번쩍였다.

"이게 무엇인가?"

"할아버지께서 국주님께 전해 드리라는 초청장입니다. 동생에게 사과도 드릴 겸 직접 찾아뵙고 전해 드리라고 했는데, 아무래도 녀석이 용기를 내지 못한 모양입니다. 해서 오늘 뵌 김에 제가 전해 드리는 것입니다."

"왕존께서는 내게 무림의 까마득한 선배이시자 어렸을 적부터 동경하던 분일세. 예전에도 몇 번 뵌 적이 있으나 오랜 시간 대화를 나누지 못해 아쉬웠었지. 내 어찌 그런 분의 초청을 거절하겠나. 일간 시간을 정해 꼭 찾아뵙도록 하겠네."

"할아버지께서도 크게 기뻐하실 겁니다."

남궁세옥은 마지막으로 나를 돌아보며 말했다.

"두 번째로 보는군. 나는 자네의 첫 번째 형님이신 갑룡의 벗이기도 하니 말을 편하게 놓아도 되겠지?"

묵직하면서도 짧게 끊어지는 음성. 게다가 당당함까지. 좀 전에 이종산을 대할 때의 공손한 모습과는 완전히 딴판이었다. 나도 모르게 어깨가 움츠러들었다.

"물론입니다. 선배님."

"소소를 잘 부탁하네."

"네?"

"둘이 친우가 된 것 같아서 하는 말이네. 나는 무림인이라 남녀유별을 따지는 고루한 사람은 아니네. 다만 이 녀석이 여자의 탈을 쓰고 천방지축에다 호기심이 많아 무엇이든 일단 꽂히면 앞뒤를 가리지 않고 뛰어드는 버릇이 있네. 고집도 아주 세고."

확실히 그런 면은 조금 있더군요.

놀란 남궁소소는 내게 눈길도 주지 않은 채 빠르게 입술을 달싹거렸다. 남궁세옥에게 전음을 보내는 모양이었다. 아마 '친구는 무슨 친구요. 그만하시고 빨리 가요'라고 얘기하지 않았을까 싶다.

"하지만 지혜롭지요."

"음?"

"저는 남궁 소저처럼 지혜로우면서 굳건한 의지를 가진 후기지수를 보지 못했습니다. 여자는 더더욱요. 많이 배우고 있습니다."

"그리 말해주니 고맙네. 하하."

3장
첫 단독 임무

“중얼중얼…… 중얼중얼…….”

“뭐 해?”

“공자님 나오셨습니까?”

장삼이 마당을 쓸다 말고 인사를 꾸뻑 건네왔다.

“중을 잡아먹었나. 아침부터 뭘 그렇게 혼자 중얼거려?”

“날씨가 하도 변덕을 부려서요. 며칠 전까지만 해도 온 세상이 얼어버릴 것처럼 춥더니 오늘은 또 봄 날씨처럼 따뜻하네요.”

“따뜻하면 좋지 뭘 그래.”

“지난 엿새 동안 아침부터 저녁까지 장작을 산더미처럼 패놨으니 억울해서 그렇지요. 사흘만 더 일찍 날씨가 풀렸어도 이렇게 허탈하진 않을 텐데 말입니다.”

“장작은 뭐 하러 그렇게 많이 팼어?”

"혹시라도 인원이 보강될까 봐 그랬습니다. 전각은 언제까지 이렇게 비워두실 겁니까? 말이 좋아 십칠각이지, 드나드는 사람이라곤 달랑 공자님과 저밖에 없으니……."

"창피하냐?"

"이 큰 전각을 놀리고 있으니 아까워서 그렇죠. 빗자루질하는 보람도 없고. 오늘도 보십시오. 어제 쓴 비질 자국이 그대로 남아 있습니다."

"걱정 마. 곧 식구가 생길 테니까."

"정말입니까?"

"돈도 웬만큼 모았겠다. 이제 슬슬 표사도 구하고 쟁자수들도 고용해야지. 당분간은 제대로 된 일거리가 없어도 충분히 버틸 만한 수준이 됐으니까."

"어디서 구하시려고요?"

"방법이야 얼마든지 있지. 천룡표국의 표사와 쟁자수 자리라면 지원하려는 사람들이 넘쳐날 테니까. 문제는 옥석을 가려내는 거야."

"방을 붙이는 건 어떻습니까?"

갑자기 등 뒤에서 들린 목소리에 나와 장삼은 깜짝 놀랐다. 몇 걸음을 후다닥 달려간 후 돌아보니 전각 안에서 가불염이 쭈뼛쭈뼛 걸어 나오고 있었다.

"놀라셨습니까?"

"가 표사가 왜 거기서 나오는 거요?"

"어제저녁에 총표두님께서 절 이곳으로 좌천시키셨습니다. 간밤에 잠도 안 오고 해서 잠깐 둘러본다는 게 그만 여기서 깜빡 잠들어 버렸습니다. 방이 스무 개나 되더군요."

"그 말씀은……?"

"오늘부터 진짜 십칠각 소속의 표사로 일하게 된 가불염입니다. 잘 부탁드립니다."

가불염이 정식으로 내게 포권지례를 해왔다.

세상에 이런 행운이. 안 그래도 어떻게 가불염을 빼 오나 고민하고 있었건만.

"가만, 그런데 십칠각으로 발령 난 게 왜 좌천입니까?"

"제가 비록 소속은 없었으나 총표두님의 명령만 들었습니다. 한데 이제 각주님의 명령을 듣게 되었으니 좌천이지요."

"그래서 서운하십니까?"

"스스로 원해서 그리된 것인데 서운할 리가 있겠습니까?"

또 하나의 익숙한 목소리와 함께 등장한 것은 전립성이었다. 그는 두툼한 장부와 주판 하나를 들고 저만치 전각 모퉁이에서 막 돌아 나오는 중이었다.

"그게 무슨 말씀입니까?"

"사흘 전 가 표사가 총표두님을 찾아가 담판을 지었다더군요. 십칠각으로 가고 싶으니 발령을 내달라고요. 총표두님께서 그건 안 된다고 하시자 그럼 천룡표국을 나가겠다고 어깃장을 놓았답니다."

나도 장삼도 깜짝 놀라 다시 가불염을 돌아보았다. 그러자 그는 민망한지 손가락으로 턱살만 살살 긁었다.

"전 장궤님 말씀이 사실입니까?"

가불염이 대답은 않고 턱살만 자꾸 긁어대자 옆에서 전립성이 부연 설명을 해주었다.

"공식적으로 좌천을 한 건 사실입니다. 감히 총표두를 상대로 협박을 한 죄로 그렇게 된 것이지요. 총표두님 입장에선 어쨌든 십칠각으로 보내주긴 보내준 셈이고요."

"그러다 정말 나가라고 하면 어쩌려고요?"

"십칠각으로 다시 지원할 생각이었습니다."

"왜 그렇게까지?"

"혹시 제가 성에 안 차십니까?"

"그럴 리가요."

"그럼 됐습니다."

이유는 말하고 싶지 않은 모양이다. 아마도 쑥스러워서일 것이다. 가불염은 누구에게도 낯간지러운 소리를 못 하는 성미였다.

"그런데 정말 괜찮겠습니까?"

"뭐가 말입니까?"

"다른 표국에서 잘나가고 있는 표사님을 총표두님께서 빼돌려, 아니, 모셔온 것으로 알고 있습니다. 한데 이렇게 뒤통수를 치셔도 되냐는 거지요."

"총표두님은 천룡표국의 총표두님이시고 십칠각도 천룡표국의 각입니다. 저는 뒤통수를 쳤다고 생각하지 않습니다. 앞으로도 그런 일은 없을 것이고요."

"혹시 총표두님의 첩자로 오신 겁니까?"

순간, 가불염이 움찔 놀란다.

"맞네. 맞아."

"안 그러면 발령도 안 내주고, 다시 십칠각으로 지원해도 못 들어오게 하겠다시며 엄포를 놓는 바람에 그만……."

"그래서 어떻게 하기로 했습니까?"

"사흘에 한 번씩 각주님의 일상을 보고 하기로 했습니다. 하지만 그건 제가 알아서 적당히 거를 생각이었습니다. 그래서 구태여 말씀 안 드린 것입니다."

"아닙니다. 그대로 보고하세요."

"예?"

"아마도 아버지께서 저의 주변에서 일어나는 일들을 궁금해하시기 때문일 겁니다. 쓸데없이 머리 싸매지 마시고 있는 그대로 보고하십시오."

"정말 그래도 됩니까?"

"물론입니다. 별로 쓸모도 없는 제 주변 이야기를 파는 대가로 가 표사님을 얻었으니 저야말로 몇 배 남는 장사를 한 셈입니다. 환영합니다. 그리고 고맙습니다."

나는 표국이 새로운 표사를 모시는 예로써 정중하게 포권지례를 했다. 비로소 가불염의 굳었던 얼굴이 펴졌다.

내가 아무리 첩자질을 하라고 해도 가불염은 절대로 하지 못한다. 속이고 거짓말을 하고 이런 건 그의 결에 맞지 않는다. 한데 역설적이게도 바로 그런 이유 때문에 총표두는 악착같이 가불염을 첩자로 쓰려는 것이다. 차라리 말을 안 하면 안 했지, 없는 일을 부풀리거나 왜곡해서 보고할 일은 없을 테니까.

"그런데 전 장궤님께선 아침부터 어쩐 일이십니까?"

"저도 좌천당했습니다."

"예?"

"보고드립니다. 대장궤님의 명령에 따라 이틀 전부터 십칠각 전담 장궤로 발령난 전립성입니다. 전 소속 당에서 마무리를 하고 오느라 좀 늦었습니다. 잘 부탁드립니다."

나도, 가불염도, 장삼도 어안이 벙벙해져서 한동안 말을 잇지 못했다.

"혹시 저도 성에 안 차십니까?"

"너무 놀라서 그렇습니다."

"뭐가 말입니까?"

"솔직히 장궤까지는 꿈도 안 꿨습니다. 실력 있는 표사와 쟁자수를 구하는 것도 어려운데, 어떻게 장궤를 생각할 겨를이 있겠습니까? 그것도 전 장궤님 같은 분을."

"노련한 장궤 하나를 더 쓰면 그만큼 많은 돈이 운영비에서 빠져나갑니다. 미리 말씀드립니다만, 전 가 표사처럼 사명감을 가지고 온 사람이 아닙니다. 정말 대장궤님께서 명령을 하셨고, 실제로도 전 좌천된 것이라 생각하고 온 것입니다."

"그런 건 아무래도 좋습니다. 그리고 대우는 걱정 마십시오. 천룡표국의 모든 장궤들을 통틀어 최고의 대우를 해드릴 테니까요. 그건 가 표사님도 마찬가지입니다."

"감사합니다."

"여기서 이럴 게 아니라 다들 들어가시죠."

각주의 거처를 겸한 집무실은 국주의 집무실인 표왕부에 비하면 기와집 처마 밑에 붙은 제비집 수준이었다. 그래도 열 명 이상의 표사들이 한꺼번에 들어와 회의를 할 정도로는 충분히 넓었다. 물론 지금은 커다란 탁자에 나를 포함해 달랑 세 명만 앉아 있었지만 말이다.

따뜻한 찻주전자를 화로에 올려놓고 내가 말했다.

"두 분을 이렇게 거느리고 있으니 든든하군요."

전립성이 말을 받았다.

"이 탁자의 자리들을 표사들로 가득 채워야 합니다."

"물론이지요."

"초기 비용이 많이 들어갈 겁니다. 일이 있건 없건, 실패하건 성공하건 표사와 쟁자수들의 월급은 절대로 밀리면 안 됩니다."

"그런 일은 없을 겁니다."

"다른 각들보다 짜게 굴면 인재가 머물지 않습니다. 속물처럼 들리실지 모르겠습니다만, 돈 되는 곳에 인재가 찾아오고 머무는 것은 만고의 진리입니다."

"모든 표사와 쟁자수들에게 최고의 대우를 해줄 겁니다. 특히 쟁자수들의 업무 방식과 처우를 획기적으로 개선할 것입니다."

"그것도 결국은 다 돈 얘기입니다. 세상 모든 문제의 칠(七) 할은 돈 문제입니다. 심지어 돈 때문에 일어나지 않은 나머지 삼(三) 할의 문제도 돈으로 해결할 수 있지요."

나는 품속에서 두툼한 전낭을 꺼내 전립성의 앞으로 내밀었다.

"금전 오십 냥입니다. 일단 이걸로 십칠각의 살림을 꾸려 나가 주십시오. 필요한 집기가 있으면 사서 채워 넣어주시고요."

"이, 이렇게나 많이……!"

"사람이 없다고 각까지 가난한 것은 아닙니다. 두 분의 연봉은 일단 전 소속 당과 각에서 받았던 것보다 두 배씩 올려 드리겠습니다. 이는 창업 공신들에 대한 예우입니다."

순간, 전립성과 가불염의 얼굴이 뻣뻣하게 굳어버렸다. 자의로 혹은 타의로 좌천이 되어 왔는데, 갑자기 월급이 두 배로 올라 버렸으니 놀라 나자빠질밖에.

내가 이렇게 파격적인 대우를 해주는 건은 전생의 경험으로 미루어 두 사람 몫을 능히 하는 인재들이기 때문이다.

"세상 모든 문제는 다 돈 문제라시더니, 확실히 그 말이 맞나 보군요. 월급 올려준다는 말에 이렇게 굳어버리시니 말입니다. 하하."

나는 웃음기를 싹 거두고 말했다.

"단독 임무를 맡아야 합니다. 표사와 쟁자수가 있다고, 혹은 돈이 넉넉하다고 해서 독립된 각이 되는 것이 아닙니다. 단독 임무를 맡아 훌륭히 수행해 내야 비로소 모두가 독립된 각으로 인정해 줄 것입니다."

"백번 옳은 말씀이십니다. 하면 십칠각의 장궤로서 어젯밤에 있었던 배표식 보고부터 드리도록 하겠습니다."

"벌써요?"

"갈 길이 구만리인데 어서 첫걸음을 떼야지요. 달리 할 일도 없지 않습니까? 가 표사나 저나 수다를 즐기는 사람도 아니고요."

돈의 힘이 이렇게 위대하다.

"좋습니다. 시작하시죠."

"어제 배표식에서 분배된 의뢰는 모두 쉰다섯 건이었습니다. 평소와 다름없이 표행과 장원 보호, 의뢰인 호위가 주를 이루었습니다."

"그렇게나 많습니까?"

"본래 겨울엔 의뢰가 뚝 떨어지는 법인데, 확실히 평년에 비하면 최근의 의뢰는 3할 정도 늘어난 수치입니다."

"무슨 이유라도 있습니까?"

"최근 들어 천룡표국에서 했던 일들이 화제가 되었기 때문입니다. 특히 얼마 전 진왕 전하와 이화원을 보호하면서 벌어졌던 일들이 항주 전역에 크게 알려졌습니다. 그 여파로 장원 보호와 의뢰인 호위를 요청하는 건수가 급격하게 늘었습니다."

"고무적인 일이군요."

"덕분에 한겨울임에도 불구하고 모처럼 다들 바쁘게 움직이고 있습니다. 국주님과 장로님들도 모두 흐뭇해하시고요."

"그래서 십칠각에도 배정된 의뢰가 있습니까?"

갑자기 의뢰가 늘어난 것에 대해 공이 있다면 아무리 겸손하게 말해도 내 공이 제일 클 것이다. 그러니 먹을거리가 생겼다면 내게 가장 먼저 먹을 자격이 있다.

배표식에서의 권위는 대장궤가 절대적이니, 손지백이라면 충분히 공정하게 일 처리를 했을 것이다.

"없습니다."

"하나도 없다고요?"

"그렇습니다."

"사소한 것이라도요?"

"없습니다."

순간 나는 할 말을 잃었다. 어제저녁의 배표식이라면 가불염과 전립성이 십칠각으로 발령 난 이후의 일이다. 그렇다면 나까지 세 명이 있는 각이니 개시라도 하라고 작은 의뢰 하나 정도는 챙겨줄 줄 알았다.

가불염도 매우 당혹스러워하는 눈치였다. 이러니 좌천이라는 소리가 나오지.

"알겠습니다. 다른 보고도 있습니까?"

"배표식에서 배정을 받은 건 없지만, 따로 십칠각을 지정해서 들어온 의뢰가 좀 있습니다. 아시다시피 이런 식으로 의뢰인들이 특정 표사나 각을 지정하면 배표식을 거치지 않고 바로 배정이 됩니다."

"다행이네요. 새 식구들을 맞이한 첫날부터 개망신당하나 했더니만. 그래, 무슨 의뢰가 몇 개나 들어온 겁니까?"

"총 스물두 건입니다. 종류별로 구분하자면 의뢰인 호위가 열두 건, 장원 보호가 네 건, 귀중품 호송이 세 건, 일반적인 표행이 두 건, 편지 배달이 한 건입니다. 들으셨다시피 의뢰인 호위가 열두 건으로 가장 많습니다. 아무래도 공주마마를 호위했던 일의 여파인 것 같습니다."

"……!"

"……!"

나와 가불염은 이번에야말로 입이 쩍 벌어졌다.

어제 하루 천룡표국으로 들어온 의뢰가 쉰다섯 건인데, 십칠각을 지명해 들어온 것만 스물두 건이나 된다고? 이 정도면 표사 열 명에 쟁자수 스무 명 정도를 거느린 각이 두 달에 걸쳐 소화할 양이었다.

놀란 나와 가불염의 표정이 재밌는지 여태 무뚝뚝하던 전립성이 그제야 배시시 웃는다.

"저를 놀리셨군요."

"천만에요. 순서를 좀 바꿨을 뿐입니다. 축하드립니다. 각주님. 첫걸음부터 일복이 터졌습니다. 결국 소화할 수 있는 건 몇 개 안 되겠지만 말입니다."

"일시적인 현상입니다. 사람들의 뇌리에서 진왕과 공주마마의 일들이 잊히면 의뢰는 급격히 줄 겁니다."

"그땐 새로운 명성을 날려야지요."

"물론입니다."

"그럼 세세하게 들어가 볼까요?"

"그러시죠."

"먼저 장궤로서 제 의견을 말씀드리자면, 표사를 늘리고 쟁자수들을 구하기 전에는 마차를 동원해야 하는 일반적인 표행은 맡을 수가 없습니다. 다른 각으로부터 지원을 요청하는 방식이 있긴 합니다만, 그러면 역시 수익률이 떨어집니다. 구태여 서두를 필요가 없을 것 같습니다."

"알겠습니다."

"귀중품 호송은 표물의 부피가 작기 때문에 쟁자수 없이 적은 인원의 표사로도 가능합니다. 제시해 온 비용도 매우 높고요. 다만 표물의 특성상 일차적으로 준 정보가 매우 제한적입니다. 이건 제가 좀 더 알아보고 말씀드리도록 하겠습니다."

"알겠습니다."

"편지 배달은 관심도 갖지 마십시오."

"그렇게 하겠습니다."

"의뢰인 호위는 고관대작이나 지주 혹은 거상의 젊은 여식들을 호위해 달라는 요청이 아홉 건이고, 나머지 세 건은 모두 기녀들입니다. 기간은 짧게는 하루에서 길게는 한 달까지 있습니다."

"호위의 대상이 전부 젊은 여자들이네요."

"그렇습니다."

"의뢰가 조금 이상한 듯싶습니다만."

옆에서 가불염이 알 만하다는 듯 실실 웃었다. 전립성도 꼬리가 올라가려는 입을 힘들게 잡아당기며 말했다.

"앞의 아홉 건은 부호들이 항주를 떠들썩하게 만들고 있는 천룡표국의 잘생긴 사공자에게 자신들의 딸을 한번 보여주려는 의도인 것 같습니다. 뒤의 세 건은 항주에서 가장 돈 많고 유명한 공자의 마음을 훔치거나 그와 인맥을 만들어보려는 기녀들의 도전 혹은 시도처럼 보입니다."

"큼!"

그 점잖던 가불염이 결국 웃음을 참지 못하고 콧바람을 냈다. 그러다 내가 바라보자 얼른 시치미를 뗀다.

"누가 장궤 아니랄까 봐 분석이 신랄하시군요."

"이걸로 먹고 사니까요. 최선을 다해야죠."

"다른 의뢰는요?"

"남은 건 장원 보호입니다. 공교롭게도 네 곳 모두 기루입니다. 표사가 상주해야 하는 부호의 장원과 달리 기루는 관리의 형식이기 때문에 적은 인원의 표사로도 가능합니다."

기루는 본래 상주하는 무사들이 있어서 어지간한 사건 사고는 자체적으로 다 해결한다. 다만 업종의 특성상 고용하는 무사들 대부분이 이류급들이다 보니 말썽을 해결하는 데 한계가 있다. 해서 흑도의 거물들이 시비를 걸어올 때, 혹은 감당하기 힘든 고수가 나타났을 때를 대비해 표국과 계약을 맺어둔다. 사건이 벌어지면 표국에서 표사들을 급파해 해결해 주는 식이었다.

표국의 입장에서는 사건이 일어날 때만 달려가서 해결해 주면 되니 더할 나위 없이 좋은 의뢰였다. 다만 그렇게 달려갔을 때는 대부분 위험한 일이라는 게 문제일 뿐.

"무얼 하든 표사들부터 구해야겠군요."

"표사가 최소 서너 명만 있어도 기루 세 개는 동시에 관리할 수 있습니다. 거기에 가 표사와 각주님이 계시니 기녀들의 호위 업무까지도 추가로 가능하고요."

"자꾸 놀리시깁니까?"

"놀리려고 드리는 말씀이 아닙니다. 항주의 유명한 기녀들은 기루를 좌지우지할 정도로 힘이 있습니다. 그리고 세상에는 온갖 미친놈들이 돌아다니고요. 일부 다른 생각으로 호위무사를 고용하는 기녀들도 있으나, 꼭 필요해서 고용하는 기녀들도 많습니다. 이건 각주님께서도 잘 아실 텐데요."

유명한 기녀, 특히 용모가 아름다우면서 춤이나 악기에도 재주가 있는 기녀들은 부자들의 연회나 후기지수들의 뱃놀이에도 자주 초대가 된다. 그런데 전립성의 말처럼 세상에는 미친놈이 워낙 많아서 종종 입에 담기조차 싫은 사건 사고들이 발생한다.

그럴 때를 대비해 기루에서 일급의 호위무사를 일시적으로 고용하는 일이 많다. 유명한 표사일수록 기녀들의 호위를 꺼리기 때문에 몸값도 아주 비싸다.

그때였다. 인기척이 들리더니 잠시 후 접객당의 무사 하나가 들어왔다.

십칠각의 대표 표사답게 가불염이 위엄 있는 목소리로 물었다.

"무슨 일입니까?"

"어떤 유생이 사공자님을 찾아왔습니다."

"유생이라고요?"

"예당서원에서 동문수학했다고 합니다. 조영영 소저와도 잘 아는 사이라고 하고요."

조영영이라는 말에 전립성과 가불염이 슬그머니 내 눈치를 보았다.

"지금 어딨습니까?"

"밖에 모시고 왔습니다."

"들라고 하세요."

잠시 후, 비단옷에 하얀 모피로 목을 두른 젊은 유생 하나가 접객당 무사의 안내를 받으며 들어왔다. 여자인지 남자인지 구별이 안 될 정도로 잘생긴 미공자였는데, 왼쪽 입술 아래에 있는 작은 점이 묘한 분위기를 흘렸다.

나는 전립성과 가불염을 돌아보며 말했다.

"나중에 다시 얘기하도록 하지요."

"알겠습니다."

"알겠습니다."

접객당 무사까지 세 사람이 모두 나가자 집무실에는 나와 점박이 유생만 남게 되었다.

"차 한잔하시겠소?"

"주시면요."

앉으라는 말인데도 그녀는 가만히 서서 고개를 이리저리 돌리며 집무실을 구경했다. 나는 그녀를 세워놓고 부젓가락으로 화로를 뒤적인 다음 찻물을 다시 올려놓았다.

"이번에는 이름이 뭐요?"

"어차피 가짜인데 무슨 상관이에요."

"그건 그렇군."

잠시 침묵이 이어졌다. 그동안 물이 끓었고, 나는 찻물을 찻잔에 부었다. 보기만 해도 따뜻한 김이 모락모락 피어올랐다.

"날도 추운데 어서 드시오."

"오늘은 따뜻했어요."

"따뜻하다면서 목도리는 왜 한 거요?"

"말을 타고 달리면 추워서요."

"그러니까 내 말이."

"방금 '날도 추운데'라고 하지 않았나요? 날은 분명히 따뜻했어요. 다만 내가 말을 타고 달리는 바람에 추웠던 거지."

"내가 실언을 했소. 어서 드시오."

한 마디 한 마디에 가시가 돋쳐 있다. 아무리 생각해도 대충 넘어가긴 틀린 것 같다. 그래도 오늘은 웬만하면 져주자.

그녀가 자리에 앉으면서 모피 목도리를 풀었다. 그러자 사슴처럼 희고 가느다란 목이 드러났다. 여자의 얼굴이란 묘해서 목이 드러났는데, 입술 아래의 점이 더 선명하게 눈에 들어왔다.

"궁금해서 그러는데 역용을 할 때마다 점은 왜 꼭 찍는 거요?"

"역용은 얼굴에 기문진을 펼쳐놓는 것과 같아요. 점은 일종의 진축이죠. 자기 자신을 역용할 때는 객관적으로 보기가 어렵기 때문에 더더욱 진축이 필요하고요."

"그렇게 진지한 이유가 있는 줄은 몰랐소."

"난 매사에 진중해요. 누구와는 달리."

"그때 취선루에서 있었던 일은 미안하게 됐소. 잘 아시다시피 그땐 사정이 워낙 급했소."

"알아요. 이해하고요."

"진심이오?"

"나 그렇게 속 좁은 사람 아니에요."

말을 속 좁은 사람 아니라고 하면서 집무실을 들어온 이후 아직까지 한 번도 나와 눈을 마주치지 않고 있었다.

"여긴 처음 들어와 보네요."

그녀가 슬그머니 자리에서 일어났다. 그리고 다시 구경이라도 하려는 듯 뒷짐을 쥔 채 사뿐사뿐 걸어 다니며 말했다.

"생각했던 것보다 훨씬 넓은데요."

"아무것도 없어서 그럴 거요. 필요한 집기들도 채워야 하고, 표사도 고용해야 하고, 나중에 와보면 오히려 좁다고 느낄 거요."

"돈 들어갈 일이 태산이군요."

"태산까지는 아니고."

"악착같이 모으셔야겠어요."

"열심히 모으고 있소."

"열심히만 해서 되나요. 인정사정없이 모아야죠. 필요할 땐 동료도

속이고 뒤통수도 치면서요."
"그때 은전 얘기는……."
"그런 얘기 이제 그만하죠."
"그것 때문에 온 것 아니었소?"
"그것 때문에 왔다고 하면 사과 말고 귀하가 할 게 더 있나요? 하지만 난 사과 같은 거 별로 받고 싶지 않아요."
"왜?"
"어차피 또 사기일 테니까."
"무슨 사기씩이나."
"귀하가 고용한 표사가 은 백 냥짜리 의뢰를 받아와서는 귀하에게 열 냥짜리라고 속인 후 나머지 아흔 냥을 중간에서 슬쩍하면 뭐라고 하실래요?"
"그건 사기요."
"그게 귀하가 내게 한 짓이에요."
"……!"
"천룡표국에서는 장궤가 은 백 냥짜리 의뢰를 받고는 사람들에게 열 냥짜리라고 속인 후 나머지 아흔 냥을 중간에서 가로채면 어떻게 되죠?"
"치도곤을 친 후 쫓아내오."
"치도곤은 몇 대나 치죠?"
"오십 대 정도요."
"그게 귀하가 내게 한 짓이에요."
"그건 지나친 비약이오. 금전은 은전 열 냥의 가치가 있으니, 비유를 하려면 은 열 냥 중 한 냥으로 얘길 해야지, 백 냥에 열 냥으로 얘기하면 내가 무슨 대단한 사기라도 친 것 같잖소."

"바늘 도둑이 소도둑 되는 법이에요."

"그래서 지금 바늘 도둑에게 치도곤을 치겠다는 거요?"

"이것 보라지. 반성하는 기미는 눈곱만큼도 없으면서 무슨 사과를 하겠다고."

"소저가 서운해하는 건 충분히 알겠소. 하지만 일을 너무 침소봉대하여……."

"풉!"

남은 한참 심각하게 말하는데 갑자기 손으로 입까지 가리면서 웃는다. 예전에는 몰랐는데 오늘 보니 이 여자 웃으면 눈이 반달 모양으로 바뀐다. 이 와중에도 그게 예쁘다.

"왜 웃는 거요?"

"슬금슬금 눈치를 보는 모습이 재밌어서 해본 말인데, 너무 열심히 변명을 해서요. 그렇게 미안해할 거면서 왜 날 속였대요? 평생 안 들킬 줄 알았나?"

"그럼 아무렇지도 않은 거요?"

"나랑 비무나 한번 하실래요?"

"갑자기 말이오?"

"오 초 접어줄게요."

"싫소."

"십 초 접어줄게요."

"싫소."

"왜요?"

"비무를 핑계로 날 죽일 것 같소."

"밖으로 나간 다음 내 신분을 밝히고 천룡표국의 표사와 쟁자수들이 모두 지켜보는 앞에서 공개적으로 귀하에게 비무를 요청하는 방법도 있어요."

"그럼 난 끝장이오. 이제 겨우 조그마한 명성을 얻기 시작했는데, 모두가 보는 앞에서 귀하에게 개 맞듯이 맞으면 누가 십칠각에 표사로 오겠소?"

"실컷 때려주려고 했더니 그것도 안 되겠네."

"늦었지만 소저의 몫은 챙겨주겠소."

"십칠각의 총자본금이 얼마죠?"

"갑자기 그건 왜 묻는 거요?"

"비밀인가요?"

"금전 오십 냥쯤 되오."

"또 거짓말하는 거 아니에요?"

"누가 보면 내가 거짓말을 입에 달고 사는 줄 알겠소."

"생각보다 가난하군요."

"이제 시작이다 보니."

"돈 들어갈 데가 한두 푼이 아닐 텐데. 집기들이야 그렇다 쳐도 표사랑 쟁자수를 고용하는 데 큰돈이 들어갈 거예요. 특히 표사들은."

"돈도 돈이지만 실력 있는 표사들을 구하는 게 중요하오. 하긴 실력 있는 표사들은 비쌀 테니 이것도 결국 돈 문제이긴 하군."

"회시에 급제하고 받은 상금들은 다 어쨌어요? 듣자 하니 땅도 몇만 평이나 받았다고 하던데."

“땅은 쓸모없는 황무지라 팔려고 내놓았고, 돈은 사정이 있어서 다른 곳에 묻어놨소. 그리고 그건 순전히 내 개인적인 돈이오. 용처도 사적으로만 쓸 것이고.”

“무슨 말인지 이해했어요. 정 주고 싶으면 내 몫의 돈은 나중에 돌려줘요. 십칠각에 투자하는 셈 칠게요.”

“아니오. 내가 주고 싶어서 그러오.”

“혹시 내가 바깥에 얘기하고 돌아다닐까 봐 그러는 건가요? 천룡표국의 사공자가 내게 금전을 은전으로 바꿔서 사기 치려 했다고?”

“아니오. 그런 거.”

“그럼 됐어요. 대신 나중에 명표도 되고 당주도 되고 하면 십칠각이 커진 만큼 몇 배로 돌려주셔야 해요.”

“정말 내가 명표가 될 거라고 믿는 거요?”

“물론이죠. 그때 동굴 속에서도 말했잖아요. 언젠가 귀하가 꿈꾸는 것처럼 명표로 이름을 날릴 거라고. 지금은 그 확신이 더 강해졌어요. 귀하는 꼭 명표가 될 거예요.”

가슴 한쪽이 짜르르 울렸다. 이렇게 지혜롭고 배려심 깊은 여자를 상대로 돈 몇 푼 더 처먹겠다고 사기를 친 내가 쓰레기처럼 느껴졌다.

“왜 대답이 없어요?”

“꼭 그렇게 하겠소.”

“이번엔 믿어도 되겠죠?”

“물론이오.”

“만약 또 거짓말을 하면요?”

“그런 일은 없을 것이오.”

"그래도 하면요?"

"나 이정룡은 천하의 개자식이오."

"그럼 여기에다 좀 써주세요."

그러면서 남궁소소가 품속에서 아무것도 씌어 있지 않은 백지를 한 장 꺼내 탁자 위에 펼쳐놓았다.

"이게 뭐요?"

"지금부터 내가 불러주는 대로 써주기만 하면 돼요. 천룡표국의 십칠 각주 이정룡은 남궁소소로부터 금전 반 냥을 투자받았다. 이는 총자본 금의 일(一) 푼에 해당하는 액수이므로, 언제든지 이 각서를 내밀면 비율만큼의 축적된 이익을 분배해 주겠다. 신유년 십이월 보름 이정룡."

나는 지금 눈앞에서 벌어지고 있는 사태를 파악하고 받아들이느라 잠시 시간이 필요했다.

말인즉슨 각서를 써달라는 건데……. 생각할 것도 없이 당했다.

"설마 방금 내뱉은 말을 주워 담지는 않겠죠? 그러면 진짜 개자식 되는 거예요."

"몇 배가 이 비율을 말하는 것이었소?"

"내가 분명 십칠각이 커진 만큼이라고 했을 텐데요. 귀하는 꼭 그렇게 하겠다고 대답했고요."

"아깐 화난 게 아니라더니?"

"지금도 화나지 않았어요."

"그럼 이건 뭐요?"

"골탕 먹은 게 약 올라서 견딜 수가 있어야죠. 꼭 음흉한 마두랑 싸워서 진 것 같은 기분이에요. 나는 무엇이든 지고는 못 사는 성미거든요."

그러면서 남궁소소는 품속에 손을 넣었다가 빼더니 약간의 먹물과 붓까지 들어 있는 휴대용 필묵통을 꺼내 옆으로 놓았다.

"문방사우는 여기도 있소만."

그러면서 나는 탁자의 한쪽에 놓여 있는 붓걸이와 연적함을 가리켰다. 옆에는 표단(鏢單-표국에서만 쓰는 계약서)을 쓰기 좋도록 알맞은 크기로 잘라 정갈하게 쌓아둔 종이도 있었다.

"혹시 모르니까요."

"준비가 철저하구려."

"누굴 속이는 건데 대충할 수 있나요."

"이렇게 독한 여자인 줄 몰랐소."

"한 번 더 불러줄까요?"

"외우고 있소."

"수결에 특히 신경 써주세요. 그게 제일 중요하니까."

용빼는 수가 없다. 내가 아무리 철면피라고 해도 방금 한 말을 주워 담을 정도로 낯가죽이 두껍지는 않다.

붓을 집어 먹물을 적시고 글을 써 내려가기 시작했다. 그러다 남궁소소라는 네 글자 앞에서 멈추었다.

나는 깨끗한 새 종이 한 장을 집어 그녀의 앞으로 내밀었다. 그리고 쓰던 붓을 건네주며 말했다.

"남궁소소를 어떻게 쓰오?"

"별로 어려운 글자도 아닌데."

"한 획이라도 틀리면 무효가 되잖소."

"이리 줘봐요."

남궁소소가 백지 위에 자신의 이름 네 글자를 정성스럽게 써 내려갔다. 성격이 호방해서 글씨도 그럴 줄 알았더니 오히려 아기자기한 맛이 느껴졌다.

"다 됐어요."

"사리가 밝고 분명하다. 좋은 이름이오."

"할아버지께서 지어주셨죠. 어딜 가서든 사기당하지 말고 눈을 똑바로 뜨라고요."

"이름값 한번 제대로 하는구려."

나는 다시 붓을 건네받아 그녀가 쓴 이름을 보면서 나머지 글자들을 전부 채웠다. 마지막으로 수결까지 하고 나자 각서의 작성이 끝났다. 일 푼이면 딱 백 분의 일이다. 이제 나는 그녀가 언제든 이 각서를 내밀면 그때까지 십칠각을 키워서 쌓은 재산 중 백 분의 일을 내놓아야 한다. 전생에서 30년 동안 별의별 놈의 강도를 다 만나보았지만, 이렇게 속수무책으로 당하긴 처음이었다.

남궁소소는 뭐가 그렇게 좋은지 각서를 집어 들고는 이리저리 돌려보며 싱글벙글이었다.

"그렇게 좋소?"

"멋진 승부였어요."

"이건 사기요."

"귀하가 내게 한 짓도 그래요."

"알았소. 내가 졌소이다."

"말 안 해도 알아요."

"솔직히 소저에게 도움받은 걸 생각하면 별로 아까운 마음도 없소. 다만 나 역시 어처구니없는 방식으로 당했다는 사실에 약이 바짝 오를 뿐."

"약 오른다고 하니까 속이 좀 풀리네요."

"늦었지만 도와줘서 고마웠소. 특히 취선루에서 소저가 기지를 발휘해 오라버니를 불러주지 않았다면 호위를 마지막까지 안전하게 끝내지 못했을 것이오."

"그런 마음에도 없는 말 말고, 약 올라 죽겠다는 말이나 한 번 더 해줘요. 소리까지 지르면 더 좋고요."

"나도 나지만 소저도 보통은 아니오."

"그런 말은 오라버니한테 허구한 날 들어요. 그건 그렇고, 이제 슬슬 단독 임무도 맡아야지 않겠어요? 십칠각으로 독립을 한 지가 언제인데."

"물론이오."

"의뢰는 좀 들어왔나요? 지금 항주 저잣거리에는 온통 천룡표국과 귀하에 대한 이야기밖에 없던데."

"많이 들어오긴 했소."

"어떤 의뢰를 받을지는 정했고요?"

"아직 못 정했소."

"왜요?"

"표사라곤 달랑 나와 가불염밖에 없어서 큰 의뢰는 맡을 수가 없소. 그나마 둘이서 할 수 있는 것 중에는 딱 꽂히는 게 없고."

"어떤 의뢰를 맡고 싶은데요?"

"첫 단독 임무이니만큼 무언가 의미 있는 의뢰를 맡아서 해보고 싶소."

"돈도 되면 더 좋고요?"

"그거야 물론이고."

"그런데 지금까지 들어온 의뢰 중엔 없나 보군요. 원래 손을 뻗어 딸 수 있는 복숭아는 틀림없이 달지 않은 법이죠."

"방금 뭐라고 했소?"

"뭐가요?"

"손을 뻗어 딸 수 있는 복숭아는 틀림없이 달지 않다? 그랬군. 그래서 성에 차지 않았던 거야. 알짜배기 의뢰는 표국으로 올 필요도 없이 발 빠른 자들이 다 채가는 법인데."

나는 자리에서 벌떡 일어나 문을 향해 후다닥 달려갔다. 그러다 갑자기 멈춰 서서 뒤돌아보고는 말했다.

"소저를 천룡표국 십칠각의 객원표사로 고용하겠소. 객원표사는 일이 있을 때만 표국에서 임시로 초빙하고 고용하는 표사를 말하오. 집으로 돌아가 있으면 내가 연락을 주겠소."

"무슨 말을 하는 거예요?"

"너무 걱정하지 마시오. 이제 지난번처럼 위험한 일에는 절대로 끌어들이지 않을 테니까. 그건 내가 싫소. 대신 역용을 해야 하거나 반드시 여자가 필요한 일에만 가끔씩 나서주면 되오."

"미쳤어요? 내가 왜 객원표사로 일해요?"

"여기 이렇게 소저가 직접 수결을 했잖소. 투자자로서 매달 한 번씩은 내가 부르면 언제든 달려와서 객원표사가 되어주겠다고. 안 그러면 어떤 불이익도 감수하겠다고."

그러면서 나는 아까 남궁소소가 스스로 자기 이름을 쓴 종이를 척 펼쳐 보였다.

"거긴 아무것도 안 적혀 있잖아요."

“그러니까 더 문제지. 여기다 내가 무슨 내용을 써 넣을 줄 알고. 그럼 난 바빠서 이만.”

“그건 사기예요!”

“소저가 내게 한 짓도 그렇소.”

집무실을 나온 나는 개인 거처로 가서 변복을 했다. 그런 다음 종일 항주 유흥가를 돌며 뒷골목과 흑도방파들의 사정을 탐문했다. 그 결과 내가 아는 전생의 기억과 한 치도 어긋남 없이 흘러가고 있음을 확인했다.

지금 항주 유흥가에서 단연코 화제가 되는 것은 최근 흑도방파 두 곳 사이에서 벌어졌다는 전쟁이었다. 방도라고 해봐야 쉰 명 안팎의 작은 방파들이었지만, 사람들이 여럿 죽어나가면 한동안 항주 유흥가가 진동한다.

늦은 오후가 되어서야 표국으로 돌아온 나는 깨끗한 옷으로 갈아입고 장삼을 재촉해 다시 유흥가로 향했다.

“어딜 가시는 겁니까?”

“월성교.”

“또 그 늙은 거지 만나시려고요?”

“말조심해. 거지라니.”

“어제도 지나는 길에 한 냥이나 적선했는데요.”

“물론 거지가 맞기는 하지만, 그래도 앞으로는 월성교옹(月星橋翁)이라고 불러 드려."

"그게 무슨 뜻인가요?"

"월성교의 노인이라는 뜻이지 뭐긴 뭐야."

"훨씬 있어 보이네요."

"지금은 비록 걸인의 삶을 살고 계시지만, 왕년에는 방귀깨나 뀌던 분이야. 그리고 거듭 말하는데, 내가 월성교옹을 만나러 다니는 거 누구에게도 말하면 안 돼. 알지?"

"그거야 물론이죠. 한데 거지를, 아니, 월성교옹을 뵈려는 게 아니라면 월성교에는 왜 가시는 겁니까? 이렇게 옷까지 깨끗하게 차려입으시고요."

"월성교 구역에 주루가 몇 개나 있는지 혹시 알아?"

"어디까지 금을 긋느냐에 따라 다르겠지만 대충 스무 개 정도 됩니다. 거기다 술을 곁들여 파는 반점들까지 합치면 쉰 곳은 족히 넘을 걸요."

"그럼 월성교 구역에서 다른 주루 열 곳과 맞먹는 매출을 혼자 올리는 곳이 있는데, 그곳이 어딘지는 알고?"

"녹원루잖습니까요."

"제법이네."

"사공자님을 따라 항주 유흥가를 섭렵한 세월이 거짓말 조금 보태면 십 년입니다. 또 물어볼 것 있으시면 얼마든지 물어보십시오."

"그럼 녹원루 매출의 구 할을 사실상 혼자 벌어들이는 사람이 있는데, 그게 누군지는 알겠어?"

"당연히 매소옥이겠지요. 항주 사대미인 중 한 명이자 항주 제일의 예기(藝妓)인 매소옥을 모르는 사람이 있으려고요."

"바로 그 매소옥을 만나러 가."

"예에?"

"왜 그렇게 놀라?"

"한동안 잠잠하시더니 또 왜요?"

"한동안 잠잠했으니까."

월성교 구역에 돈 많은 풍류객들이 몰리는 건 녹원루가 있기 때문이고, 녹원루가 돈을 쓸어 담는 건 매소옥이 있기 때문이다.

녹원루는 월성교 주변뿐만 아니라 유흥의 도시라는 항주를 통틀어도 다섯 손가락 안에 드는 고급 주루였다. 원래 고관의 작은 별장이었던 녹원루를 어느 부유한 상인이 사서 지금의 주루로 키웠다. 하지만 매음이나 일삼는 싸구려 홍루들과 차별화하기 위해 여전히 녹원루라는 고아한 이름을 고수했다. 단지 이름만 그런 것이 아니어서, 그곳에는 술을 나르는 시비는 있을지언정 따르는 기녀는 없다는 말까지 있었다.

매소옥은 바로 그 녹원루에서 칠현금을 전문으로 타는 예기였다. 불과 스무 살의 나이에 솜씨가 경지에 이른 데다 신비로운 용모까지 어우러져 인기가 실로 대단했다. 때문에 그녀를 보겠답시고 절강성 전역에서 돈을 보따리째 싸 들고 찾아오는 풍류객들이며 시인 묵객들이 한둘이 아니었다. 매음을 하지도 않고, 술을 따르지도 않으면서, 단지 칠현금을 연주하는 것만으로 엄청난 돈을 벌어들이는 매소옥은 항주에 있는 모든 주루와 기녀들의 전설이었다.

"지금까지는 그랬지."

"예?"

"혼잣말이야."

전생의 기억에 따르면 수일 내로 그녀는 항주에서 홀연히 증발해 버린다. 여기에는 좀 더 복잡한 사연이 있는데, 간단히 말하자면 누군가에 의해 강제로 그렇게 된 것이었다.

나는 이것을 남궁소소가 한 말 때문에 떠올렸지만, 정확한 시기는 각서에 날짜를 써준 덕택에 기억해 냈다.

전생에서 내가 그녀의 소식을 다시 듣게 된 건 그녀도 나도 꽃 같은 청춘이 모두 지나간 십여 년 후의 어느 날이었다.

소주로 표행을 다녀온 쟁자수가 대뜸 물었다.

"자네 매소옥 기억나나?"

"매소옥? 녹원루의 매소옥?"

"그래 그 유명한 매소옥."

"매소옥이 왜?"

"죽었대."

"뭐?"

"얼마 전 태호의 호숫가에서 얼어 죽은 채 발견되었다더라고. 그동안 얼마나 고생을 했는지 남루한 옷차림에 곱던 얼굴은 온데간데없었다더군."

"어쩌다가?"

"그것까진 모르지. 다만 얼어 죽기 전까지도 다 낡아빠진 칠현금을 꼭 끌어안고 있었다고 하더라고."

조금 더 알아보았더니 그녀는 자신의 의지와 상관없이 이곳저곳으로 팔려 다니며 십여 년을 비참하게 살았다고 한다. 아무리 꽃 청춘이 지나갔다고 해도 서른두세 살이면 요절을 한 것이다.

이번 생에서는 그런 일이 없을 것이다. 나는 지금 내가 가진 힘을 이용해 그녀의 인생 경로를 바꿔주기로 했다. 누구도 알아주는 이 없겠지만, 내게는 그 어떤 것보다 의미 있는 일이었다.

구태여 이렇게까지 하는 이유는 전생에서 그녀가 내게 베푼 작은 친절 때문이다.

어느 겨울날, 길을 가던 나는 갑작스럽게 쏟아진 비를 피해 커다란 수양버들 아래로 뛰어들었다. 아무리 크다고 해도 잎이 다 떨어진 수양버들이 무슨 비를 막아주겠나. 그래도 생으로 맞는 것보다는 나을 것 같아 뛰어들었을 뿐이다. 안 그러면 얼어 죽을 것 같아서.

한데 수양버들 아래는 먼저 자리를 차지한 이들이 있었다. 그야말로 그림에서나 나올 법한 미녀와 두 명의 칼잡이였다. 그림 속의 미녀는 커다란 우산을 쓰고 있었고, 칼잡이들은 기름 바른 삿갓에 짚으로 엮은 도롱이를 쓰고 있었다.

겨울비에 오들오들 떨고 있는 나에게 그림 속의 미녀는 새가 지저귀는 것 같은 목소리로 말했다.

"같이 쓰실래요?"

"예?"

"같이 써요."

"괘, 괜찮습니다."

"같이 써요."

"가까이 있으면 냄새가 심하게 날 겁니다."

"……?"

"아, 아니, 저 말입니다. 아침부터 지금까지 하역장에서 짐을 나르다 오는 바람에 몸에서 쉰내가……."

"같이 써요."

나는 그녀가 그 유명한 녹원루의 예기 매소옥이며, 두 명의 칼잡이는 그녀를 호위하는 무사들이었음을 나중에서야 알았다.

이건 이 몸뚱어리의 주인인 이정룡이 아니라, 전생의 나 조연생과 관련된 일이었다. 그래서 이번 의뢰를 맡는 동안만큼은 다시 조연생이 되기로 했다.

"그런데 내가 녹원루에도 자주 들락거렸냐?"

"기억이 안 나십니까?"

"전혀."

"아직도 호수에 뛰어든 후유증이 남아 있는 모양이군요."

"자주 들락거렸군."

"허구한 날 들락거리셨죠. 초저녁에 들어갔다가 새벽녘에 나오시는 일도 흔했고요. 녹원루는 공자님께서 가장 많이 들락거린 주루 중 한 곳입니다."

"내가 뭐 더럽게 놀고 그러진 않았지?"

"그거야 소인은 모르죠."

"언제는 평판이 좋았다더니?"

"평판이야 좋았죠. 온갖 변태에 미치광이들이 득실대는 항주 유흥가에서 사공자님은 그런 것들과는 거리가 멀었으니까요. 다만 좀…… 만만해 보였다고나 할까."

순간, 나는 전생에서 이정룡을 두고 천룡표국의 쟁자수들이 호구 등신 반푼이라고 수군거렸다는 사실을 떠올렸다. 그리고 지금 이정룡에게 그런 말을 듣게 해준 세계로 들어서고 있었다. 이거 생각했던 것보다 각오를 단단히 해야 할 것 같다.

"그런데 괜찮으시겠습니까?"

"뭐가?"

"녹원루는 아시다시피 우리 천룡표국의 복룡당에서 관리하고 있습니다. 사공자님께서 가시면 복룡당에 알려지는 건 시간문제입니다."

"그러니까 조용히 들어갔다 나와야지."

"어떻게요?"

"사람들을 최대한 적게 마주쳐야겠지. 어쩔 수 없이 마주쳐야 하는 사람들에게는 돈을 좀 쥐여주어서 입단속도 시키고."

"그럼 문지기 입단속부터 시키십시오."

"그거야 당연하지."

"천룡표국의 사공자님께서 오셨습니다아!"

녹원루에 도착하자마자 문지기가 대문을 활짝 열고는 안쪽에다 대고 모두가 들릴 수 있도록 고함을 지르는 소리였다. 나는 깜짝 놀라 문지기를 노려보았다. 하지만 문지기는 마치 칭찬을 기다리는 강아지처럼 순진한 눈으로 나를 바라보고 있었다.

장삼이 옆에 있다가 전낭에서 동전 두 냥을 얼른 꺼내주었다. 그러자 문지기는 허리를 꾸벅 숙여 인사한 후 다시 문 앞을 지키러 나가 버렸다.

"하, 저 미친놈이!"

"그러니까 제가 문지기 입단속부터 시켜야 한다고 했잖습니까? 아까는 당연하다고 하셔놓고는."

"저렇게 나올 줄은 몰랐지."

"원래 공자님께서 오시면 늘 저렇게 했습니다."

"아니, 왜?"

"공자님께서 좋아하셨으니까요."

"내가?"

"예."

"대체 왜?"

"바로 저것 때문에요."

장삼이 주변으로 시선을 던졌다. 대문에서 멀지 않은 곳에 서로 마주 보고 선 삼 층 전각이 있었다. 그리고 각각의 창문으로부터 아름다운 연주들이 쉴 새 없이 흘러나오는 중이었다.

한데 모든 연주가 갑자기 뚝 그쳤다. 그리고 일제히 창문이 열리면서 남녀가 앞다투어 얼굴을 내밀기 시작했다. 여자들은 예기들로 보이고, 남자들은 연주를 들으며 술을 마시러 온 풍류객들인 것 같았다. 창문마다 대여섯 개씩 얼굴이 붙어 있는 모습을 보니 꼭 둥지에 들어앉은 제비 새끼들 같았다.

"이걸 내가 좋아했다고?"

"이, 이 정도까지는 아니었는데."
"대체 내가 왜 이런 걸 좋아했지?"
"여기서만큼은 환영받고 대접받는 것 같았으니까요."
어느새 창가에 얼굴을 내민 예기와 풍류객들은 어림잡아도 백 명이 넘을 것 같았다. 나와 장삼은 졸지에 마희단의 원숭이가 된 기분이었다.
"망했군."
"그만큼 사공자님께서 유명해지신 겁니다. 향시와 회시의 장원급제에, 화조신옹에게 잡혀갔다 온 일이며 최근엔 진왕 전하와 공주마마를 구해 드린 일화까지……."
"알았으니까 그만해."
"매소옥을 만날 수 있을지 없을지 모르지만, 예전보다 더 조심스럽게 행동하셔야 할 것 같습니다. 지켜보는 사람들이 이리 많으니 작은 실수라도 했다가는……."
"그것보다 우리 언제까지 이렇게 서 있어야 해?"
"나올 때가 됐는데."
그때 날카로운 눈매의 중년 사내가 점소이 둘을 대동하고는 잰걸음으로 달려 나왔다. 화려하진 않지만 정갈한 비단옷으로 몸을 감은 것이 꽤 높은 신분인 것 같았다.
"오랜만에 뵙습니다. 공자님."
중년인이 내게 꾸뻑 인사를 해왔다. 내가 우물쭈물하자 눈치를 챈 장삼이 얼른 중년인을 향해 이름까지 부르며 머리를 조아렸다.
"염화상 총관님, 오랜만에 뵙습니다."
원래 몸종들은 이런 거물에게 인사를 건네는 법이 없다. 감히 인사를 주고받을 만한 상대가 아니기 때문이다. 장삼이 이러는 건 순전히 나를 위해서였다. 아니나 다를까, 중년인이 의아한 얼굴로 장삼을 보았다.

내가 얼른 말했다.

"염 총관께서 직접 나오실 것까지야."

"그간 반가운 소식들을 듣고 있었습니다. 늦었지만 경하드립니다. 그리고 다시 모시게 되어 영광입니다."

"그것보다 어디로 좀 들어갔으면 좋겠습니다."

"잠시만 기다려 주십시오."

염화상은 함께 온 점소이 둘에게 일렀다.

"옥명각(玉鳴閣)으로 모실 것이다. 한 명은 주방으로 가서 천룡표국의 사공자님께서 오셨다고 이르고, 한 명은 설향과 청비에게 가서 천룡표국의 사공자님 모실 준비를 하라고 이르라. 서둘러라."

"예."

"예."

그러면서 장삼에게도 말했다.

"자네도 함께 가서 술 한잔하며 기다리시게."

"감사합니다. 총관님."

장삼이 점소이 둘을 따라 쏜살같이 사라졌다.

조용히 들렀다 가긴 애초에 글렀다.

녹원루는 바깥에서 볼 때와 달리 제법 넓은 정원까지 거느리고 있었다. 정원 한가운데는 오래된 연못이 있었는데, 수양버들 늘어진 풍경이 그렇게 예쁠 수가 없었다. 연못을 중심으로 동서남북에는 모두 네 개의 삼 층짜리 전각이 있었다. 그중 한 곳에서 예사롭지 않은 음률이 흘러나오고 있었다. 누군가 칠현금을 연주하고 거기에 맞춰 피리를 부는 것 같았다.

그 소리가 너무나 아름다워 나도 모르게 걸음을 멈추고 한참을 들었다.

염화상은 말과 행동이 매우 신중한 사람이었다. 그는 한 곡조가 끝나길 기다렸다가 조심스럽게 말을 건넸다.

"어떻습니까?"

"끝내주는군요."

"……?"

나도 답답하다. 전생에 글은 좀 읽었어도 음악이나 악기에 대해서는 뭐 아는 게 있어야 그럴듯하게 말을 하지.

"두 사람 다 보통 솜씨가 아닌 것 같습니다만."

"피리를 부는 이는 해청이라는 늙은 악공입니다. 소주에까지 가서 한 달을 설득한 끝에 거금을 주고 데려왔지요. 지금 매소옥과 음률을 맞춰보는 중입니다."

드디어 나왔다 매소옥. 전생에서 딱 한 번 본 그녀를 무려 삼십여 년 만에 다시 볼 생각하니 벌써부터 가슴이 뛰었다.

"매소옥을 만나고 싶습니다."

"지금 말씀입니까?"

"그렇습니다."

"그건 곤란합니다."

"걱정하지 마십시오. 음률을 다 맞출 때까지 기다리겠습니다."

나는 그 정도 소양은 있다는 듯 웃으며 말했다.

"그것이 아니라 오늘은 선약이 가득 차 있습니다."

"선약요?"

"비단 오늘뿐만이 아닙니다. 매소옥을 만나시려면 최소 석 달 전에 예약을 해두셔야 합니다. 비용은 무조건 선불이고요."

"석 달 전이라고요?"

"그렇습니다."

"인기가 그 정도입니까?"

"예전에도 그랬습니다만."

지금 염화상의 입장에서는 내가 살짝 이상하게 보일 것이다. 뻔질나게 드나든 만큼 누구보다 녹원루의 사정을 잘 아는 사람이 헛소리를 하고 있으니 말이다.

나는 그제야 장삼이 지나가는 말로 '매소옥을 만날 수 있을지 없을지 모르지만'이라고 했던 것을 떠올렸다.

"잠깐 보는 것도 안 되겠습니까?"

"모두가 그런 부탁을 합니다만, 한 번도 성사된 적이 없습니다. 사공자님이라고 하시어 예외가 될 순 없습니다."

낭패도 이런 낭패가 없다. 당장 그녀를 만나서 의뢰를 받아내야 한다. 한데 잠깐 얼굴이라도 보려면 석 달 전에 예약을 해야 한다니.

"방법이 없겠습니까?"

"한 가지 방법이 있기는 합니다만……."

"그게 무엇입니까?"

"선약한 사람들에게 동석을 부탁하시는 겁니다."

“그거야말로 말도 안 되는 소리로군요. 세상에 어떤 사람들이 생면 부지인 저를 끼워주겠습니다.”

“오늘 선약한 분들은 공자님께서도 잘 아시는 분들입니다.”

“내가 잘 아는 사람들이라고요?”

“마침, 저기 오시는군요.”

염화상이 가리키는 방향대로 뒤를 돌아보니 다섯 명의 젊은 남녀가 걸어오고 있었다. 화려한 비단옷과 모피 옷으로 한껏 멋을 낸 그들은 이병룡과 그의 친우들, 즉 항주에서 내로라하는 무림문파의 후기지수들이었다. 그중에는 두 명의 아리따운 여자도 있었는데, 바로 수향문의 조영영과 용무관의 진금봉이었다. 일전에 백선반점에서 만났던 이병룡과 그의 친우들을 이곳 녹원루에서 다시 만난 것이다.

한데 조영영은 또 왜?

‘갑갑하네.’

설향과 청비라고 자신들을 소개한 두 예기는 내실 끝에 마련된 작은 단 위에서 금(琴)과 슬(瑟)을 연주했다. 그 외에는 여흥을 돋우기 위한 기녀라곤 일절 없었다. 심지어 두 명의 예기들도 손님들과 대화하며 원하는 연주만 들려줄 뿐 저 단을 내려오는 법이 없었다.

손님들 또한 단을 올라가선 안 된다. 이는 오랜 규칙이었다. 덕분에 녹원루는 풍류를 즐기는 묵객들뿐만 아니라 수준 높은 연주를 듣고 싶어 하는 남녀노소 전부가 즐겨 찾는 명소였다.

"매소옥을 만나러 왔다고?"

"그렇습니다."

"왜?"

"개인 호위를 좀 맡아볼까 하고요."

매소옥의 개인 호위를 맡으러 왔다는 내 말에 진금봉의 표정이 금방 변한다. 아마 속으로 남자들은 하나같이 어쩔 수 없다며 혀를 차고 있을 것이다.

조영영은 시종일관 무표정이었다. 그 모습이 오히려 더 부자연스러웠다. 마치 무언가를 꾹 참고 있는 것 같았다.

"녹원루는 복룡당에서 이미 관리를 하고 있는데, 네가 왜 나서려는 거냐?"

"복룡당은 녹원루의 보호를 책임진 것이고요. 외출할 때 필요한 개인 호위는 예기들이 따로 지정하거나 고용할 수도 있는 것으로 압니다. 이는 항주의 다른 주루나 기루들도 마찬가지고요."

"그건 나도 알아. 흑백을 막론하고 매소옥의 호위가 되겠다는 무림 고수들이 줄을 섰다는 것도 알고. 한데 왜 너까지 거기다 한 발을 걸치냐 이 말이지. 복룡당에도 표사는 얼마든지 있는데."

"지금도 매소옥의 개인 호위는 다른 방파에서 맡아 하는 것으로 압니다. 복룡당을 뒷배 삼아 십칠각에서 매소옥의 호위까지 맡게 되면 서로가 좋은 일 아니겠습니까?"

"십칠각이 아니라 네가 하고 싶은 거겠지. 듣자 하니 십칠각으로 들어온 지명 의뢰가 수십 건이라고 하던데, 그것들 중에 매소옥의 개인 호위보다 돈 되는 게 한둘이었으려고. 안 그래?"

이 새끼가 또 슬슬 약을 올리네.

창밖을 보니 이제 막 해가 서산을 넘어갔다. 매소옥은 유(酉)시가 깊어야 늙은 악공과 함께 올 거라고 했다. 아직도 반 시진은 이 인간을 상대해야 하는 것이다.

피할 수 없다면 차라리 즐기자.

"제가 하고 싶어서 그러는 것 맞습니다."

나는 시원하게 인정했다. 사실 아주 틀린 말도 아니었다.

진금봉의 얼굴에 살짝 조소가 어렸다. 조영영은 여전히 무표정이었다. 이병룡이 조영영을 슬쩍 곁눈질한 후 말했다.

"왜, 남궁소소로는 성에 안 차?"

"무슨 뜻입니까?"

"최근 들어 무림인들 사이에 퍼지는 소문이 항주에는 네 명의 절세미녀가 있는데 그중에 하나가 남궁소소라고 하더군. 한데 그 남궁소소와 가장 친하다는 사람이 알고 봤더니 내 이복동생이더라고."

"그래서요?"

"남궁소소 같은 귀한 신분의 여자를 놔두고 왜 한낱 기녀에게 관심을 보이냐는 거지. 그렇다고 남궁소소의 미모가 부족한 것도 아니고. 옛날 버릇이 도진 것이냐?"

순간, 칠현금 소리가 띠잉 하면서 살짝 튀었다가 이어졌다. 내가 비록 음악에 문외한이지만 설향이라는 예기가 실수를 했다는 것 정도는 알 수 있었다. 녹원루의 예기들은 자신들의 분야에 대한 자긍심이 높기로 유명했다. 한데 방금 이병룡이 한낱 기녀들이란 말로 예기들을 시궁창에다 처박아 버린 것이다.

이병룡과 다른 남자들은 전혀 모르는 눈치였다. 오로지 내가 당황하는 모습에만 관심을 집중했다. 전날 백선반점에서 내게 당한 이후 앙심을 품고 있었나 보다.

그러나 이런 쪽에 민감한 여자들은 달랐다. 조영영과 진금봉의 얼굴이 대번에 불쾌한 기색으로 바뀌었다. 그도 그럴 것이, 녹원루의 예기들을 정말 보통의 기녀 정도로 여겼다면 자신들을 이곳에 데려와선 안 되는 것이다.

이병룡을 볼 때마다 드는 생각이 있다. 처음부터 미꾸라지로 태어났다면 절대로 용이 될 수 없다는 것이다. 미꾸라지는 미꾸라지의 수준에 맞추어 상대해 주어야 한다.

나는 생각을 바꿨다. 피할 수 없다면 차라리 엎어버려야겠다.

"듣자 하니 매소옥의 칠현금 연주를 들으려면 석 달을 기다려야 할 정도로 정성을 쏟아야 한다는데, 형님도 그러신 겁니까?"

"네놈이 나와 매소옥을 어떻게든 엮어 망신을 주고 싶은 모양이다만, 헛수고하지 마라. 이곳은 본래 영영이 자주 찾는 곳이고 내가 그녀를 위해 오래전부터 마련한 자리다."

혼담까지 미뤄진 마당에 뜬금없이 조영영이 이병룡과 함께 나타난 이유를 그제야 알 수 있었다. 아마도 이병룡은 어렵게 만든 자리이니 꼭 함께 가자고 설득했을 것이다.

그나저나 조영영이 녹원루를 자주 들락거렸다는 건 뜻밖이었다. 장삼의 말을 빌리자면 이정룡도 녹원루의 단골이었다는데 순전히 우연일까?

"무언가 오해를 하셨군요. 전 다만 무예와 학문에도 뛰어난 형님께서 음악에까지 조예가 있으신 것 같아 감탄했을 뿐입니다."

"마음에도 없는 소리. 여기 너와 내가 얼마나 불편한 사이인지 모르는 사람이 누가 있다고."

"일전에는 죄송했습니다."

"갑자기 무슨 말이야?"

"형님께서 북경으로 가서 회시를 보지 않은 것이 저의 실종 때문이라고 들었습니다. 저는 그것도 모르고 혼자 그만……."

"지금 네가 회시에 급제를 했다고 나를 욕보이려는 것이냐?"

"그럴 리가요. 형님께서도 향시에 급제하셨는데 저 때문에 회시를 보지 못한 것 같아 죄송해 드리는 말씀입니다. 물색 모르는 사람들이야 돈으로 산 급제라고 쑥덕거리지만……."

"무슨 개소리야!"

"항주에 소문이 파다하더군요. 향시가 있기 전날 밤 형님의 외가인 만금전장에서 지부대인을 찾아가 은전을 바쳤다고요."

부유한 집안의 자제가 과거에 급제하면 으레 따라다니는 소문이다. 전생에서도 이런 소문이 한동안 이병룡을 따라다니다가 이내 잠잠해졌다. 그렇지만 이번 생에서 나는 그 소문이 사실이라고 확신했다. 거부들이 지부대인을 어떻게 부리고 다루는지를 본 후 그렇게 되었다.

지금 이 자리에 있는 사람들은 나보다 이병룡의 실력을 더 적나라하게 알 것이다. 이들 중에 그의 향시 급제를 실력이라고 믿는 사람이 과연 있을까 싶다.

쾅!

"이놈이 미쳤나!"

이병룡이 주먹으로 탁자를 내려치며 벌떡 일어났다. 그 바람에 술병과 술잔이 엎어지고 난리도 아니었다. 놀란 예기들이 연주를 뚝 멈추었다. 고요하던 술자리가 순식간에 난장판이 되어버렸다.

볼일을 끝낸 나는 무릎을 탁탁 털고 일어났다.

"불청객은 이만 물러가겠습니다."

"거기 서!"

이병룡이 한 손으로 탁자를 집고는 훌쩍 뛰어 넘어왔다. 이어 후다닥 도망치려는 나의 뒷덜미를 확 잡아채는 순간.

삐이이익! 삐이이익!

바깥에서 호각 소리가 요란하게 울려대기 시작했다. 소리는 한 번으로 그치지 않고 이쪽저쪽을 바쁘게 오고 갔다. 뒤이어 누군가의 고함도 울렸다.

"어서 천룡표국에 알려라!"

"빨리 무사들을 소집해라!"

천룡표국을 부르라는 소리까지 나왔다. 무언가 사달이 나도 단단히 난 모양이었다. 나는 불길한 예감을 느끼며 재빨리 달려나갔다.

밖으로 나와 보니 어둠이 깔리기 시작한 사이로 녹원루의 무사들과 일꾼들이 온천지를 뛰어다니고 있었다.

잠시 후, 총관 염화상이 달려와 청천벽력같은 소리를 했다.

"매소옥이 사라졌습니다."

"그게 무슨 소립니까?"

이병룡이 흥분해 외쳤다.

"객실에 들어갈 시간이 되어도 나오질 않아 거처로 가보았더니 늙은 악공이 피를 흘리며 쓰러져 있는 가운데 매소옥만 사라졌습니다."

"그 말은?"

"아무래도 납치를 당한 것 같습니다."

'털썩!' 하는 소리에 뒤를 돌아보니 함께 뛰쳐나온 설향과 청비가 주저앉아 있었다. 얼굴은 금방이라도 눈물을 쏟아낼 것 같았다.

"그녀의 거처가 어딥니까?"

"저기 보이는 전각의 삼 층입니다."

"염려 마시오. 우리가 흉수들을 추적해 보겠소."

이병룡은 호기롭게 외친 후 신법을 펼쳤다. 남자들도 뒤를 따랐다. 말하는 건 등신 같았어도 무림인은 무림인들이었다. 세 명이 약간의 차이를 두고 신법을 펼치는데, 그 모습이 흡사 세 발의 화살이 쏘아지는 것 같았다.

그러나 어찌 된 영문인지 조영영과 진금봉은 남자들을 따라가지 않았다.

나는 총관에게 물었다.

"악공은 어떻게 됐습니까?"

"잠시 기절했을 뿐 목숨에는 지장이 없습니다."

"만나볼 수 있겠습니까?"

"물론이지요."

나는 총관을 따라 달려갔다. 조영영과 진금봉은 물론 설향과 청비까지 나를 졸졸 따라왔다.

노인은 머리에서 피를 흘린 채 의자에 앉아 있었다. 점소이가 깨끗한 헝겊을 가져와 피를 닦고 머리를 감아주었다.

"흉수를 보았습니까?"

"못 봤습니다."

"당시 상황을 자세히 설명해 주십시오."

"매소옥과 음률을 맞추다 시간이 된 듯하여 연주를 멈추었습니다. 이어 매소옥이 옷을 갈아입겠다고 했고, 소인은 칠현금과 피리를 챙겨 먼저 자리를 뜨려고 했었지요."

"그래서요?"

"그 순간 갑자기 빽 하는 소리와 함께 하늘이 노래지면서 쓰러졌습니다. 뒤이어 무언가 시커먼 것들이 창문으로 뛰어 들어오는 것 같았고요, 그게 제가 본 것 전부입니다."

"그때 매소옥은 어디에 있었습니까?"

"바로 옆에 있었지요."

"흉수를 본 그녀가 뭐라고 하지 않던가요? 창문으로 무언가 들어오는 것을 어렴풋이나마 볼 정도로 의식이 남아 있었다면, 매소옥이 한마디 외치는 소리쯤은 들었을 것도 같습니다만."

"들었습니다. 매소옥이 '이게 무슨 짓이에요!'라고 했습니다."

놈들이 틀림없는 것 같다.

무언가 크게 어긋났다. 전생에선 분명 사나흘 후에 일어난 일이 지금 갑자기 일어났다. 달라진 것이라곤 한 가지밖에 없었다.

전생에선 이 시점에서 녹원루의 보호권이 이미 금룡표국으로 사실상 넘어간 상태였다. 한데 이번 생에서는 내가 이화원의 보호권을 금룡표국으로부터 빼앗아 오는 바람에 금룡표국의 월성교 진출이 무산되었다. 녹원루 역시 여전히 천룡표국의 보호 아래 있었고.

그게 놈들로 하여금 심경에 어떤 변화를 일으키게 했을까? 아니면 내가 알지 못하는 어떤 다른 힘이 작용했을까?

"우리에게도 얘기 좀 해줘요."

진금봉이 초조해하며 물었다.

"면식범인 것 같소."

"그걸 어떻게 알죠?"

"모르는 사람이었다면 보통 '누구냐!'라고 했을 것이오. 한데 '이게 무슨 짓이에요'라고 했다는 건 아는 사람들일 확률이 크오."

"아!"

"하면 흉수가 누구라고 생각하세요?"

이번엔 조영영이 물었다. 오늘 처음으로 내게 거는 말이었다.

"매소옥의 개인 호위무사들이라고 생각하오."

"용신방의 무사들!"

조영영의 입에서 용신방이라는 이름이 흘러나오는 순간 염화상을 비롯해 설향과 청비의 얼굴이 노래졌다. 그들은 매소옥을 호위해야 할 사람들이 오히려 납치를 했다는 사실에 놀랐겠지만, 나는 조영영이 매소옥과 용신방 흑도들의 관계를 안다는 것에 더 놀랐다.

"매소옥의 주변을 잘 아시는군요?"

"저의 벗이니까요."

나는 이번에야말로 깜짝 놀랐다. 나란히 항주 사대미인으로 불리는 조영영과 매소옥이 서로 교분을 나누는 사이였다니. 이건 진금봉도 까맣게 몰랐는지 눈을 동그랗게 떴다. 그러다가 갑자기 섭섭한 얼굴을 하고는 따져 물었다.

"언제부터?"

"일 년 전부터."

"왜 내게 말 안 했어?"

"그녀가 부탁했어. 자신과 벗이라고 하면 사람들이 나까지 경시할 거라고, 그러면 내가 자연스럽게 발길을 끊게 되고, 자긴 상냥한 벗을 잃게 될 거라며 세상 사람 전부 몰라도 좋으니 오래오래 찾아와 달라고……."

말을 하는 중간에 조영영의 두 눈에서 눈물이 쏟아져 내렸다. 눈물을 보자 진금봉도 그만 마음이 약해져서는 함께 울기 시작했다.

나는 조영영이 어쩌다 매소옥과 벗이 되었는지 너무나 궁금했지만, 지금은 한가하게 그걸 물어보고 있을 때가 아니었다.

조영영이 다시 내게 물었다.

"용신방 무사들이 매소옥을 납치할 거라는 거 알고 있었죠? 그래서 갑자기 개인 호위를 해주겠다며 찾아온 것 아닌가요?"

염화상, 설향, 청비의 눈이 동그래졌다.

조영영이 이렇게 똑똑한 줄은 몰랐다. 어쩐지 무림문파의 여자가 유서 깊은 예당서원까지 가서 공부를 했더라니.

"흑도들의 사정을 잘 아는 누군가가 조심스럽게 충고를 해주었소. 용신방이 적교방과의 전쟁에서 패하면 그동안 자신들이 관리하던 것들 중 가장 돈 되는 걸 들고 다른 도시로 도망칠 것 같다고."

"그게 매소옥이라고 생각했군요."

"그렇소."

염화상과 두 명의 예기들이 '아아' 하고 탄성을 내뱉었다. 유흥가에는 아예 발을 끊은 줄 알았던 내가 갑작스럽게 찾아오는 바람에 이상하게 생각했다가 사정을 알고 놀란 것이다. 설향과 청비의 눈에서는 벌써부터 눈물이 어른거린다.

용신방은 원래 이 도시 저 도시를 떠돌며 약과 재주를 팔던 마희단이었다. 매소옥은 바로 그 마희단에서 노래를 하고 비파를 연주하던 열두 살짜리 여자아이였다. 소문에는 길거리에서 또래의 패거리와 함께 소매치기로 먹고사는 매소옥을 마희단주가 데려다 가르친 것이라고 했다.

원래 상인이었던 녹원루주는 돈 냄새를 귀신같이 맡는 자였다. 그는 매소옥의 가치를 단번에 알아보았다.

마희단주는 거액을 받고 매소옥을 녹원루에 팔아넘겼다. 그 돈을 밑천으로 자신들처럼 떠도는 무리를 규합해 항주에 조그마한 흑도방파를 하나 세웠다. 그게 지금의 용신방이었다.

짐작건대 매소옥은 소매치기로 떠돌던 시절 자신을 거둬주고 악기를 연주하는 법까지 가르쳐 준 용신방주에게 마음의 빚이 있었던 것 같다. 하지만 인간의 마음은 간사하여 선의를 꼭 악의로 이용하는 자들이 있다.

"이제 어쩔 거죠?"

"놈들을 찾아야지."

"녹원루를 천룡표국에서 보호하고 있는 이상 최대한 빨리 항주를 벗어나려고 할 거예요. 한데도 그들을 찾을 수 있을까요?"

"호수가 아무리 넓어도 물고기가 다니는 길과 새우가 다니는 길이 따로 있는 법이오. 그 길을 손바닥 보듯 하는 사람들을 알고 있소."

나는 총관을 돌아보며 말했다.

"잠시 후면 복룡당에서 표사들이 올 것입니다. 문제의 심각성을 고려하면 둘째 형님께서 직접 오실지도 모르겠습니다. 그때 방금 들은 얘기들을 그대로 전하십시오."

"옛 인연을 잊지 않고 이렇게 도와주러 오셔서 감사드립니다. 공자님께서 이런 마음으로 오신 줄 알았으면 진작에 불러 드렸을 것을……."

"자책하지 마십시오. 저도 반신반의하고 온 것입니다. 이렇게 갑작스럽게 사달이 날 줄도 몰랐고요."

나는 옆에서 울고 있는 설향과 청비에게도 말했다.

"걱정하지 마시오. 내가 꼭 찾아서 안전하게 데려오겠소."

"고맙습니다."

"감사드립니다."

"저도 돕겠어요."

갑자기 치고 나온 사람은 조영영이었다.

"날이 어두운 탓에 잠시 후면 병룡 형님이 십중팔구 허탕을 치고 돌아오실 거요. 정 돕고 싶다면 병룡 형님과 함께 있다가 복룡당의 표사들이 오면 합류하시오."

"아뇨. 지금 정룡 오라버니와 함께 가겠어요. 어차피 십칠각에는 표사도 한 명밖에 없다면서요. 잊고 계신 것 같은데 저도 무림인입니다."

"왜 꼭 날 따라가겠다는 거요?"

"다른 사람들은 매소옥을 못 찾을 것 같아서요."

항주에서 말을 타고 하루 정도 달리면 거대한 호수를 끼고 들어선

수향의 도시 소주(蘇州)를 만날 수 있다. 서호삼견은 태호가 바라보이는 객점의 일 층에서 늦은 아침을 먹고 있었다.

"객원표사라니. 염병할."

"둘째 형님, 돼지고기 접시 이쪽으로 좀 밀어주십시오."

"너는 지금 돼지고기가 목구멍에 넘어가니? 항주를 주름잡는 흑도인 우리가 천룡표국 십칠각의 객원표사가 됐는데, 화가 나지도 않으냐고?"

"어쩔 수 없지 않습니까? 우리가 공주를 욕보인 일로 진왕이 단단히 벼르고 있다 하니, 일단 진왕의 총애를 받는 놈의 비위를 맞춰줄밖에요."

"눈치 보고 살 거면 뭐 하러 흑도를 해?"

"소나기는 피해 가야죠. 흑도는 무슨 배에 칼이 들어와도 안 죽는 답니까? 그리고 꼭 나쁘게만 볼 것도 아닙니다. 돼지고기 참 잘 삶았네."

"그건 또 무슨 소리야?"

"이정룡은 향시에 이어 회시에까지 장원급제를 한 놈입니다. 언제 무슨 벼슬을 할지도 모른다는 거죠. 거기다 아버지는 무려 표왕이고 말입니다. 친해두어서 손해 볼 건 없을 것 같습니다만."

"아예 천룡표국으로 들어가자고 하질 그래? 이참에 우리 별호도 서호삼표로 바꾸고."

"서호삼표라. 입에는 잘 붙네요."

"이런 멍청한 놈!"

"정 그러면 기회를 봐서 없애 버리시든가요. 그럼 우리한테 다시는 객원표사니 뭐니 하는 헛소리를 못 하지 않겠습니까?"

"소주에 머무는 사흘 동안 내내 그 생각만 했다. 하지만 표왕의 눈을 속이는 게 쉽지 않아서 실행으로 옮기지 못하고 있을 뿐."

"쥐도 새도 모르게 해야죠."

"그러다 표왕이 눈치라도 채면?"

"서쌍교방은 하루아침에 항주에서 사라지고 우리 서호삼절은 표왕의 천무십검(天武十劍)에 잘게 다져져서는 서호의 고기밥으로 던져지겠죠. 하지만 눈치 보고 살 거면 뭐 하러 흑도를 하겠습니까?"

"너 이 자식, 지금 나 놀리는 거지?"

"둘 다 시끄럽다."

일견 탁맹방의 일갈에 두 사람은 합죽이가 되어버렸다.

그때, 험상궂은 인상의 칼잡이 하나가 바람처럼 날아들었다. 그는 서호삼견의 앞으로 달려와 허리를 꾸뻑 숙이고는 말했다.

"찾았습니다."

"매소옥은?"

"함께 있습니다."

"상태는?"

"싸대기를 몇 대 맞았는지 볼이 발갛게 부어오른 것 외에는 멀쩡합니다. 씻지 않아서 머리가 좀 헝클어져 있고요."

"어디야?"

"호수 건너편 임옥촌이라고 하는 작은 마을의 버려진 농가에 숨어 있습니다. 용신방주를 비롯해 잔당들의 숫자는 모두 열일곱이고요."

"감시는 잘하고 있겠지?"

"아홉 명이 삼 개 조로 나뉘어 백여 장 밖에서 이중 삼중으로 감시하고 있습니다. 절대 빠져나가지 못합니다."

"둘째야, 연장 챙겨라. 셋째야, 너는 위층에 올라가서 자고 있는 연

놈들 깨워라."

"연놈들요?"

"이정룡, 가불염, 조영영 말이다."

"용신방 놈들을 찾았네."

"매소옥은요?"

"무사하네."

"지금 어디에 있습니까?"

"호수 건너편 외딴 마을의 버려진 농가에 있네. 여기서 멀지도 않고, 우리 아이들이 이중 삼중으로 감시하고 있으니 놓칠 염려도 없네."

"고생 많으셨습니다. 선배님들 덕분에 하마터면 미제로 남을 뻔한 사건을 수월하게 풀 수 있게 되었습니다. 일이 끝나는 대로 객원표사비는 물론이거니와 수하들의 몫까지 확실하게 챙겨 드리겠습니다."

"필요 없네."

"알겠습니다."

"……!"

"……?"

"대답 한번 잽싸군."

"아무래도 다른 걸 원하시는 것 같아서요. 일단 말씀을 들어보고 원하는 걸 들어드릴지, 원래대로 돈을 드릴지 생각해 보겠습니다."

"단도직입적으로 말하겠네. 우리가 천룡표국 십칠각의 객원표사로 일하는 건 오늘이 처음이자 마지막일세. 다시는 이런 일로 우릴 찾아 오지 말게."

내 이렇게 나올 줄 알았다. 하지만 어떻게 구한 객원표사인데 한 번만 쓰고 버릴 수야 있나. 서호삼견의 실력을 보고 나니 더 강렬하게 손에 넣고 싶은 욕구가 생겼다. 십칠각의 빈자리도 채우고 못된 인간들도 구제하고.

"흑도인들의 시선 때문입니까?"

"그런 이유도 있음을 부정하지 않겠네."

"역용을 하고 몰래 도와주시면 어떻습니까? 마침 저의 객원표사들 중에 신의 손을 가진 역용술사가 한 명 있습니다. 얼굴도 예쁘고요."

"말이 길어지는군."

"알겠습니다. 그리하겠습니다."

"그럼 알아들은 걸로 알겠네."

"그건 그렇고 한 가지 문제가 있습니다."

"문제?"

"원래는 일이 모두 끝난 후에 말씀드리려고 했습니다만."

나는 품속에서 미리 준비해 둔 종이 한 장을 꺼내 앞으로 내밀었다. 옆에 있던 이견과 삼견의 머리통이 일견의 좌우로 바짝 붙었다.

"이게 뭔가?"

"지난 수년간 공주마마께서 항주의 유명한 요릿집들을 섭렵하신 후 특별히 마음이 쓰이는 곳들을 적은 명단입니다. 마지막에 적혀 있는 것이 이번에 다녀가신 취선루이고요."

"그래서?"

"공주마마께서 취선루의 일을 겪으신 후 충격이 매우 크셨던 모양입니다. 하여 진왕 전하께 부탁을 하셨고, 다시 진왕 전하께서 제게 이 명단을 주시며 흑도들에게 갈취를 당하고 있지는 않은지 직접 살펴보라고 명하셨습니다."

"뭐!"

세 쌍의 눈동자가 동시에 주먹만 하게 커졌다. 침이 꼴딱꼴딱 넘어가는 소리가 들리길 잠시, 일견이 흥분을 가라앉히고 말했다.

"공교롭게도 전부 우리가 관리하는 곳이군."

"진왕 전하께서 주신 명단 중 선배님들 구역에 있는 것들만 제가 추렸으니까요. 다른 곳들도 궁금하십니까?"

"됐고. 설마 지금 우리에게 일곱 개 반점을 내놓으라는 건 아니겠지? 미리 말해두는데 그건 전쟁을 하자는 것과 다름없네."

서호삼견의 눈동자에서 불똥이 튀었다. 분위기를 읽은 가불염과 조영영이 슬그머니 나의 옆으로 와서 섰다.

"그럴 생각은 눈곱만큼도 없습니다."

"확실한가?"

"제가 아무리 간이 배 밖으로 나왔어도 겨우 요릿집 몇 개 먹자고 서쌍교방과 전쟁을 하겠습니까? 저도 솔직히 귀찮습니다."

"한데 이걸 왜 우리에게 주는 건가?"

"진왕 전하께서 부탁을 하신 이상 저도 모른 척할 수는 없습니다. 당장 매달 한 번씩 보고도 올려야 하고요."

"보고?"

"안심을 시켜 드려야 하지 않겠습니까? 뭔가 하고 있다는 것도 보여

드리고요.”

서호삼견이 제아무리 날고 긴다고 해도 고작 항주 흑도방파의 고수들에 지나지 않는다. 진왕이라는 두 글자는 그들의 이성을 완전히 마비시켜 버렸다.

“그래서 우리더러 뭘 어쩌란 건가?”

“일단 수하들에게 빌어먹을 무전취식부터 못 하게 하십시오. 점주들에게 욕질에 협박하는 것도 삼가도록 하고, 걸핏하면 칼부림하는 것도 좀 제발 막아주십시오. 요릿집이 무슨 도살장도 아니고.”

“그게 우리 방식일세.”

“그런 건 전 모르겠고요. 요릿집 주인들과 점소이들의 입에서 흑도놈들 때문에 못 해먹겠다는 소리만 나오지 않도록 해주시면 됩니다. 그러면 진왕 전하께는 제가 적당히 꾸며서 보고를 올리겠습니다.”

개가 똥을 마다하지 흑도들이 협박을 안 하고 살까? 어림 반 푼어치도 없는 소리다. 농부들이 황소를 길들일 때는 먼저 코부터 꿴다. 그런 다음 고삐를 묶어 조금씩 수레도 끌게 하고 밭갈이도 시킨다.

만약 이미 끼워둔 코뚜레가 빠지면? 괜찮다. 새로 만들어 끼우면 된다.

“그럼 선배님들 객원표사비는 제가 잘 쓰도록 하겠습니다. 대신 수하들 몫은 조금 챙겨 드리겠습니다. 돌아가는 길에 탁주는 한잔 걸쳐야지요. 이제 슬슬 출발할까요?”

반쯤 무너진 지붕, 여기저기 뒹구는 건물의 잔해들, 바람에 삐걱거

리는 문짝까지. 버려진 농가는 흉물이 따로 없었다. 그래서 숨어들기에 딱 좋았다. 놈들은 불도 피우지 않고 농가 구석구석에 숨어들어 추위를 피하고 있었다.

나는 언덕배기에 엎드려 그 모습을 훔쳐보았다.

"안 덮치고 뭘 하는 건가?"

"아직 안 됩니다."

"딱 치기 좋게 모여 있는데 왜?"

"우리는 지금 상대 방파를 쓸어버리러 온 흑도가 아닙니다. 매소옥의 안전을 확보하기 전에는 함부로 움직일 수 없습니다."

"설마하니 죽이기야 하려고?"

"막다른 길에 몰리면 무슨 짓을 벌일지 알 수 없습니다. 매소옥을 인질로 삼고 다시 도주로를 열려고 할 수도 있고요."

"그럼 이대로 지켜만 보자고?"

"누군가 한 명 잠입을 해야겠습니다. 마을 주민이 지나가다 들린 것처럼 찾아가 스스로 잡히는 것이죠. 그가 수단과 방법을 가리지 않고 매소옥의 안전을 확보한 다음 신호를 주면 우리가 덮치는 겁니다."

"사로잡힌 놈이 무슨 수로 매소옥의 안전을 확보하고 신호까지 준단 말인가?"

"그건 현장 상황을 보고 알아서 판단해야죠."

"만약 놈들이 단칼에 베어버리면?"

"설마요?"

"나라면 그렇게 했을 것이네. 도주하는 중에는 포로만큼 귀찮은 것이 없지. 인질로서 가치가 전혀 없다면 더더욱. 그리고 저들 역시 우리처럼 피도 눈물도 없는 흑도라는 걸 잊지 말게."

듣고 보니 살짝 겁이 났다.

"제가 가겠습니다."

갑자기 나선 사람은 조영영이었다.

"전 여자라서 단칼에 죽이지 않을 거예요. 그리고 관리의 효율을 위해서라도 매소옥과 함께 있게 해줄 가능성이 크고요. 남자가 아니니 구태여 포박을 하려 들지도 않을 것이고요. 그러면 여러분이 쳐들어와 싸움이 벌어졌을 때 제가 놈들로부터 매소옥을 지켜줄 수 있어요."

나도, 서호삼견도 가불염도 아무 말을 하지 않았다. 조영영의 작전이 너무나 간편하면서도 그럴듯하기 때문이다. 스스로 말하기 부끄러워 건너뛰었겠지만, 사실 저렇게 예쁜 여자가 나타났는데 단칼에 베어 죽일 미친놈은 없다.

내가 물었다.

"그 모습으로 가면 수상하게 여길 거요."

"인근 농가로 들어가서 농부의 아낙으로 변장할게요. 한 식경만 주세요."

"얼굴도 고쳐야 하오."

"무슨 말인지 알아들었어요."

얼굴을 알아보는 놈이 있어도 문제고, 없어도 저렇게 아름다운 여자가 나타나면 분명 수상하게 여길 것이다.

"역용은 할 줄 아시오?"

"남궁 소저만큼은 아니지만, 잠깐 정도는 속일 수 있을 거예요."

"남궁 소저가 역용술에 능하다는 건 어떻게 아시오?"

"아까 객점에서 말한 신의 손을 가진 역용술사가 남궁 소저 아닌가요? 얼굴도 예쁘다고 한."

나는 순간 아차 싶었다. 남궁소소가 맞긴 맞는데 왜 하필 거기다 쓸데없이 예쁘다는 말까지 덧붙였을까.

상황이 묘하게 됐다. 조영영 때문에 목숨을 끊으려고 했던 이정룡이 불과 몇 달이 지나 이제는 그녀 앞에서 다른 여자를 두고 예쁘다 말하고 있으니. 그걸 지켜보는 조영영은 또 어떤 기분일까?

에라 모르겠다. 될 대로 되라지.

"변장을 한 다음 마을 쪽에서 바로 농가로 들어가시오. 망태기를 하나쯤 들고 가도 좋고. 분명 한 놈쯤은 구멍으로 척후를 살피고 있을 것이오."

"알았어요."

"신호는 따로 줄 것 없소. 소저가 들어가고 반 각만 기다렸다가 우리도 덮칠 거요. 그러니 반 각 안에 수단과 방법을 가리지 말고 매소옥의 곁에 있으시오."

흥분과 초조함에 사로잡힌 놈들이 조영영에게 무슨 짓을 할지 모른다. 매소옥을 구하자고 조영영을 위험에 빠뜨릴 수는 없다.

"기다리고 있을게요."

조영영은 척후병의 시선을 피해 마을 쪽으로 신형을 쏘았다. 그 모습이 흡사 바람처럼 표표해 약간은 안심이 되었다. 이정룡이 조영영의 어떤 면을 사랑했는지 나로서는 알 길이 없다. 그녀를 잃을지도 모른다는 상실감이 얼마나 컸기에 스스로 호수에 몸을 던졌는지도 모른다.

그러나 두 가지는 확실하게 알 수 있을 것 같았다. 이병룡에게는 너무나 아까운 여자라는 것. 과거에는 어땠을지 모르나 지금은 그녀 역시 이병룡을 좋아하지 않는다는 것.

한 식경 후, 농부의 아내로 변장한 조영영이 낫이 든 망태기를 옆구리에 낀 채 버려진 농가 앞을 지나갔다. 그러다 갑자기 인기척이라도 느낀 것처럼 안쪽을 기웃거렸다.

그 순간, 시커먼 그림자 하나가 튀어나와 그녀의 입을 틀어막고는 안쪽으로 끌고 들어가 버렸다. 그야말로 순식간에 벌어진 일이었다.

"슬슬 준비하시죠."

"모조리 죽여라!"

"죽이면 안 됩니다!"

"한 놈도 남기지 마라!"

"그러면 안 된다니까요!"

일견과 내가 선두에서 번갈아 외치며 농가로 뛰어들었다. 동시에 좌우에서도 열 명의 흑도들이 흡사 잘 훈련된 자객들처럼 담벼락을 타고 넘었다.

"웬 놈들이냐!"

"서쌍교방의 서호삼절이시다!"

"천룡표국의 객원표사들이오!"

농가 곳곳에 숨어 있던 용신방의 잔당들이 칼을 뽑아 들고 우르르 쏟아져 나왔다.

지금 이곳에서 가장 고수는 누가 뭐래도 서호삼견이다. 맹수를 세 마리나 데리고 와놓고 내가 앞장서서 싸울 필요야 있겠나. 그렇다고 놀고 있을 수는 없으니 한두 놈 정도는 맡아야 한다.

나는 쏟아져 나온 놈들 중에서 가장 체구가 작고 어리바리한 놈을 향해 득달같이 달려들었다.

"네놈은 내 몫이다!"

깡!

격렬한 첫 합의 순간, 나는 무언가 잘못되었음을 깨달았다. 손목을 타고 짜르르 올라오는 충격은 내가 생각하는 흑도 졸개의 그것이 아니었다. 놀라 두 걸음을 후다닥 물러나는 사이 그새 한 놈의 허리에서 피를 터뜨린 이견이 나를 향해 읊조렸다.

"용신방주와 아는 사이였나?"

그 순간, 그림자처럼 따라붙은 용신방주의 칼이 일도양단의 기세로 뚝 떨어졌다. 모골이 송연해지며 이능력이 발동되었다.

나는 수천 번도 더 수련한 귀영무의 보법을 펼치며 옆으로 유령처럼 미끄러졌다. 용신방주의 칼이 서늘한 바람을 일으키며 왼쪽 어깨를 쓸고 내려갔다. 그러다 돌연 방향을 바꾸더니 질풍처럼 옆구리를 베어왔다. 전력을 다해 휘두른 칼질에서 다시 변초를 이끌어내는 솜씨가 가히 일품이었다.

손바닥만 한 방파의 방주라고 얕본 마음이 없지 않았다. 한데 오늘 보니 무공의 고하는 방파의 크고 작음과는 관련이 없는 것 같다.

그러나 나도 이제 어지간한 무림인은 두렵지 않았다. 이래 봬도 화조신옹과 백백곡주를 쓰러뜨린 몸이다. 이능력과 천년진기와 30년 공력만으로도 나는 이미 어떤 방면으로는 일류고수의 수준에 근접했다고 자부했다.

그러나…….

까앙!

두 번째 격돌의 순간, 칼이 손을 떠나 구만리 허공을 날아갔다. 매번 느끼지만 박도로 장작을 쪼개는 거라면 모를까 칼은 나랑 맞지 않는 것 같다.

"각주님!"

가불염이 나를 도우러 달려왔다. 하지만 나는 이미 칼을 쳐내느라 활짝 열린 용신방주의 가슴을 향해 귀영무의 보법을 펼치며 벼락처럼 파고드는 중이었다. 그리고 월성교옹에게서 보름 전부터 본격적으로 배우기 시작한 뇌격진천연환백팔타, 강호인들이 흔히 십초박이라 부르는 권법의 십 초식 중 선팔초(先八招)를 난사했다.

퍼퍼퍼퍼퍽!

그러고는 역시 귀영무의 보법을 펼쳐 세 걸음을 후다닥 물러났다. 그야말로 번갯불에 콩 볶아 먹는 것처럼 일어난 일이었다.

"쿨럭!"

용신방주는 입으로 피를 한 모금이나 토해내더니 도끼 맞은 고목처럼 앞으로 고꾸라져 버렸다.

털썩! 하는 소리와 함께 그의 주변으로 먼지가 솟아올랐다. 격전을 치르는 와중에도 모두가 어안이 벙벙한 얼굴로 나를 바라보았다.

나는 양손을 내려다보며 전율을 느꼈다. 죽어라고 노력했지만 그때마다 월성교옹으로부터 '내일부터는 차라리 원숭이를 데려다 가르쳐야겠다. 그러면 지나가는 사람들이 돈이라도 던져줄 테니까'라는 말만 들었다. 한데 이 무시무시한 위력은 무엇이란 말인가.

'이것이 십초박!'

아니다. 아무리 생각해도 이건 십초박의 공능이 아니다. 고작 보름을 수련해서 이렇게 될 수는 없다. 그렇다면 남은 건 한 가지, 30년 공력을 바탕으로 한 귀영무의 보법 때문이다. 여태 도망치고 피하는 데만 썼던 귀영무의 보법이 십초박이라는 찰떡궁합의 권법을 만나면서 위력을 권법으로 발산하기 시작한 것이다.

순간 월성교옹의 한 마디가 번개처럼 스쳐 갔다.

"장담컨대 네가 이 보법을 육성까지만 익히면, 손발이 제아무리 개싸움을 하고 있더라도 일류고수 소리를 들을 것이다."

육성은커녕 아직 일성의 단계도 제대로 접어들지 못했다. 용신방주가 제아무리 이름 없는 잡방의 방주라지만, 이 정도로 간단하게 쓰러뜨릴 수 있을 줄이야.

만약 육성까지 익히면? 상상만 해도 오금이 저린다.

"각주님?"

가불염이 부르는 소리에 퍼뜩 정신을 차렸다. 주변을 돌아보니 어느새 싸움이 거의 정리된 상태였다. 서호삼견만으로도 벅찬데 생각지도 않았던 내가 용신방주를 십초지적으로 때려눕혀 버리자 잔당들이 전의를 상실한 것이다.

"조영영은?"

"여깄어요!"

방문을 박차고 나오는 사람은 조영영이었다. 그녀는 한 손에 낫을 들고 있었는데, 이미 한바탕 격전을 벌인 듯 피가 묻어 있었다.

뒤를 이어 무슨 짓을 했는지 몸에 온통 진흙을 묻힌 여자가 나타났다. 30년 전 비 내리는 수양버들 아래에서 내게 우산의 한쪽을 나눠주었던 그림 속의 여자였다.

남루한 와중에도 그녀는 여전히 아름다웠다. 마치 눈 내리는 날 아침 마당 한쪽에 조용히 피어 있는 매화를 보는 것 같았다. 하지만 매소옥에게 나는 천룡표국의 사공자 이정룡일 뿐이었다.

그녀는 나를 보자마자 사뿐사뿐 걸어왔다. 그리고 서너 걸음을 앞두고 두 손을 가운데로 가지런히 모은 채 공손하게 허리를 숙였다.

"고맙습니다."

"다친 곳은 없소?"

"보시다시피 무탈합니다."

"다행이구려."

"은혜는 꼭 갚겠습니다."

예전에도 그랬지만, 매소옥은 말수가 참 적다. 그러나 입으로 할 수 있는 것보다 더 많은 말을 얼굴로 했다.

그녀가 눈을 한번 감았다가 뜨는 순간 속눈썹이 젖더니 눈물 두 방울이 주르륵 흘러내렸다. 내가 자신을 구하러 이 먼 곳까지 와준 것에 대해 진심으로 고마워하고 있는 것이다.

그때였다.

퍽퍽! 소리에 놀라 돌아보니 이견이 수하들로 하여금 용신방주를 뒤에서 붙잡게 한 후 주먹으로 얼굴을 때리고 있었다. 그새 무슨 짓을 당했는지 용신방주는 옷이 죄다 찢어져 맨살을 훤히 드러내 놓고 있었다.

내가 다가가며 물었다.

"왜 그러시는 겁니까?"

"알 필요 없네."

가불염을 돌아보며 눈짓으로 이유를 물었다.

"용신방주가 삼절 선배들께 언제부터 천룡표국의 개 노릇을 했냐고 물었습니다."

어떤 상황인지 알 만하다.

나는 다시 이견을 돌아보았다. 그때까지도 그는 용신방주를 얼굴을 빽빽 치고 있었다.

"멈추십시오."

"난 자네 수하가 아닐세."

"하지만 객원표사이시지요."

"그깟 객원표사 개나 주라지."

"그래서 세 분께 드렸잖습니까?"

"뭐!"

"이러니 삼견이라는 소리를 듣는 겁니다. 시도 때도 없이 욕하고, 주먹질하고, 걸핏하면 죽인다고 협박이나 하고."

"이런 미친!"

"그리고 아침에 객점에서 식사하실 때는 제발 좀 작게들 말씀하십시오. 공공장소에서는 조용히 하는 게 예의입니다."

삼견이라는 말에 눈을 치켜뜨던 세 노인이 움찔하고 놀라는 게 느껴진다.

삼견이 조심스럽게 물었다.

"안 잤나?"

"선배님 같으면 지난 밤 함께 밥 먹고 잠든 동료들이 선배님을 쥐도 새도 모르게 죽여 버리겠다며 계획을 짜고 있는데 잠이 오겠습니까?"

"무슨 계획씩이나."

"방법이 생각 안 나신 거겠죠."

"깼으면 같이 밥이라도 먹게 내려올 것이지."

"독이라도 탔으면 어쩌려고요."

"껄껄. 농담도 잘하는군."

일견과 이견은 여전히 분이 안 풀리는 눈치였지만, 그렇다고 시비를 걸지도 못했다. 눈 깜짝할 사이에 세 사람을 합죽이로 만들어 버린 나는 용신방주에게 다가갔다.

얼굴이 만신창이가 된 와중에도 그는 의식이 멀쩡했다. 심지어 나를 쏘아보는 눈빛에는 독기가 가득했다.

"이렇게까지 해야 했소?"

"모두 내가 매소옥을 납치한 줄로만 알겠지만, 약속을 어긴 건 녹원루주가 먼저다. 그는 일 년 전에 계약이 끝났는데도 불구하고 차일피일 미루며 돈을 한 푼도 주지 않았어."

"돈이라니?"

"매소옥의 몸값 말이야."

"그녀를 대여해 주는 형식으로 계약을 한 것이오?"

"항주 유흥가에서 매소옥은 곧 돈이고 권력이야. 그녀를 손에 쥔 사람이 돈뿐만 아니라 권력도 함께 갖게 되지. 내가 그걸 순순히 내줄 리가 없잖아."

"매 소저도 동의했소?"

"매소옥은 누가 뭐래도 내 것이다. 소매치기로 떠돌던 계집애를 내가 주워다 먹이고 가르쳤다. 내가 아니었으면 저잣거리를 떠돌다 싸구려 홍루……."

광기. 이성으로는 설명할 수 없고, 이해할 수도 없는 어떤 광기가 용신방주에게서 느껴졌다. 순간, 나는 옆에 있던 가불염의 허리춤에서 벼락처럼 칼을 뽑아 들었다. 이어 목을 치는 것처럼 하면서 용신방주의 상투를 뎅겅 잘라 겁을 주려는 순간 매소옥이 앞을 막아섰다.

"안 돼요!"

"그게 아니고."

"그냥 보내주세요. 부탁드립니다."

"이런 자를 왜?"

"그는 제게 칠현금을 가르쳐 주었어요. 그날 이후 악몽 같던 제 삶이 바뀌었어요. 그것만으로도 제게는 그를 살려야 할 이유가 충분해요."

그녀는 천천히 돌아서더니 갑자기 자신의 모피 옷을 벗어 용신방주에게 덮어주었다. 그리고 용신방주를 향해 큰절을 올렸다.

"그동안 보살펴 주셔서 감사했습니다. 앞으로 사는 동안 다시는 만나지 말아요."

그게 그녀의 마지막 작별 인사였다.

나는 일견을 향해 눈짓했다. 일견은 알았다는 듯 고개를 끄덕이더니 큰소리로 외쳤다.

"지금부터 열을 세겠다. 그때까지 이 농가에 용신방 놈들이 한 명이라도 남아 있다면 서호삼절의 이름을 걸고 숨통을 끊어주마!"

용신방의 잔당들이 방주와 부상자들을 부축하고 빠르게 사라졌다. 장내가 대충 정리되자 조영영이 내게 다가와 말했다.

"녹원루로는 돌아갈 수 없어요."

짧은 말에서 어떤 결의 같은 것이 느껴졌다.

매소옥은 조영영과 한발 떨어진 뒤쪽에서 바들바들 떨고 있었다. 그 모습이 어쩐지 조영영의 뒤에 숨은 듯한 느낌이 들었다.

조영영이 고집을 피우며 날 따라온 이유를, 복룡당보다 먼저 매소옥을 찾아야 했던 이유를 어렴풋이나마 짐작할 수 있을 것 같았다.

나는 그때까지 입고 있던 모피 옷을 벗어 조영영에게 건네주었다. 요즘 하얀 모피 옷이 유행인 것 같아서 큰맘 먹고 지른 것이다.

"입혀주시오."

조영영은 잠시 당황한 표정을 짓더니 이내 돌아서서 모피 옷을 매소옥에게 입혀주려고 했다.

그러자 매소옥이 나를 바라보며 말했다.

"진흙탕에서 굴렀어요."

"입으시오."

"옷이 더러워질 거예요."

"입으시오."

나는 조영영을 돌아보며 고개를 끄덕였다. 그러자 조영영도 더는 기다리지 않고 옷을 입혀주었다. 그제야 매소옥도 조금 안정을 되찾는 것 같았다.

나는 다시 조영영을 돌아보며 말했다.

"아시다시피 우리가 상대해야 할 곳은 녹원루가 아니라 천룡표국의 복룡당이오. 내 둘째 형님께서 이끄시는 곳이고."

"녹원루는 안 돼요."

"항주에서 천룡표국의 표사들이 함부로 들어갈 수 없는 곳이 딱 한 곳 있소. 내가 아는 그곳의 주인이라면 우릴 도와줄 것이오."

"하면?"

"그곳까지 데려다주겠소."

"하아."

내가 매소옥을 다시 녹원루로 데려가겠다고 할까 봐 말도 못 하게 긴장했었나 보다. 고맙다는 말을 할 사이도 없이 안도의 한숨부터 내쉬는 조영영의 얼굴에서 뭐라 말할 수 없는 간절함이 느껴졌다.

"그전에 매 소저께서 십칠각에 개인 호위를 의뢰하셔야 하오. 그래야 서로 만나게 됐을 경우 내게 복룡당에 대항하여 매 소저를 지켜줄 명분이 생기오."

이게 무엇을 의미하는지 모를 사람은 여기 아무도 없었다. 조영영도, 가불염도, 그리고 서호삼견도 모두 표정을 굳혔다.

"잠깐!"

역시 일견이 나섰다.

"우린 여기서 빠지겠네."

"그렇게 하십시오."

나는 품속에서 전낭을 꺼내 일견에게 넘겼다. 그리고 예의를 갖춰 정중하게 포권지례를 올렸다.

"도와주셔서 감사했습니다."

가불염과 조영영 그리고 매소옥까지 나를 따라서 극진한 예를 갖추었다.

"모두 가자!"

서호삼견을 필두로 흑도들이 우르르 농가를 빠져나갔다. 저만치 멀어졌을 때 삼견이 '어차피 가는 길인데 항주까지는 같이 가면 안 되겠습니까? 가다가 탁주도 한잔하고요'라고 묻는 소리가 들려왔다.

이제 농가에는 나와 가불염 그리고 두 명의 여자만 남았다.

조영영이 내게 물었다.

"괜찮으시겠어요?"

"곤란한 건 소저도 마찬가지 아니오?"

"소옥만 구하면 다른 건 두렵지 않아요."

"나도 원래 집안에서 내놓은 놈인지라."

내 농담에 조영영이 피식하고 웃었다. 이렇게 진심으로 웃는 건 처음 보는 것 같았다.

"의뢰비는……."

"이미 받았소."

"언제?"

"아주 오래전에."

사합원이라는 건축 양식이 있다. 간단하게 말하자면 한껏 꾸민 정원을 가운데 두고 동서남북 사면에 전각을 세워 올린 것이다.

다선초당(茶仙草堂)은 연못과 화단이 어우러진 정원을 가운데 두고 네 개의 삼 층 전각이 둘러싼, 항주에서 가장 크고 아름다운 사합원 건축물이었다.

현재 이 오래된 건축물은 남궁세가에서 구입하여 차도 팔고 이따금 악공을 초빙해 연주도 하는 다루(茶樓)로 사용했다. 당연하게도 각각의 전각은 모두 정원 쪽으로 회랑과 창문을 내 차를 마시며 사철 꽃이 피고 지는 것을 감상할 수 있었다.

꽃이 없는 겨울엔 눈 내리는 풍경이 일품이었다. 따뜻한 항주의 특성상 눈을 보는 것이 아주 드문데, 운 좋게도 오늘이 바로 그런 날이었다.

흰 눈송이가 하늘하늘 흩날리는 정원을 나는 남궁소소의 안내를 받으며 가불염, 조영영, 매소옥과 함께 걸어갔다. 우연히 밖으로 나왔다가 우리를 발견한 사람들이 수군거리는 소리가 이제는 내 귀에도 또렷이 들려왔다. 30년의 내공이 생기고 난 후 나타난 변화 중 하나였다.

"저게 무슨 그림이지?"

"세상에 무슨 여자들이."

"흰 털옷은 매소옥 아냐?"

"녹원루의 그 매소옥?"

"옆에는 조영영 같은데?"

"수향문의 그 조영영?"

"남궁소소에, 매소옥에, 조영영에, 항주 사대미인 중 세 명이 한자리에 모였네. 이게 대체 뭔 상황이래."

"그런데 저 기생오라비 같은 자식은 누구야?"

"형님이라 불러도 되겠습니까?"

"갑자기?"

"갈룡 형님의 친구분이시니, 진작 형님이라 불러 드렸어야 하는데 소제가 눈치가 좀 없습니다."

"소소는 자넬 천 년 묵은 구렁이라던데."

"소저가 제 얘길 했었나 보군요."

"제법 자주 한다네."

"흉이나 안 봤을지 모르겠습니다."

"절반이 흉이었지 아마."

"하하. 그렇군요."

"나머지는 욕이었고."

"흐음, 그렇군요."

"내겐 욕으로 안 들려서 문제지."

순간, 나는 남궁세옥의 표정이 미묘하게 바뀌는 걸 놓치지 않았다. 십중팔구 남궁소소가 탁자 밑으로 남궁세옥의 허벅지를 꼬집고 있을 것이다.

그러면서도 남궁소소의 눈은 매소옥과 조영영에게 꽂혀 떠날 줄을 몰랐다. 특히 새로운 얼굴인 매소옥을 머리끝에서부터 하나하나 훑고 있었다.

그러다 불쑥 말했다.

"재밌는 조합이네요."

"나도 그렇게 생각하오."

"초면인 분도 보이시고요."

여태까지 눈을 지그시 내리깔고 있던 매소옥이 조용히 자리에서 일어났다. 그러곤 두 손을 가지런히 모으고 남궁세옥과 남궁소소에게 차례로 인사를 올렸다.

"처음 뵙겠습니다. 매소옥입니다."

남매도 자리에서 일어나 지나치지도 모자라지도 않은 포권지례로 응수했다.

"남궁세옥이오."

"소소예요."

언제나 느끼는 거지만 두 사람에겐 뭐라 말할 수 없는 기품이 있었다.

세 사람의 인사가 끝나길 기다렸다가 조영영도 일어나 남궁세옥에게 정중한 포권지례를 올렸다.

"수향문의 조영영입니다."

"알고 보니 조 소저였구려."

"뵙게 되어 영광입니다."

"찾아주어 고맙소."

"언니도 오랜만에 뵈어요."

순간, 남궁소소가 눈을 동그랗게 뜨고 말했다.

"우리가 언니 동생 하는 사이는 아니지 않나요?"

"뭐라고 불러 드려야 할지 몰라서……."

"그닥 부를 일이 있을까요?"

갑자기 분위기가 싸해졌다. 오늘 하루 험난한 여정이 예상된다. 하지만 무슨 일이 있어도 원하는 걸 얻어내야 한다. 한 여자의 삶이 달린 문제다.

대충 인사가 끝나자 남궁세옥이 내게 물었다.

"이제 말해보게."

"예?"

"형님 소리도 들었으니 그 값을 해야지."

"그건 진심에서 우러나온 말이었습니다."

"나도 진심으로 들어보겠네."

역시 만만치 않다. 그 여동생에 그 오라비다.

"다루가 아주 넓군요."

"오백 명이 함께 차를 마실 수 있다네."

"일하는 사람도 많겠습니다."

"백 명 정도 되지."

"그 사람들은 다 어디서 잡니까?"

"절반은 근처에 집이 따로 있고, 나머지 절반은 내가 동쪽 전각 삼층에 마련해 준 방에서 지낸다네."

"사람은 항시 들고나는 법이니 빈방도 많겠군요."

"빈방은 여각에 가서 찾으셔야죠."

다 된 밥에 코를 팽 풀고 들어오는 사람은 남궁소소였다. 이 귀신같은 여자가 그새 내 속셈을 눈치챈 모양이었다.

역시 믿을 건 남궁세옥밖에 없다. 그전에 남궁소소의 입부터 막아야 한다. 여동생을 끔찍하게 생각하는 위인이니 정색하고 얘기하면 들어주려 할지도 모른다.

"그건 그렇고요."

나는 품속에 손을 넣어 며칠 전 남궁소소가 직접 수결한 백지 각서를 잡았다. 남궁세옥이 보는 앞에서 무작정 펼칠 수는 없다. 일단 봉투째 옆에 놓아두고 남궁소소를 압박하는 용도로 쓸 생각이었다.

"만약 지금 각서랍시고 이상한 종이 쪼가리를 꺼낸다면 다시는 날 못 볼 줄 알아요. 남궁세가의 명예를 걸고 맹세하겠어요."

순간, 좌중이 찬물을 끼얹은 것처럼 고요해졌다. 남궁세옥도, 조영영도, 매소옥도 그리고 가불염도 어안이 벙벙한 얼굴로 나를 바라보았다. 나는 얼른 전낭으로 바꿔 잡고는 동전 열 냥을 꺼내 탁자 위에 척 놓았다.

"일단 따뜻한 차부터 좀."

"이런, 내 정신 보게. 반가운 마음에 그만 손님들께 차 대접하는 걸 깜빡했군. 잠시들 기다리시게."

그러면서 남궁세옥이 슬그머니 일어나 나가 버렸다. 중간에 끼면 무언가 곤란해질 일이라는 걸 직감적으로 알아차린 것이다. 그가 나가 버리자 내실은 그야말로 북해의 얼음 동굴이 따로 없었다. 남궁소소는 그 한가운데 고대의 빙정처럼 앉아 만년한기를 쭉쭉 뿜어내고 있었다.

나를 비롯해 네 사람은 바짝 얼어붙어서는 입도 벙긋 못하고 남궁세옥이 돌아오기만을 기다렸다.

그때였다. 바깥이 소란스럽다 싶더니 인기척과 함께 어린 다동이 들어왔다.

"나와보셔야겠습니다."

"무슨 일인데 그래?"

"천룡표국에서 무인들이 몰려왔습니다."

순간, 조영영과 매소옥의 얼굴이 강시로 변해 버렸다.

큰일 났다. 아직 남매에게는 말도 못 꺼냈는데 늑대 무리가 먼저 들이닥쳤다.

밖으로 나가 보니 예상했던 대로 이을룡이 복룡당의 무장한 표사 열 명을 이끌고 와 있었다. 어떻게 정원까지는 들어왔으나 장소가 장소인지라 더는 어쩌지 못하고 그대로 멈춰 서 있는 상태였다. 옆에는 이병룡과 장량기도 보였다.

내가 조영영과 매소옥을 대동하고 나타나는 순간 이병룡의 눈이 대번에 회까닥 뒤집혔다. 이을룡도 나와 매소옥을 발견하고는 눈매를 좁혔다.

"형님들 오셨습니까?"

"이번 일은 결코 그냥 넘어가지 않을 것이다. 오늘은 보는 눈이 많으니 조용히 매소옥만 데려가겠다."

이을룡이 옆을 돌아보며 눈짓했다. 표사 두 명이 우리 쪽을 향해 다가왔다. 가불염이 득달같이 앞으로 튀어 나가며 두 사람의 앞을 막아섰다. 놀란 복룡당의 표사들이 그 자리에 멈춰섰다.

"가 표사."

"표사 가불염!"

"필요하면 베어도 좋습니다."

"존명!"

가불염이 두 발을 어깨너비로 벌리고 검을 비스듬히 잡아갔다. 그러나 장소가 장소인 만큼 뽑지는 않았다.

"네놈이 정녕 미친 것이냐?"
"형님은 알고 계셨습니까?"
"무얼 말이냐?"
"매소옥 소저를 두고 용신방주와 녹원루주가 맺었다는 계약 말입니다. 녹원루를 수년간 보호해 오셨으니 그 정도는 아셨을 것 같습니다만."
"천룡표국은 포도아문이 아니다."
"역시 아셨군요."
"일을 키우지 마라."
"형님들은 왜 검을 잡으셨습니까?"
"무슨 헛소리야?"
"저는 유명해지기 위해 검을 잡았습니다. 한번 맡은 의뢰는 실패하는 법이 없고, 아무리 어려운 의뢰라도 끝까지 해내며, 설사 손해를 보는 한이 있더라도 약속은 반드시 지키는 강호의 명표. 멋지지 않습니까?"
"전혀!"
"가서 녹원루주에게 전하십시오. 매소옥을 찾으려거든 누구를 앞세우든지 앞으로는 천룡표국의 십칠각으로 오라고요."
"무어?"
"천룡표국 십칠각의 각주인 저는 이틀 전 매소옥 소저로부터 개인 호위를 맡아달라는 의뢰를 받았습니다. 하지만 표사라곤 달랑 둘밖에 없는바, 오늘부터 십칠각에서 의뢰인과 함께 숙식하며 지킬 것입니다."
"그건 아니죠!"
빽 소리와 함께 끼어든 사람은 남궁소소였다. 그녀는 바로 앞까지 와서는 콧김을 펑펑 뿜으며 나를 노려보았다. 그러다 갑자기 이을룡을 향해 홱 돌아서며 말했다.

"을룡 선배님, 그건 아닌 것 같아요."

"소저!"

"본인이 가기 싫다잖아요. 세상 누구도 타인을 강제로 끌고 갈 수는 없어요. 다른 곳도 아니고 천룡표국에서. 실망이 이만저만 아닙니다."

"소저께서 무언가 오해를 하고 계신 듯합니다. 우리는 매소옥을 녹원루까지 안전하게 데려가기 위해 온 것입니다. 그리고 매소옥과 녹원루주 사이에도 엄연히 계약이란 것이 있습니다. 일단 녹원루로 가서 명확히 시비를 가린 후에 다음을 생각하는 것이 순리에 맞을 것입니다."

"선배님께서는 아까부터 왜 자꾸 매소옥이라고 하시지요? 둘이 원래 잘 아는 사이신가요? 아니면 뒷배 없는 어린 여자라고 함부로 하시는 건가요?"

"그 점은 제가 실언을 한 것 같군요. 녹원루로 돌아가는 길에 매소옥 소저께 사과하겠습니다. 그리고 그녀가 어떤 경우에도 안전할 것임을 약속드립니다. 만약 녹원루와의 계약에 문제가 있다면, 그땐 제가 매소옥 소저를 돕겠습니다."

"아까는 천룡표국은 포도아문이 아니시라면서요. 그리고 그녀가 녹원루로 가는 일은 이제 없을 거예요. 앞으로는 다선초당에서 저와 함께 지내기로 했으니까요."

"소저께서 왜?"

"제가 아끼는 동생들이거든요. 조영영도, 매소옥도요."

그리고 나만 겨우 들을 수 있는 남궁소소의 한마디.

"망했다."

순간 모든 사람의 시선이 조영영과 매소옥에게로 향했다. 두 사람은 너무나 놀란 나머지 어쩔 줄을 몰라 했다.

누가 보아도 거짓말이 분명했다. 한데도 남궁소소가 저렇게 어깃장을 부리니 이을룡으로서도 강제로 무얼 하기가 어렵다.

나는 남궁소소의 작은 뒤통수에 대고 모기만 한 소리로 속삭였다.

"고맙소."

"진짜 마음에 안 들어."

"이 신세는 꼭 갚겠소."

"사기나 치지 말아요."

"당신은 정말 좋은 여자요."

"조영영, 아직도 좋아해요?"

"……?"

"충분히 대답이 되었어요."

"아직 안 했는데?"

"들은 거나 마찬가지예요."

"아니오. 안 했소."

"한 박자 늦게 말하는 건 진짜 속마음이 아니에요."

"당황했을 뿐이요."

"그럼 안 좋아해요?"

"그런 건 왜 묻는 거요?"

"만약 좋아하면 이제부터는 귀하의 근처에 얼씬도 안 하려고요. 조영영이 보고 오해하면 안 되잖아요."

"그럴 필요 없소. 나는 조영영과 잘되고 싶은 생각이 쥐똥만큼도 없으니까. 이건 예전에도 분명히 말했을 텐데."

"사기꾼 말을 믿을 수가 있어야죠."

그때 우렁찬 목소리가 터져 나왔다.

"당주님 나오셨습니까?"

나는 대화를 멈추고 소리가 들린 쪽을 돌아보았다.

어느새 밖으로 나온 남궁세옥이 회랑에 서서 정원을 굽어보고 있었다.

이을룡이 얼른 포권지례부터 올렸다.

"선배님, 이을룡입니다. 본의 아니게 소란을 피웠습니다. 무례를 용서하십시오."

이병룡도 형을 따라 포권지례를 올렸다. 그러나 구구절절 말로까지 인사를 하진 않았다. 그는 지금 조영영이 나와 함께 있는 걸 보고 눈이 뒤집힌 상태였다.

친구 동생들의 깍듯한 인사에도 불구하고 남궁세옥은 전혀 아는 체를 하지 않았다. 그는 이을룡과 함께 온 칼 찬 표사들, 그들과 대치한 나와 남궁소소 그리고 가불염까지 하나하나 눈에 담았다.

그리고 옆에 있는 젊은 사내에게 말했다.

"동천."

"하문하십시오."

"자네가 길을 열어주었나?"

"차를 마실 목적이 아니라면 무장한 표사들의 입장은 곤란하다는 말씀을 분명히 드렸습니다. 하나 천룡표국의 이공자님께서 당주님과의 친분을 앞세워 막무가내로 들어오셨습니다."

"경고를 했는데도 무장을 하고 들어왔단 말이지."

"그렇습니다."

"가서 내 검을 가져와라."

그리고 이어지는 싸늘한 말.

"내 저 무례한 자들을 무릎 꿇린 후 천룡표국으로 가서 오늘 벌어진 일에 대해 국주께 따져 물어야겠다."

"선배님, 말씀이 지나치십니다."

"어서 검을 가져와라!"

이을룡이 발끈했지만 이어지는 남궁세옥의 호통에 묻혀 버렸다. 100년에 한 번 나올까 말까 한 검술의 천재이자 불과 서른의 나이에 북무림을 떨쳐 울린다는 신진고수 남궁세옥. 그의 존재감은 단숨에 장내의 모든 무인들이 뿜어내는 기세들을 찍어 눌러 버렸다.

잠시 후, 동천이라 불린 사내가 검 한 자루를 양손에 받쳐 들고 나타났다.

남궁세옥은 주저 없이 검을 뽑았다.

스릉!

은빛 검신이 모습을 드러내는 순간 장내는 다시 한번 침묵에 휩싸였다. 단 한 명의 무인이 뿜어내는 압박감에 숨이 막힐 지경이었다.

이을룡과 표사들은 이러지도 저러지도 못하고 엉거주춤 서 있기만 했다. 칼을 뽑자니 두렵고, 그냥 물러서자니 땅에 떨어질 천룡표국과 복룡당의 체면이 걱정되는 것이다.

그때였다.

두둥~

두 줄기 맑은 선율이 장내에 울려 퍼졌다. 사람들은 너 나 할 것 없이 소리가 난 곳을 향해 반사적으로 고개를 돌렸다. 정원 한가운데 있는 작은 누각에 그림처럼 아름다운 여자가 앉아서는 칠현금을 타고 있었다.

두둥~ 둥기둥~ 뚜루둥~

소나기처럼 이어진 선율은 십수 명의 무인들이 뿜어내는 투기 사이로 종횡무진 누비고 다녔다. 때로는 말처럼 달리고, 때로는 밤새 내리는 눈처럼 속삭이다가, 또 여름 물가를 뛰어다니는 아이들처럼 역동적으로 바뀌었다.

매소옥의 연주는 어느새 수십 개의 객실 안에서 삼삼오오 차를 마시던 사람들까지 전부 불러냈다. 잠깐 사이에 수백 명의 다객이 회랑으로 나와 동서남북에서 누각을 둘러싸고는 매소옥의 연주를 즐겼다.

숨 막히던 대치는 어느새 눈 녹듯 사라졌다. 대신 그 자리를 아름다운 선율과 다선초당의 눈 내리는 풍경과 그윽한 차향이 가득 채웠다. 그리고 매소옥의 노래가 시작되었다.

여덟 살 때 몰래 거울을 들여다보고 눈썹을 그렸지요.

열 살 때는 풀 많은 들판에서 연꽃으로 치마도 만들어 입었고요.

열두 살 때는 금(琴)을 배운다고 손가락에서 골무를 뺀 적이 없었어요.

열네 살 때 엄마 뒤에 자꾸 숨은 것은 시집 못 간 것을 알고 사람들이 놀릴까 봐서였어요.

열다섯 살엔 봄바람이 까닭 없이 슬퍼 그네 아래에서 얼굴을 돌리고 울었지요.

당나라 시인 이상은의 배면추천하(背面鞦韆下)라는 시에 곡조를 입힌 것이었다. 나는 까닭 없이 가슴이 먹먹해졌다.

매소옥의 연주와 노래는 이미 끝났지만, 누구도 말을 하지 않았다. 칠현금의 공명이 잦아질 때까지만이라도 여운을 즐기려는 듯 모두가 숨을 크게 쉬는 것조차 조심했다.

이윽고 공명조차 사라지고 매소옥이 칠현금을 무릎에서 내려놓았다. 그제야 수백 명의 사람은 너 나 할 것 없이 표정으로, 고갯짓으로, 그리고 웃음으로 그녀에게 찬사와 갈채를 보냈다. 그리고 지나가는 다선초당의 점소이들을 붙잡고 앞다투어 묻기 시작했다.

“저 악공은 누구요?”

“또 들을 수 있는 거요?”

“언제 또 들을 수 있는 거요?”

순간, 나는 항주 유흥가에서 매소옥은 돈이고 권력이라던 용신방주의 마지막 말이 생각났다.

남궁세옥에 이어 수백 명의 지켜보는 손님들까지. 이을룡도 더는 용빼는 재주가 없었다.

그는 남궁세옥을 돌아보며 포권을 쥐었다.

“오늘은 여러 가지 실례가 많았습니다.”

이어 나를 한번 노려보고는 표사들과 함께 조용히 다루를 빠져나갔다.

이을룡은 이번 일을 그냥 넘어가지 않겠다고 했지만, 나는 떳떳했으므로 하나도 무섭지 않았다. 세상 누구에게 타인의 자유를 빼앗을 권리가 있단 말인가. 이종산도 내 손을 들어줄 것을 확신했다. 고로 이 일은 이제 여기서 끝이다.

남은 것이 있다면 매소옥이 앞으로 어떻게 살아갈지를 궁리하는 것뿐. 물론 내 역할은 어디까지나 그녀의 호위일 것이다.

"결국 귀하의 뜻대로 됐네요."

"소저가 도와준 덕분이오."

"뭘로 갚을래요?"

"뭘로 갚으면 좋겠소?"

"엉터리 각서나 찢어줘요."

"표국에 두고 왔소. 그리고 엉터리 아니오."

"정말 두고 왔나요?"

"그런 걸 가지고 다닐 리가 없잖소. 그리고 차는 언제 주는 거요?"

"차만 마시고 빨리 가세요."

"날도 추운데 천천히 마시고 놀다 갈 거요."

4장
곳곳에 고수가 있다

매소옥이 다선초당에 머문 지 두 달이 지났다. 그사이 다선초당은 그녀의 후견인이 되었다. 또한 고작 차 한 잔값에 최고 수준의 칠현금 연주를 들으러 오는 풍류객들로 미어터졌다.

녹원루주는 매소옥의 일을 문제 삼아 원상태로 돌려놓지 않으면 계약을 파기하겠다고 천룡표국에 으름장을 놓았다. 그러자 이종산이 먼저 계약파기를 선언해 버렸다.

더불어 이을룡과 내게 한 달간 외부 활동을 일체 금하라는 징계를 내렸다. 이을룡은 일의 경중을, 나는 선후를 몰라보았다는 것이 이유였다. 이을룡은 모르겠으나 내게는 울고 싶은데 뺨 때려주는 격이었다.

나는 십칠각에 갇혀 촌각조차 아껴가며 천무진경의 내공심법과 십초박과 귀영무를 수련했다. 그리고 징계가 끝나자 전립성과 가불염이 추려놓은 의뢰들 중 급한 것들을 빠르게 해나가기 시작했다.

"하다 하다 이젠 왜구 노릇까지 시키는 건가?"

"왜구가 아니고 왜국 상인입니다."

"그거나 그거나. 서호삼절이 왜구 머리를 하다니."

"잠깐만 변장하는 건데 어떻습니까?"

"그래도 이건 아니야."

"대신 제가 양화루에서 일어난 칼부림 사건은 확실히 묻어드리겠습니다. 그날 양화루가 피바다였던 건 아시죠?"

"무슨 피바다씩이나."

"사람이 세 명이나 죽었습니다."

"모두 흑도들일세."

"흑도들은 사람 아닙니까? 그리고 저녁나절에 잠깐 왜국 상인 분장하고 나왔다가 몸 좀 풀고 돌아가는 길에 은전 두 냥씩 챙겨가시면 솔직히 선배님들께서도 남는 장사 아닙니까?"

"몸 좀 푸는 일일지, 목숨을 거는 일일지는 두고 봐야 아는 거고."

말은 그렇게 했지만, 이견도 더는 따지지 않았다.

나는 지금 서호삼견을 이끌고 어둠이 내린 바닷가를 빠르게 걷고 있었다. 오늘 아침 남궁소소에게 서호삼견을 왜국 상인들로 변장시켜 달라고 부탁했더니 머리를 저 지경으로 만들어놓았다. 내가 볼 때는 북방에서 유행하는 몽골식 변발과 크게 다르지도 않은데 저렇게 호들갑을 떤다. 그나마도 지금 당장은 죽립까지 썼다. 이게 다 객원표사비를 제대로 챙기려는 수작이다.

사실 지난 한 달 동안 이런 식으로 서호삼견을 불러다 쓴 게 벌써 세 번째였다. 이쯤 되니 이 양반들이 진짜 진왕에게 올리는 보고가 무서워서 왔는지, 아니면 객원표사일이 제법 쏠쏠해서 왔는지 나도 헷갈릴 지경이었다.

"그나저나 언제까지 가야 하는가?"

"다 왔습니다."

나는 파도가 치는 해안가 절벽 위를 가리켰다. 주위에 인가라곤 보이지 않는 그곳에 횃불 수백 개가 대낮처럼 밝혀져 있었다.

"저곳은……."

"흑시(黑市)가 열리는 곳입니다."

항주의 동쪽 바닷가 절벽 꼭대기에 위치한 폐사지에서는 한 달에 한 번씩 흑시라 불리는 암시장이 열린다. 언제부터 시작되었는지도 모르고, 누가 관리를 하는지도 모른다. 심지어 관리를 하는 자들이 있기는 한 건지조차 아는 이가 없다.

다만 한 가지 확실한 것은 아편부터 시작해 인육까지, 돈만 주면 세상에 구하지 못할 물건이 없었다.

"아니지. 그 반대지. 오히려 구하지 못하는 물건이 훨씬 많다네. 흑시에서는 평범한 물건을 절대 팔지를 않으니까."

일견의 말이었다. 역시 흑도라 그런지 이쪽 계통으로는 나보다 훨씬 직관적이고 빠르다.

"한데 여긴 왜 온 건가?"

"사람을 찾으려요."

"이번 의뢰는 사람을 찾는 건가?"

"그렇습니다."

"흑시에 와서 사람을 찾다니. 알 만하군."

일견은 이견과 삼견을 돌아보며 말했다.

"다들 들었겠지? 아무래도 좋지 않은 무리와 엮일 것 같다. 혹여라도 부지불식간에 서로의 별호를 불러서 신분을 노출하는 일이 없도록 해라."

누가 보면 자기들은 퍽이나 좋은 무리인 줄 알겠다.

중이 떠난 후 폐허가 된 절간 곳곳에는 온갖 기괴한 것들을 파는 사람들과 그것들을 사거나 구경하러 온 사람들로 북적거렸다. 생김새가 다른 타국의 이방인들도 심심치 않게 보였다. 저들은 대부분 흑시를 통해 밀무역을 하는 자들이었다.

그들 사이로 칼을 비스듬히 품은 채 삼삼오오 모여 있는 자들도 적지 않았다. 돈만 주면 사람을 불구로 만드는 것부터 시작해 목숨까지 끊어준다는 떠돌이 칼잡이들이었다. 그중에는 일찌감치 흑시로 들어와서 놈들을 감시하고 있던 가불염도 보였다.

가불염이 아무도 모르게 한 곳을 가리켰다. 나는 굴러다니는 댓돌에 호패 수십 개를 좌판처럼 펼쳐놓고 파는 중년인의 앞에 섰다. 얼굴에 칼자국을 두 개나 새긴 것이 척 봐도 보통 놈은 아니었다.

"호패부터 노인(여행허가서)까지 원하는 대로 전부 만들어줄 수 있소. 나이 성별 출신. 뭐든 말만 하시오."

"여기 있는 세 분은 왜국에서 오신 상인들이오. 건강한 동남동녀 서른 명 정도만 내일 아침까지 배에 실었으면 하오. 배는 저기 있소."

나는 어둠에 잠긴 바다를 턱으로 힐끗 가리켰다.

"잘못 찾아온 듯싶소만."

"값은 후하게 쳐주겠소."

"난 호패 장사꾼이오."

"마지막으로 한 번만 더 묻겠소. 동남동녀를 취급하는 상인들이 당신들만 있는 건 아니니까. 흥정을 해보겠소? 아니면 다른 상인을 찾아보리까?"

"못 보던 자들인데?"

"첫 거래에는 누구나 그렇지."

"함께 오신 분들은 우리 말을 못 하오?"

"하고 싶은 말이 있다면 내게 하시오. 모든 권한은 내가 위임받았으니까. 더불어 이들이 원하는 바 역시 내가 전달해 줄 것이오."

"아직 마당도 안 쓸었는데 판부터 깔려고 하면 쓰나. 아무리 바빠도 서로 얼굴은 보아야 흥정을 하든지 말든지 하지."

죽립을 벗어보란 소리다.

나는 세 사람을 돌아보며 고개를 끄덕였다.

세 사람이 그때까지 쓰고 있던 죽립을 벗었다. 그러자 이마를 싹 밀고 뒷머리를 모아 상투를 틀어 올린 왜국 상인 세 명이 모습을 드러냈다. 항상 느끼는 거지만 남궁소소의 솜씨는 최고였다.

그때 사내가 갑자기 서호삼견에게 물었다.

"(안녕하세요. 어디서 오셨습니까?)"

"……!"

나도 서호삼견도 그대로 얼어붙어 버렸다. 이건 전혀 계산에 없던 일이다. 당연한 말이지만, 나도 서호삼견도 왜국 말이라곤 알아듣지도 하지도 못했다.

서호삼견은 어찌할 바를 몰라 내 눈치만 보았다. 그러다 삼견이 뭐라도 해본답시고 조심스럽게 한마디 했다.

"빠가야로?"

사내의 표정이 굳어지더니 슬그머니 팔짱을 끼었다. 그러자 주변에 흩어져 있던 칼잡이 대여섯 명이 뒤쪽으로 쓰윽 다가와서는 우리를 포위하고 섰다.

"염병할, 머리는 한번 써먹지도 못하고 들켰네."

이견의 말이었다.

이렇게 된 이상 더는 시간을 끌 필요 없다. 나는 앞쪽에 있는 사내를 향해 좌수를 벼락처럼 뻗었다. 이어 놈의 머리끄덩이를 덥석 잡고는 그대로 댓돌에 얼굴을 처박아 버렸다.

퍽!

소리만으로도 코가 깨지고 앞니가 박살 나는 게 느껴졌다. 그러나 나는 놈의 머리통을 찍어 누른 상태로 뒤통수를 망치질하듯 주먹으로 인정사정없이 가격하기 시작했다.

퍽! 퍽! 퍽!

불과 두 달 사이에 내게는 무려 육십 년 추정의 공력이 생겼다. 이 공력을 양 주먹에 담아내면 비록 초식은 투박할지언정 가공할 속도와 힘이 생겨났다. 여기에 이능력을 더하면 나는 이제 더 이상 옛날의 약골 이정룡이 아니었다. 일류급의 고수와도 대등하게 겨룰 수 있는 실력이라고 자부할 수 있었다.

"그, 그만……."

머리끄덩이를 잡고 쳐들었을 때 놈의 얼굴은 만신창이가 되어 있었다. 입과 코는 주저앉은 지 오래고, 광대뼈에서조차 피가 철철 흘러내렸다.

그사이 내 뒤쪽에는 깡깡 챙챙 소리가 요란하게 울려대고 있었다. 왜인으로 변장한 서호삼견이 여섯 놈을 상대로 싸우는 소리다. 하지만 나는 돌아보지조차 않았다.

"애들 어딨어?"

"다, 당신들 실수하는……."

퍽!

나는 다시 놈의 얼굴을 댓돌에 처박고 찍어 누른 상태에서 뒤통수를 망치질했다.

잠시 후, 다시 놈의 얼굴을 강제로 쳐들었을 때는 성한 곳을 찾아볼 수 없을 정도로 온통 피 칠갑이었다. 심지어 눈에까지 피가 고여 있었다.

"애들 어딨어?"

"사, 살려주십…… 시오."

"이것 봐. 이정룡!"

뒤에서 이견이 나를 부르는 소리였다. 나는 꼭지가 홱 돌아버리는 것 같았다. 방금 신분을 노출시키지 않도록 서로 별호를 부르지 말자고 해놓고 버젓이 내 이름을 부르면 어쩌자는 건가.

"왜요, 서호삼절 선배님!"

나는 그대로 돌려주며 돌아섰다. 그러고는 그만 뻣뻣하게 굳어버렸다.

서호삼견의 앞에는 잠깐 사이에 때려잡은 여섯 명의 칼잡이들이 쓰러져 뒹굴고 있었다. 한데 그것보다 대여섯 배는 많은 서른여 명의 칼잡이들이 어느새 우리를 에워싸고 있었던 것이다. 셋이서 여섯 명을 상대하는 것과 넷이서 서른 명을 상대하는 건 차원이 다른 문제였다.

갑작스러운 싸움판에 흑시는 아수라장이 되어버렸다. 보통의 저잣거리 같았으면 옆에 있다가 칼이라도 맞을까 봐 다들 줄행랑을 쳤을 것이다. 한데, 흑시에서는 달랐다. 너도나도 하던 일을 멈추고 몰려와서는 크게 빙 둘러쌌다. 신나는 구경거리가 생긴 것이다.

장대한 체구의 애꾸눈이 앞으로 나왔다. 등에는 대감도를 가로질러 맸는데, 딱 봐도 일류급의 고수였다.

"항주를 떠들썩하게 만들고 있는 표사와 서쌍교방의 고수들이라. 묘한 조합이로군."

놈이 자신들을 알아보자 이견은 그제야 자신이 무슨 실수를 했는지, 내가 어떻게 보복을 했는지를 깨닫고 어금니를 빠드득 갈았다.

내가 말했다.

"당신이 두령이오?"

"이대로 조용히 돌아가시오. 하면 천룡표국과 서쌍교방의 체면을 생각해 아무것도 따지지 않고 고이 보내 드리겠소. 다만 한 가지, 아이들 치료비는 좀 주셔야겠소."

"얼마면 되겠소?"

"두당 은전 세 냥씩이오."

일견이 대신 묻고는 그대로 전달하듯 나를 돌아보며 고개를 끄덕였다. 이쯤에서 적당히 합의를 보고 물러나자는 소리다.

사실 서호삼견 역시 흑도인 마당에, 더구나 정체까지 발각당한 상황에서 같은 흑도들끼리 칼부림을 벌이기가 영 껄끄러운 것이다.

"내 이름은 알았으니 귀하의 이름도 좀 압시다."

"흑시에서는 서로의 이름과 내력을 묻지 않는 것이 규칙이오."

"젠장, 누군지도 모르고 돈을 써야 한다니."

그러면서 나는 품속에서 전낭을 꺼냈다. 이어 모두가 보는 앞에서 전낭을 거꾸로 들어 왼쪽 손바닥에 털었다. 그러자 은전이 와르르 쏟아졌다. 한 손으로 모두 담을 수 없어 중간에 멈추고 다시 은전을 전낭에 넣어야 했다.

전낭 속에 든 은전은 정확히 백 냥, 놈들이 돈을 보자고 하면 보여주려고 챙겨온 것이었다.

생각지도 않게 큰돈이 나오자 모두 눈이 휘둥그레졌다. 구경꾼들조차도 마른침을 삼키며 탐욕스러운 눈길을 보냈다.

서호삼견은 내게 치료비를 지불하고도 남을 만큼 충분한 돈이 있음을 확인하자 그제야 안도의 한숨을 내쉬었다.

나는 호패가 널브러져 있던 댓돌 위로 올라갔다. 이어 전낭을 높이 들고 몰려든 구경꾼들을 향해 큰소리로 외쳤다.

"저들을 뭐라고 부르는지 모르겠으나 모두 내가 누구와 싸우고 있는지 잘 알 것이오. 지금부터 저들의 머리에 현상금을 걸겠소. 두당 은전 다섯 냥씩이오. 꼭 죽이지 않아도 내 앞에 무릎을 꿇리기만 하면 되오. 돈은 은전 백 냥밖에 없소. 먼저 가져가는 사람이 임자요!"

"이런 미친!"

애꾸눈의 하나밖에 없는 눈꼬리가 치켜 올라갔다. 그러나 감히 공격할 생각을 못 했다. 뒤쪽에서 남의 일인 것처럼 구경만 하고 있던 떠돌이 칼잡이들이 하나둘씩 눈빛을 빛내며 다가왔기 때문이다.

그 숫자가 오십여 명을 훌쩍 넘었다. 근본도 없고, 내력도 모르는 떠돌이 칼잡이들에게 의리를 찾는 건 멍청한 짓이다.

그때였다.

"으악!"

한 놈의 비명을 시작으로 아수라장 같은 싸움이 시작되었다. 애꾸눈과 그의 수하들은 갑자기 몰려든 떠돌이 칼잡이들을 상대로 생사가 걸린 전쟁을 벌이기 시작했다.

은전은 백 냥밖에 없었지만, 일단 혼전이 벌어지면 싸움은 중간에 끊어질 수가 없다. 한 식경도 지나지 않아 놈들은 일망타진 당하고 말 것이다.

한바탕 싸움을 각오하고 왔던 나와 서호삼견은 그만 할 일이 없어져 버렸다.

"도대체 이 일은 누가 의뢰한 건가?"

이견이 물었다. 내가 실종된 아이를 찾겠답시고 돈을 물 쓰듯 쓰니 어느 부잣집으로부터 의뢰라도 받은 줄 아는 모양이다.

하지만 그런 아이들은 잡혀갈 일이 없다. 저 인간 상인들에게 잡혀간 동남동녀들은 돈을 벌게 해주겠다는 꼬임에 넘어간 거리의 고아들이었다. 어느 날 갑자기 세상에서 사라져도 아무도 아는 사람이 없는.

"놈들에게 누나를 빼앗긴 사내 녀석입니다."

"동남동녀가 이미 아이들인데 또 동생이라면?"

"아홉 살이라더군요."

"의뢰비는?"

"강아지 세 마리입니다."

"의뢰비로 강아지 세 마리를 받았다고?"

"아직 받은 건 아니고요. 다음 달에 새끼를 낳으면 받기로 했습니다. 제일 예쁜 놈으로다가."

기가 막히는지 이견은 그만 입을 닫아버렸다. 삼견도 어안이 벙벙한 얼굴이었다.

잠시 침묵이 흐른 후 일견이 내게 물었다.

"협객 놀이를 하고 싶은 건가??"

"천만에요."

"한데 왜?"

"이틀 전 한 꼬마 녀석이 임신한 암캐 한 마리를 끌고 천룡표국으로 왔습니다. 며칠 전부터 누나가 안 보인다고 좀 찾아달라면서. 그때 눈을 딱 감고 거절했어야 하는데."

"왜 하지 않았나?"

"우리가 들어주지 않으면 그 녀석은 더는 찾아가 부탁할 곳이 없겠더라고요."

"오지랖이 넓군."

"저도 처음엔 소매치기 패거리에게 잡혀갔을 거라 생각하고 금방 찾을 줄 알았습니다. 이렇게까지 손해를 볼 줄도 몰랐고요. 그래서 말씀인데 선배님들께 드리기로 한 돈, 강아지로 한 마리씩 드리면 안 되겠습니까?"

"닥치게."

"피도 눈물도 없으시군요."

"피도 눈물도 없다는 말은 우리에게 칭찬일세. 그리고 두당 은전 다섯 냥씩 준다는 말, 우리에게도 해당하겠지?"

내가 대답도 하기도 전에 세 사람은 아수라장 속으로 뛰어들었다.

흑시에서의 일을 마무리하고 돌아오니 삼경이 가까워졌다. 다행히 일은 깨끗하게 잘 처리되었다. 놈들은 일망타진했고, 아이들은 모두 살던 곳으로 돌려보내 주었다. 돌아갈 집이나 있을지 모르겠지만.

"귀가하는 대로 표왕부로 오시라는 전언입니다."

"갑자기 무슨 일로?"

"손님이 오신 것 같습니다."

"손님?"

"저도 자세히는 모르겠습니다."

나는 제대로 씻지도 못하고 표왕부로 향했다. 그곳에는 총관 곽석산과 대장궤 손지백은 물론이거니와 오당의 당주들까지 전부 모여 있었다. 심지어 이병룡까지도.

이렇게만 보면 딱 갑자기 소집된 장로회의였다. 한데 장로회의에는 절대 있어선 안 될 외부인들이 있었다.

그들은 이십 대 중후반의 준수한 용모를 지닌 이남일녀였는데, 모두 예사롭지 않은 기도를 뿜어냈다. 나이를 고려하면 쉽게 믿기 힘들 만큼 강한 기도였다. 그리고 뭐라 말할 수 없는 정순함이 있었다. 지금까지 저런 느낌을 준 사람은 남궁세옥과 남궁소소가 유일했다.

나는 직감적으로 느낄 수 있었다.

'명문대파의 후기지수들이다!'

"손님들께서 오셨단 말 못 들었느냐? 옷이라도 갈아입고 올 것이지. 이게 무슨 무례냐?"

이병룡이 면박을 주면서도 손님들 앞이라 그런지 목소리를 평소와 달리 부드럽게 했다.

지금 내 옷차림은 흑시에서 입고 싸웠던 그대로였다. 바깥에선 깜깜해서 깨끗한 줄 알았는데, 대황촉을 환하게 밝힌 방 안으로 들어오고 보니 곳곳에 피가 조금 튄 상태였다.

"죄송합니다. 서둘러 오느라 그만."

"표국의 일에는 밤낮이 따로 없고, 무림인의 옷이 더러운 것이야 항상 있는 일이 아니겠습니까? 정룡 공자께서는 너무 마음 쓰지 마십시오."

윗눈썹이 꼭 칼 두 자루를 붙여놓은 것처럼 생긴 사내의 말이었다. 준수한 용모도 용모지만, 말투며 표정에서 강한 자신감이 느껴졌다.

"청성 제자 두소부입니다."

"점창 제자 양조광입니다."

"당문에서 온 당군백입니다."

칼자루 눈썹을 시작으로 세 명이 앉은 자리에서 나를 향해 가볍게 포권을 취해왔다. 나도 똑같은 자세로 응수했다.

"천룡표국 십칠각주 이정룡입니다."

명문대파의 후기지수들일 거라고 짐작은 했다. 하지만 소위 말하는 구대문파와 그 유명한 사천당문의 제자일 줄은 생각도 못 했다.

청성과 당문은 사천성에 있고, 점창은 장강을 경계로 마주 보고 있는 운남성에 위치했다. 모두 이곳 항주에서는 만 리 밖의 문파들이었다. 워낙 멀어서 내가 잘 모르는 것일 뿐, 풍기는 기도를 보면 십중팔구 인근에서는 유명한 후기지수들일 것이다. 특히 당군백이라는 저 당문의 여자는 남자 같은 이름과 달리 대단한 미인이었다.

그때 이병룡이 또 말했다.

"세 분은 현재 무림맹 용봉지회(龍鳳之會)에서 활약 중이시다. 지금은 모종의 임무를 띠고 황산으로 왔다가 맹으로 돌아가는 길에 잠시 들른 것이고."

무림맹은 백도무림 최대의 연맹세력으로 청룡당 당주인 유지평이 한때 몸담았던 곳이다. 한데 무림맹에서 후기지수들이 왜 왔을까? 나는 이미 짐작 가는 바가 있었다.

두소부가 말했다.

"정룡 공자의 명성은 익히 들었습니다."

"제게 무슨 명성이랄 것이 있다고요."

"천하가 아무리 넓다지만 강호무림의 소식통은 보통 사람들의 그것보다 훨씬 빠른 법이지요. 늦었지만 회시에 장원급제하신 것 축하드립니다."

"민망합니다."

칭찬을 하기는 하는데 왠지 모르게 진심이 느껴지지 않는다. 나는 직감적으로 알 수 있었다. 당군백은 몰라도 두소부와 양조광은 나를 별로 대단치 않게 여기고 있었다.

사실 구대문파의 제자는 아무나 될 수 있는 게 아니다. 기재들 중에서도 기재라 불리는 자들만이 구대문파의 제자가 될 수 있다. 거기다 무림맹 용봉지회에서 활약할 정도라면 각자의 사문에서도 고르고 고른 인재를 파견했을 것이다. 이들은 전부 어려서부터 신동이니 천재니

하는 소리를 귀가 따갑도록 들으며 자랐을 것이다. 그러니 웬만한 인물은 눈에 찰 리가 없다.

부모를 잘 만나 저절로 한 자리씩 꿰찬 천룡표국의 이씨 사형제들 같은 경우는 더 그럴 것이다. 나는 거기다 무공도 아니고 회시에 장원 급제한 것으로 알려졌으니, 어쩌면 글만 아는 약골이 표사가 되겠답시고 뛰어다니는 것처럼 보일지도.

두소부가 이종산에게 말했다.

"저희는 이제 그만 일어나야겠습니다. 늦은 시간에 국주님과 여러 선배님들께 큰 폐를 끼쳤습니다."

"나가면 쉴 곳을 마련해 줄 것이네."

"아닙니다. 저희는 오늘 밤 다른 곳에서 묵을 것 같습니다. 해서 말씀인데, 물건을 하룻밤만 맡아주실 수 있겠습니까?"

"다선초당으로 갈 셈인가?"

"기왕 항주로 온 김에 남궁세옥 선배를 만나고 가려 합니다. 아시겠지만, 남궁 선배는 용봉지회의 전대 회주이셨습니다."

"알겠네. 그리하시게."

"그럼 다시 한번 부탁드리겠습니다."

세 사람은 이종산을 비롯해 장로들 전부에게 일일이 포권지례를 올린 후에야 비로소 방을 나갔다.

곽석산이 늦게 도착한 나를 위해 저간의 사정을 짧게 설명해 주었다.

요지는 크게 네 가지였다.

첫째, 용봉지회 후기지수들이 황산에서 악명 높은 마두를 하나 잡은 후 무림맹으로 호송 중이다. 둘째, 어찌 된 영문인지 이들은 무림맹주로부터 직접 받은 동패를 내밀며 천룡표국에서 말과 마차와 교대로 번을 서줄 표사 대여섯 명 정도를 지원해 줄 것을 부탁했다. 셋째, 다행히 그 마두에게는 따르는 무리도, 구해줄 친구도 없으니 크게 위험한 일은 없을 것 같다. 넷째, 천룡표국은 어디까지나 조력자로서 호송을 하는 동안에 일어나는 모든 일에 대하여 두소부의 명령을 따라야 한다.

전생에서도 똑같은 일이 있었다. 그때도 표사들로만 구성된 표행단이 꾸려졌다. 일개 쟁자수 신분이었던 나는 당연히 참여하지 못했다. 그래도 대충의 상황은 안다.

결론만 말하면 이 호송은 중간에 마두가 기발한 방법으로 도망치는 바람에 깨끗하게 실패하고 만다. 다 잡은 마두를 놓친 무림맹의 후기지수들은 크게 망신을 당하고, 호송에 동참한 천룡표국, 특히 표두의 이력에도 큰 오점을 남겼다. 그 표두는 이병룡이었다.

"표행단이 꾸려지면 표사들을 이끌 임시 표두를 정할 수밖에 없습니다. 아무리 무림맹의 무인들이라고 해도 천룡표국의 표두에게 함부로 명령을 내리는 건 아닌 것 같습니다."

신중한 이갑룡이 평소와 달리 먼저 포문을 열었다. 무림맹 후기지수들의 오만이라면 오만이랄 수 있는 요구에 대해 같은 항렬로서 어떤 책임감을 느낀 모양이었다.

이을룡이 덧붙였다.

"저도 형님과 같은 생각입니다. 표행을 하는 동안에는 표두가 곧 천룡표국을 대표합니다. 천룡표국을 대표하는 사람이 타 문파 후기지수의 명령을 받을 수는 없습니다."

"게다가 이 의뢰는 아무런 실익이 없습니다. 성공하면 용봉지회의 후기지수들이 모든 공을 가져갈 것이고, 실패하면 그 책임을 싫든 좋든 천룡표국이 나눠서 져야 합니다."

"거기다 표비도 받을 수 없고요."

"그건 저들 역시 마찬가지다. 마두를 잡아다 무림맹에 내다 팔려고 호송하고 있는 게 아니라는 걸 알아야지."

이종산이 이을룡의 경솔한 언사를 나지막하게 나무랐다. 뒤늦게 자신의 실수를 깨달은 이을룡이 한순간 고개를 숙였다.

천룡표국은 무림맹의 맹방이 아니었다. 그럼에도 불구하고 무림맹에서 협조를 요청하면 웬만한 일들은 돈을 받지 않고 도와줘 왔다. 일단 그들이 하는 일 자체가 강호의 안녕과 질서를 위한다는 공익적인 성격이 강하기 때문이었다. 바로 그 강호를 무대로 밥을 먹는 표국으로서는 남의 일인 것마냥 냉정하게 굴 수가 없는 노릇이다.

"두 당주의 말도 일리가 있습니다. 마두의 호송에 관한 건 그렇다고 치더라도, 길을 잡거나 어디서 쉬고 출발할지 하는 것들까지 명령을 받는 것은 좀 그렇지요. 충분히 나쁜 선례가 될 수 있습니다."

유지평이 말했다. 그로서는 입장이 곤란할 터인데도 불구하고 확실하게 천룡표국의 편에서 이야기를 한 것이다. 그러자 이번엔 황자충이 유지평의 입장에서 조금 얘기를 해주었다.

"사적인 일로 명령을 하겠다는 것도 아닌데 무조건 천룡표국의 체면만 고집할 수도 없는 노릇입니다. 그리고 아무나 보내서도 안 됩니다. 무림맹주의 동패를 보고도 소홀하게 대했다는 소리를 듣는다면 차라리 안 도와준 것만 못하게 됩니다."

사실 이 일은 도움은 주되 여정에 관련된 일은 모두 우리가 결정하겠다고 선을 그어버리면 그만이다. 다만 두소부가 하필 무림맹주로부터 직접 받은 동패를 쥐고서 저리 정중하게 부탁을 하니 대놓고 묵살을 하지 못할 뿐이다.

두소부가 저리 나오는 이유는 뻔하다. 호송을 하는 중에 말썽이 생겨 천룡표국이 작은 활약이라도 했다간 자칫 자신들의 공이 희석될까 두려운 것이다.

사람들은 모두 생각에 잠겼다. 하나같이 도움을 주기는 주어야겠는데, 어떻게 해야 할지 떠오르지 않는 얼굴들이었다.

그러다 이종산이 손지백에게 불쑥 물었다.

"대장궤께서는 어떻게 생각하십니까?"

"저 말입니까?"

"배표(配鏢)는 원래 대장궤의 일이고 전문 분야이지 않습니까? 지금쯤이면 당연히 생각을 내놓으셔야 할 것 같습니다만."

"이런 상황에서 이런 말은 좀 그렇지만, 남궁세가는 언제 가실 겁니까? 초청장을 받은 지가 언제인데 하세월만 보내고 계시니 솔직히 답답합니다."

"뇌검께서 곧 팔순을 맞으신다고 하니 봄소식처럼 갈 생각입니다. 남궁세가에도 그렇게 전달을 해서 좋다는 답신까지 받았고요."

"그때까지 제가 살아 있을지 모르겠습니다."

"갑자기 그 얘기는 왜 하시는 겁니까?"

"무림맹까지 갔다 오려면 한 달은 족히 걸릴 텐데, 혹시라도 그 안에 남궁세가행이 결정되면 차질이 있을까 봐서 그랬습니다. 다행히 그럴 것 같진 않군요."

"대장궤께서 가시려고요?"

"그럴 리가요."

"하면요?"

"복잡하게 생각할 것 없습니다. 타 문파 후기지수들의 명령을 듣는다고 하여 천룡표국의 체면이 크게 상하지 않으면서, 동시에 무림맹의 체면도 살려줄 정도의 중량감 있는 인물을 앞세워 표행단을 꾸려 주면 됩니다."

"그게 누구입니까?"

"십칠각주이지요."

모든 사람의 시선이 동시에 내게로 쏠렸다. 그리고 답답해하던 얼굴에 그제서야 하나둘씩 안도의 빛이 떠오르기 시작했다.

손지백의 설명이 이어졌다.

"십칠각주는 천룡표국의 사공자이니 우리로서는 충분히 성의를 표시한 겁니다. 그러나 사실상 무림초출에 나이도 대여섯 살 정도 어리니 선배격인 두소부의 명령을 받아도 크게 체면을 상하지 않는 일이지요."

유지평이 덧붙였다.

"무림맹 후기지수들과 천룡표국이라는 등가를 선배와 후배로 바꿔 버리자는 말씀이로군요. 과연 탁월한 생각이십니다."

곽석산도 보탰다.

"만약 호송에 실패해도 무림초출인 십칠각주와 책임을 나눠서 지기는 어려울 것입니다. 그랬다간 두소부의 그릇이 작음만 인정하는 꼴이 될 테니까요. 고로 천룡표국 역시 크게 체면을 상할 염려가 없고 말입니다."

저기요. 그런 말들은 당사자 면전에서 하기는 좀 그런 것 아닌가요?

나는 입맛을 쓰게 다셨다. 내가 화조신옹을 죽인 건 아무도 모르니 그렇다고 치자. 하지만 백백곡의 살수들로부터 진왕과 공주까지 지켜냈다. 마지막엔 백백곡주와 살수들도 전부 사로잡았다. 이 정도면 나도 표사로서 제대로 신고식을 한 것 같은데, 저들에겐 여전히 신출내기로 보이는 모양이다.

역시 무공이 강해야 한다. 강한 적을 무공으로 꺾어야만 비로소 한 사람의 무인으로 그리고 당당한 표사로 인정받을 수 있다.

기가 막힌 작전이라고 생각했는지, 이 일을 맡아선 안 된다고 극구 주장했던 이갑룡과 을룡도 조용히 입꼬리가 올라갔다.

이종산이 내게 물었다.

"무림맹의 일이고 대의가 있는 일이다. 다른 의뢰처럼 계약을 할 수도 없고, 돈을 받을 수도 없다. 그래도 하겠느냐?"

"거절해도 됩니까?"

"대신 앞으로 일 년 동안 십칠각에 배정되는 의뢰는 없을 것이다. 너는 오로지 혼자 힘으로 십칠각을 꾸려가야 한다."

"지금도 지명 의뢰가 넘쳐납니다만."

"자만하지 마라. 여기 있는 당주들에게는 그런 시절이 없었을 것 같으냐? 메뚜기도 한철이라는 말이 있음을 명심해라."

하지만 그들은 그 한철에 잔뜩 재미를 보았겠지. 나는 이렇게 모두를 대신해 무료 봉사를 하러 가야 하고.

어차피 갈 거 시원하게 가자.

"알겠습니다. 제가 가겠습니다."

"오늘 회의는 이만 끝내도록 하지."

이종산이 내게서 시선을 떼지 않은 채 말했다. 둘이서만 할 얘기가 있으니 모두 자리를 비켜달라는 소리다.

잠시 후, 방 안엔 나와 이종산만 남게 되었다.

"표사와 쟁자수는 왜 증원을 않는 것이냐? 표사가 되겠다며 십칠각의 문을 두드리는 무사들이 적지 않은 것으로 안다만."

"열심히 고르고 있습니다."

"문턱이 지나치게 높으면 제아무리 싹이 좋은 표사라도 넘기가 어려운 법이다."

"좋은 표사는 필요 없습니다. 최고의 표사들만 필요합니다."

"그리 엄격한 이유라도 있느냐?"

"아버지께서 성공하실 수 있었던 건 휘하에 표사들이 많아서가 아니라 곽 숙부님과 손 백부님, 그리고 삼 당의 당주님 같은 분들이 계셨기 때문이라고 생각합니다."

"절반은 맞고 절반은 틀리다. 내게 최고의 표사들이 있었던 건 사실이나, 그들은 모두 많은 표사들 중에서 스스로 두각을 나타내어 내 눈에 띈 사람들이다."

"현실적으로 일각이 거느릴 수 있는 표사는 많아야 열 명에 불과합니다. 최소한 그 자리만이라도 가장 뛰어난 표사들로만 꽉 채우고 싶습니다."

"더 많은 표사를 거느린 각도 있다. 규모가 커지면 여섯 번째 당(黨)이 될 수도 있고. 물론 그전에 네가 그들 모두를 먹여 살릴 수 있어야겠지."

내가 아는 한 천룡표국 역사상 여섯 번째 당이 존재했던 적은 없었다. 나는 그제야 이종산이 십칠각의 표사 증원에 관심을 가지는 이유를 알았다. 그는 자신의 대에서 처음 향시와 회시 급제자에 이어 여섯 번째 당까지 만들고 싶은 것이다. 다른 누구도 아닌 나를 통해서. 이건 그만큼 내게 기대를 건다는 뜻이다. 내가 가능성과 희망을 주었다는 의미이기도 하고.

그러나 쉬운 일이 아니다. 일 당이 거느린 표사들의 숫자는 대략 오십여 명, 여기에 쟁자수까지 거느리면 작게는 백 명에서 많게는 이백 명에 가까운 식솔이 늘어나는 셈이다. 말이 좋아 당이지, 작은 표국에 버금간다.

"가장 뛰어난 표사들로 규모를 늘리겠습니다."

"덩치를 불리는 것보다 내공부터 키우겠다?"

"그렇습니다."

"지금 당장 표사는 어떻게 충당할 생각이더냐?"

"생각이 있습니다."

"흑도들과 가깝게 지낸다고 들었다."

"사실입니다."

"흑도에 몸담았으나 제법 의기 있는 사람도 있고, 백도인을 자처하나 흑도인보다 더 비열한 사람도 있음을 안다. 어느 쪽이든 네가 그들을 부린다면 그들에 대한 평판이 곧 너와 천룡표국의 평판이 될 것임을 잊어선 안 된다."

"명심하겠습니다."

"혹시 네게 이 일을 맡겨 서운하느냐?"

"아닙니다."

"대장궤께서는 너를 위해 일부러 꾀를 내신 것이다. 총표두와 청룡당주는 그걸 알면서도 맞장구를 쳐준 것이고."

"……?"

"무림맹 용봉지회의 후기지수들은 20년 후 각자의 사문을 지탱할 동량지재들이다. 다른 녀석들은 몰라도 든든한 외가가 없는 너에게는 그들과의 인연이 훗날 큰 도움이 될 수도 있을 것이다. 너는 병룡이 항주무림의 후기지수들에게 적지 않은 공을 들이고 있음을 알고 있겠지?"

솔직히 이것까지는 생각 못 했다. 나는 저들과의 인맥에 기대어 무언가를 해볼 생각이 전혀 없었으니까.

"감사합니다."

"조심해서 다녀오너라."

사람들이, 심지어 무림맹의 후기지수들조차 까맣게 모르는 것이 한 가지 있었다. 이번 표행은 그들이 생각하는 것보다 훨씬 고되고 어려워질 것이다.

세상에 고되고 어려운 일 중에 돈이 안 되는 일이란 없다. 그리고 나는 한 달이나 무료 봉사를 할 생각이 없었다. 그것도 새파랗게 어린 녀석들의 명령까지 들어가면서.

'용린신갑을 챙겨야겠구나.'

"우릴 부르셨다고요?"

두소부가 내게 물었다. 새벽부터 천룡표국으로 끌려오다시피 한 무림맹 후기지수들은 피곤한 기색이 역력했다.

"국주님으로부터 마두의 호송을 지원하라는 명을 받았습니다. 잘 부탁드립니다."

"정룡 공자께서 직접요?"

"혹시 제가 성에 안 차십니까?"

"그럴 리가요. 충분합니다."

"다행이군요."

"한데 이 새벽에 무슨 일로?"

"슬슬 출발해야죠."

"지금 말입니까?"

"표국에는 눈도 많고 입도 많습니다. 바깥에는 그 눈과 입을 사려는 사람들이 즐비하고요. 그들이 예상치 못한 시간에 예상치 못한 길로 가야 합니다. 짐은 다들 챙기셨겠지요?"

세 사람은 끙 소리가 들릴 정도로 한숨을 내쉬었다. 그러다 두소부가 목소리를 착 가라앉히고는 말했다.

"일을 잘 해보려는 정룡 공자의 뜻은 알겠습니다. 하지만 이 정도로 신경을 쓸 것까진 없습니다. 그리고 앞으로 모든 건 제가 결정을 합니다. 이 점을 분명히 밝혀둡니다."

두소부의 눈에 비친 나는 의욕만 앞서는 무림초출 그 이상도 이하도 아님을 느낄 수 있었다. 내가 진왕과 그 가족을 구했다는 소문도 들었을 테지만, 그 한 번의 일로 자신들이 오랜 시간 나에 대해 듣고 내려온 평가가 바뀌진 않은 것이다.

"그렇게 하시죠."

"제 말을 알아들으신 것 맞지요?"

"호송의 책임자는 두소부 공자이시고 우리는 지원만 한다. 표왕부로부터 이렇게 얘기를 들었습니다. 충분히 숙지하고 있고요."

"다행이군요."

"다만 지원의 범위를 명확히 해주셨으면 좋겠습니다. 우리에게 표행이란 그 자체가 전부 지원입니다. 표주가 함께 간다고 해서 다를 게 없고요."

"말과 마차를 관리하는 것, 표국의 오랜 경험을 살려 지름길을 안내하는 것. 교대로 번을 서는 것. 이 세 가지만 열심히 해주시면 되겠습니다. 한데 지름길은 잘 아십니까?"

"우리 표국에서만 쓰는 정밀 지도가 있습니다."

"잘됐군요."

"정말 그 세 가지만 해드리면 되겠습니까?"

"그거면 충분합니다."

"알겠습니다."

딱 내가 원하는 대답을 들었다. 나는 이제 세 가지 부분에서만 지원을 해주면 된다. 반면 그 이상의 도움이 필요할 때 두소부는 내게 명령이 아니라 부탁을 해야 한다.

'새벽부터 설친 보람이 있네.'

그때 가불염과 세 명의 사내가 작은 마차 두 대를 끌고 왔다. 하나는 말에게 먹일 콩과 식량을 비롯해 여정에 필요한 집기들을 실은 것이었다. 다른 하나는 쇠창살로 만든 맹수의 우리가 실린 마차였다.

사실 이건 부득불 무림고수들을 운송할 일이 있을 때 쓰기 위해 천룡표국에서 특별 제작한 것이었다. 당연히 쇠창살과 자물쇠는 인간의 힘으로 구부리거나 부술 수 없도록 만들어졌다. 또한 뼈와 근육을 마음대로 움직이는 축골공(縮骨功)의 고수들을 고려해 창살의 간격이 닭장보다 더 좁았다.

지푸라기가 잔뜩 깔린 우리 안에는 한 노인이 손과 발에 쇠사슬을 감은 채 가부좌를 틀고 앉아 있었다. 백발의 머리카락과 수염이 얼굴의 절반을 덮었는데, 그 모습이 작고 구부정한 체구와 어우러져 꼭 늙은 원숭이가 우리 안에 갇혀 있는 것 같았다.

실제 이 노인의 별호도 용모와 비슷했다.

'백발노성(白髮老猩)!'

그에 대해서는 온갖 괴소문이 떠돌았다. 그중에 대표적인 것은 두 가지였다. 사부를 죽이는 기사멸조의 죄를 저질렀다는 것과 금단의 마공을 익혀 무수한 무림인들을 불구로 만들었다는 것.

손속이 잔인한 거야 그렇다 쳐도 사부를 죽이는 패륜으로 말미암아 그는 흑도와 백도 모두로부터 인간 취급을 받지 못했다.

"여기 있습니다."

가불염이 크고 복잡하게 생긴 열쇠를 건네주었다. 나는 열쇠를 한 손에 받아들고는 보급품 마차를 끌고 온 세 사람에게 시선을 던지며 물었다.

"역시 저들입니까?"

"십칠각의 표사로 지원한 사람들 중 마지막 삼 차 관문까지 모두 통과한 사람은 이들이 전부입니다."

삼 차 관문이라고 해봐야 별거 없다. 애장산 절벽을 한 식경 안에 올라갔다가 내려올 것, 달리는 말에서 뛰어내렸다가 다시 달려가 그 말을 잡아탈 것, 가불염을 상대로 오십 초 이상 버틸 것.

한데 이 조건을 충족시키는 무사가 이백서른두 명의 지원자들 중에 고작 이들 세 명이었다. 중간쯤에 몸놀림이 예사롭지 않아서 이름도 물어보고 얼굴도 익혀두었는데, 아니나 다를까 예상이 그대로 적중했다.

"이제부터 가 표사께서는 십칠각의 수석 표사입니다. 내가 없는 동안 전 장궤와 의논하여 주루를 관리하는 의뢰부터 하나씩 맡도록 하세요. 주루의 명단은 전 장궤에게 미리 말해두었습니다."

"하면 이들은?"

"정식으로 고용하십시오."

"알겠습니다."

세 사람이 동시에 '감사합니다'를 외치며 허리를 꾸뻑 숙여왔다. 지금이야 저렇게 감동하지만, 진짜 식구가 될 수 있을지는 일을 함께 해봐야 안다.

"매소옥을 호위하는 일도 소홀히 하면 안 됩니다. 다선초당에서 후견인을 맡기로 했어도 호위는 극구 우리에게 부탁한다고 했습니다. 그 이유는 짐작하시겠지요?"

"잘 알고 있습니다."

가불염과의 볼일이 끝나자 장삼이 살아 있는 닭을 양손에 각 두 마리씩 틀어쥐고 나타났다. 약이 바짝 오른 닭들은 날개를 퍼덕일 수 없자 두 발을 열심히 허공에 대고 놀리는 중이었다.

"잘 골랐겠지?"

"이를 말씀입니까."

나는 가불염에게 받은 열쇠를 들고 백발노성이 갇혀 있는 마차로 갔다. 그러고는 거침없이 자물통에 열쇠를 꽂아 창살 문을 열었다.

무림맹 후기지수 세 명이 깜짝 놀라서 다가왔다. 그러나 팔꿈치에서부터 손목까지만 자유로운 백발노성이 할 수 있는 일이라곤 손뼉을 치는 것 외에는 없었다.

"넣어."

"제, 제가요?"

"시간 없어."

장삼은 입술에 침을 바르더니 조심스럽게 다가와서는 닭 네 마리를 우리 안에 휙 던져 버리고는 후다닥 물러났다.

갑자기 자유의 몸이 된 닭들이 홰를 치며 날아다녔다. 그러자 우리 안은 닭털 반 지푸라기 반이 되었다. 나는 닭들이 도망치지 못하도록 얼른 문을 닫고 다시 자물통을 잠갔다. 기행 같은 내 행동에 후기지수들은 아연실색했다.

여태 가부좌를 틀고 있던 백발노성이 처음으로 눈을 떴다. 그러고는 노란 광채를 번뜩이며 물었다.

"무슨 짓이냐?"

"이제 막 알을 낳기 시작한 젊은 암탉들입니다. 저희 표국에서 특별히 기르는 종인데, 지금부터 석 달까지는 하루에 거의 한 알씩 아무 데서나 잘 낳습니다. 대단한 놈들이죠."

"그래서?"

"모든 표행이 그렇지만, 특히 장거리 표행은 효율성과의 싸움입니다. 첫 번째는 불필요한 것들을 모두 버려야 하고, 두 번째는 공간의 낭비가 없도록 해야 합니다. 한데 이 창살 마차는 공간의 낭비가 극심합니다."

"그래서 닭장으로 만들겠다?"

"불편하시더라도 조금만 참으십시오."

"내가 이것들의 목을 모조리 비틀어 버리면?"

"내일 아침 계란을 못 드시겠죠."

"……?"

"황산에서 이곳까지 오는 동안 고충이 적지 않으셨을 걸로 짐작합니다. 하지만 앞으로는 걱정하지 마십시오. 가끔은 닭고기도 구경시켜 드리겠습니다."

목격자에 따르면 처음 백발노성이 천룡표국에 나타났을 때 맨발로 말안장에 밧줄로 묶여서 질질 끌려 왔다고 한다. 그렇게 끌려오면서 먹을 거나 제대로 챙겨줬겠냐.

"나와 협상을 하자는 것이냐?"

"무림맹까지는 대략 보름. 가는 동안 노인장께서 먹고 자는 모든 문제가 제 손에 달려 있습니다."

"협박이로군."

"당해도 손해 볼 게 없는 협박이지요."

"이름이 무엇이냐?"

"천룡표국 십칠각주 이정룡입니다."

그러면서 나는 정중하게 포권지례를 올렸다. 상대가 마두이든 흉신악살이든, 무림의 까마득한 선배인 것은 확실하니 굳이 인사를 아낄 필요는 없다. 설사 나중에 강물에다 처넣는 한이 있더라도.

"닭 잡는 날은 내가 정한다."

그러면서 백발노성은 다시 눈을 감아버렸다.

그의 왼쪽 어깨에 닭 한 마리가 올라가 홰를 쳤다. 하지만 그는 부처라도 된 듯 일절 신경 쓰지 않았다.

두소부와 양조광은 어처구니가 없는지 표정이 어벙벙해졌다. 당군백은 아까부터 얼굴이 벌게지다가 더는 못 참겠는지 손으로 입을 가리고는 '쿡!' 하고 웃음을 터뜨렸다.

두소부가 내게 물었다.

"한데 다른 표사들은 어디에 있는 겁니까?"

"밖에서 기다리고 있습니다."

"밖에서요?"

"천룡표국 안으로 들어오려고 하질 않아서요."

"왜구는 아무것도 아니었어."

"뭘 그 정도씩이나."

"청성, 점창, 당문의 후기지수들을 도와 백발노성을 무림맹까지 호송하는 일이야. 흑도의 형제들이 우릴 보면 뭐라고 하겠어?"

"뭐라고 하는데요?"

"개과천선했다고 손가락질하겠지."

"그렇다고 우리가 무림맹의 무사가 된 건 아니잖아요. 십칠각주가 하는 말을 들으니, 우린 어디까지나 지원조라던데."

"십칠각주?"
"왜요?"
"호칭이 어째 살짝 존칭이다?"
"돈 주는 사람한테 허구한 날 이름을 부르기가 좀 그렇잖아요. 한두 푼도 아니고."
"돈만 주면 아무리 어려도 다 존칭이냐?"
"어려도 우리보다 훨씬 많이 배웠습니다. 그리고 요즘 같은 불경기에 이렇게 한 번씩 표사질을 하니 쏠쏠하고 좋잖아요. 콧구멍에 바람도 쐬고."
"잘하면 아예 천룡표국으로 들어가겠다?"
"자리가 있답니까?"
"뭐?"
"농담입니다. 농담."
이견과 삼견이 티격태격하는 소리에 한참 앞쪽에서 가고 있던 양조광이 고개를 절레절레 흔들었다.
솔직히 나도 좀 부끄러웠다. 초장부터 이럴진대 나중에 낯이 익고 이견의 입에서 욕이라도 나오기 시작하면 어쩔까 싶고.
나는 옆에 있는 일견에게 말했다.
"도와주셔서 감사합니다."
"돈 받고 하는 일이네."
"불편하진 않으십니까?"
"뭐가?"
"무슨 말인지 아시잖습니까?"

흑도들을 객원표사로 고용했다는 걸 눈치챘을 때, 세 후기지수는 황당하기 짝이 없다는 반응이었다. 그러고는 한나절이 넘도록 말 한마디 섞지 않고 있었다.

"우리가 그런 걸 신경 쓸 것 같은가?"

"전혀요."

"하지만 저 친구들은 꽤 신경이 쓰이나 보군."

"그러게 말입니다."

"자네도 그렇고."

"제가요?"

"염려 말게. 시비만 걸어오지 않으면 우리도 얌전히 굴 테니까."

"시비를 걸어오면 가만있지 않겠다는 말이군요."

"당연하지."

"상대는 청성, 점창, 당문의 제자들입니다. 개개인으로도 상당한 수준의 고수들이겠지만, 사문이 실로 무시무시합니다. 이런데도요?"

"누가 이길지는 싸워봐야 알고, 뒷일이 무서워 모욕을 참으면 흑도가 아닐세."

"어련하시겠습니까."

"두 번이면 되겠나?"

"예?"

"자네 입장을 생각해 저들이 시비를 걸어도 두 번은 참겠네."

그게 아닌 것 같은데. 살짝 쫄은 것 같은데.

"그 정도면 충분합니다."

"아는지 모르겠네만, 저들이 전부가 아닐걸세."

"무슨 말씀입니까?"

"무림맹 용봉지회의 후기지수들은 특별한 경우를 제외하고는 다섯 명이 한 조가 되어 움직이는 것을 원칙으로 한다고 들었네. 한데 세 명밖에 없다는 것은 두 명에게 무슨 일이 생겼다는 뜻이지."

"백발노성과 싸우다 다쳤을까요?"

"내 생각도 같네. 두 사람은 아마 모처에서 부상을 치료 중일 걸세. 언제까지 백발노성을 붙잡고 있을 수 없으니 세 명이 천룡표국으로 와서 지원을 요청한 것이겠지."

"다른 근거도 있습니까?"

"백발노성의 발이 피투성이더군. 필시 맨발에 밧줄을 말안장에 묶어 끌고 왔을 것이네. 아무리 흉악한 마두라고는 하나 정파의 후기지수들답지 않게 잔인한 모습이지. 왜 그랬겠나?"

"복수군요."

"아마도."

팔이 부러져도 소매 안에 있는 법이다. 외부인에게는 자신들의 어려움을 말할 필요가 없다. 나는 세 사람의 신중함이 새삼 대단해 보였다.

때마침 당군백이 말을 타고 가면서 주변 경치를 구경하느라 슬쩍 고개를 옆으로 돌렸다. 그 순간 이견과 삼견이 티격태격하는 것을 뚝 그쳤다. 당군백의 예쁜 얼굴을 조금이라도 더 보기 위해서다.

남궁소소와 조영영, 심지어 이제 스무 살밖에 안 된 매소옥까지도 성숙한 여성미가 물씬 풍기는 가운데 제각각의 아름다움이 있었다. 한데 당군백은 오밀조밀한 이목구비가 귀여운 듯하면서도 어딘지 모르게 묘한 분위기를 풍겼다. 동물로 치면 여우처럼 생겼다고 해야 하나?

"보아하니 청성의 제자가 다섯 명의 후기지수들을 이끌고 황산으로 간 조장인 듯하네. 그러나 저들 중 가장 상대하기 싫은 사람을 꼽으라면 난 당문의 여자를 꼽을 걸세."

"저는 그녀와 싸울 일이 없으니 다행이군요."

"그거야 모를 일이지."

항주는 천하의 소문이 모이는 곳이기도 하고, 또 천하의 무림인들이 한 번쯤은 거쳐 가는 곳이기도 하다. 서호삼견은 그런 곳에서 수십 년을 버텨왔다. 강호인들 중에 이들만큼 견문이 넓은 사람을 구하기도 쉽지 않을 것이다. 특히 흑도나 사마외도의 고수들을 알아보는 데는.

내가 다른 당에서 표사들을 지원받지 않고 구태여 돈을 조금 더 들여서라도 이들을 또다시 객원표사로 고용한 이유였다.

항주에서 무림맹이 있는 하남성으로 가려면 일단 천목산과 황산을 왼쪽에 두고 곧장 서북 방향으로 나아가야 한다. 간단하게 말해 서북 방향이지, 그사이에는 수많은 산과 강과 골짜기들이 가로막고 있었다. 특히 항주에서 장강이 나타나기 전까지 사흘 정도의 구간은 대부분 산악지대였다.

그러나 이런 곳에도 길은 있었다. 아무도 모르고 있지만, 나는 전생에서 이 길을 수십 번도 더 지나갔다.

왼쪽 산비탈에 맑은 냇물과 함께 관제묘가 나타났을 때 내가 두소부에게 말했다.

"오늘 밤은 저 관제묘에서 쉬는 게 어떻겠습니까?"

"해가 아직 한 뼘이나 남았습니다만."

"비가 올까 봐 그렇습니다. 그럼 노숙을 하기도 어려울뿐더러, 땅이

젖기 전에 땔감도 미리 모아두어야 하니까요."

때아닌 비 얘기에 모두가 고개를 들어 하늘을 올려다보았다. 아직 해가 한 뼘이나 남았지만 강렬한 광채에 서쪽 하늘은 벌써부터 멋진 노을이 질 기미를 보였다.

"비라니. 무슨 소리야. 이렇게 맑은데."

무엇이든 참견하기 좋아하는 이견의 말이었다. 모두가 이견의 말에 동의한다는 표정이었다.

사실 무림인이라면 웬만한 관천망기쯤은 다 읽을 수 있다. 그러나 30년 동안 하루에도 대여섯 차례씩 하늘을 살피며 살아온 쟁자수들의 내공에 비하면 그야말로 공자 앞에서 문자 쓰는 격이다.

"제가 봐도 비가 올 것 같진 않군요."

두소부는 내 말을 성의 있게 받아주지도 않았다. 표사랍시고 돌아다니기 시작한 지 서너 달밖에 안 된 내가 무엇을 알겠냐고 생각한 것이다.

나는 더 이상 권유를 하지 않았다. 일단 그의 명령을 따르기로 한 이상, 자꾸 토를 다는 건 호송단 전체의 질서과 규율을 위해서도 좋지 않다.

'편하게 자긴 글렀군."

쏴아아!

갑자기 쏟아지기 시작한 비가 대지를 적시기 시작했다.

봄이 오려면 아직 한 달이나 더 기다려야 한다. 이 추위에 날로 비를 맞으면 병나기 딱 좋다.

"이랴!"

명령이고 뭐고 나는 창살 마차를 끌고 곧장 눈앞에 보이는 골짜기

사잇길로 달려 들어갔다. 한참을 들어가자 위쪽이 처마처럼 앞으로 툭 튀어나온 절벽이 나타났다. 그 절벽의 아래에 일 장 정도 넓이로 겨우 비가 들이치지 않는 곳이 있었다.

잠시 후, 사람들이 하나둘씩 나를 따라 절벽 아래로 들어왔다.

"귀신이 따로 없네."

"이럴 줄 알았으면 아까 그 관제묘에서 묵을걸."

이견과 삼견이 투덜대며 두소부를 향해 눈을 흘겼다. 자신들도 하늘이 저렇게 맑은데 비가 웬 말이냐고 했으면서.

내가 두소부에게 말했다.

"오늘은 여기서 묵어야 할 것 같습니다."

"그렇게 하죠."

나는 사람들을 돌아보며 말했다.

"모두 좀 도와주셔야겠습니다. 우선 절벽의 앞뒤를 따라가며 마른 나뭇가지들을 모아 오십시오. 없으면 나뭇잎이라도. 밤새 추위에 떨기 싫으면 다들 최대한 모아야 합니다."

모인 사람들 중에서 가장 나이도 어리고 무림 출두도 늦은 내가 부지불식간에 지휘를 하고 있었다. 그러나 일기를 정확히 맞춰서인지, 아니면 딱히 시비를 걸 일이 아니어서 그런지 모두 군말이 없었다.

서호삼견은 앞쪽으로, 당군백은 뒤쪽으로 서둘러 달려갔다. 양조광은 눈치를 살피다가 두소부가 고개를 끄덕이자 그제야 당군백이 있는 쪽으로 달려갔다. 한 사람은 꼭 백발노성의 곁에 있기로 한 건지 두소부는 자리를 떠나지 않았다.

정확한 판단이다. 나는 어디까지나 조력자에 불과하다. 조력자에게 가장 중요한 물건을 맡겨서는 안 되는 것이다.

"비가 올 걸 어떻게 아셨습니까?"

"올 줄 몰랐습니다."

"예?"

"올지도 모른다고 생각했죠. 수시로 바뀌는 하늘의 조화를 어떻게 알겠습니다. 다만 아까 보았을 때는 한 식경 만에 동쪽에서 작은 비구름 하나가 빠르게 생겨나고 있었습니다."

"한 식경 만이라고요?"

"관천망기는 첫 번째가 하늘을 보는 것이고, 두 번째가 시간을 두고 하늘을 보는 것이다……. 라고 경험 많은 쟁자수들이 말해주더군요."

나는 살짝 놀라는 듯한 두소부를 뒤로하고 도롱이를 쓴 채 나뭇잎을 뒤적거리고 다녔다.

비가 오면 땅속에 있는 지렁이들은 숨을 쉴 수가 없기 때문에 앞다투어 기어 나온다. 그리고 우리가 딛고 선 발아래는 생각보다 많은 지렁이가 살고 있다. 하물며 낙엽이 쌓여 영양분이 풍부한 땅은 더 말할 필요도 없다.

잠깐 사이에 한 마리만으로도 닭 내장 정도는 꽉 채울 것 같은 지렁이를 수십 마리나 잡았다. 이걸 쇠창살 속에 던져주니 네 마리의 닭들이 신나게 달려들어서 쪼아먹기 시작했다.

"많이 먹고 내일 아침에 두당 한 알씩 부탁한다."

"여기다 알을 깐다고?"

가부좌를 틀고 있던 백발노성이 실눈을 뜨고 물었다. 그 와중에도 그게 궁금했나 보다.

"그럴 리가요? 이따가 노인장께서 타고 계신 마차 밑에 대나무 발을 친 다음 넣어둘 겁니다. 바닥에는 낙엽을 두툼하게 깔아주고요."

"이런 일에 아주 능숙하군."

"쟁자수들에게 배웠습니다."

"이제 뭘 할 것인가?"

"밥 먹어야죠."

"혹시 벽곡단인가?"

"저는 무림고수가 아니어서 그런 거 먹고는 보름씩 못 갑니다. 말린 육포와 버섯을 잘게 잘라 넣고 쌀밥을 지을 겁니다."

그러면서 나는 보급품 마차에서 쇠솥을 꺼내 빗물에 씻기 시작했다.

그때였다.

꾀꼬댁!

짧은 비명과 함께 푸덕거리는 소리가 들렸다. 무슨 일인가 싶어 얼른 돌아섰더니 닭 한 마리가 백발노성의 손 안에서 모가지를 꺾인 채로 축 늘어져 있었다.

"뭐 하는 겁니까!"

백발노성이 죽은 닭을 툭 던지며 말했다.

"끓여라."

"누구 마음대로요!"

"닭 잡는 날은 내가 정한다고 했을 텐데."

"제가 닭을 끓인다고 한들 노인장에게 준다는 보장은 무엇으로 받으시겠습니까?"

"내게는 아직 세 마리의 인질이 있다."

"영 말귀를 못 알아들으시네."

나는 쇠창살 문을 열어 닭들을 전부 잡아 발목에 줄을 하나씩 묶었다. 그런 다음 두소부에게 건네주며 좀 잡고 있으라고 했다. 이어 말과 분리한 마차를 절벽에서 조금 떨어진 곳으로 끌고 갔다. 그러자 추적추적 내리는 비가 곧장 지붕 없는 쇠창살 우리 위로도 떨어졌다.

"뭐 하는 짓이냐?"

"오늘 밤은 여기서 보내십시오. 고수이시니 얼어 죽지는 않겠지요? 그리고 저녁은 없습니다."

"……!"

"사람을 뭘로 보고."

비가 추적추적 내렸다. 인적이 끊어진 숲속 절벽 아래에 모닥불이 피워졌다.

호송단은 커다란 쇠솥이 걸린 모닥불을 가운데 두고 흑도와 백도로 나뉘어 앉았다. 나는 그 한가운데서 열심히 닭죽을 만드는 중이었고.

"슬슬 먹어볼까나?"

"아직 끓지도 않았습니다."

"익기만 하면 되는 거 아냐?"

"끓지도 않았는데 어떻게 익습니까?"

"죽은 원래 은근한 불에 익히는 법일세."

"그것도 한번 끓고 나서요."

이견이 아까부터 입맛을 다시며 촐싹거렸지만, 내가 국자를 들고 있는 한 어림도 없었다.

잠시 후, 죽이 끓기 시작하자 나는 조금 더 걸쭉해지기를 기다렸다가 소금을 뿌려 간을 맞추었다. 그리고 사람들에게 한 그릇씩 퍼주되 당군백과 삼견에게는 살짝 많이 퍼주었다.

사람들은 자기 죽그릇과 두 사람의 죽그릇을 비교하느라 잠시 정신이 팔렸다. 그사이 일부러 가라앉혀 놓은 큰 살코기 두 점을 내 그릇으로 옮기고 다시 멀건 죽으로 덮은 과정이 눈 깜짝할 사이에 끝났다.

전생에서 쟁자수로 살던 시절 버릇이 나도 모르는 사이 이렇게 불쑥불쑥 나오곤 한다.

"맛있군. 맛있어."

"기름기도 좔좔 흐르고요."

"그런데 고기는 다 어디 갔지?"

"중닭 한 마리를 일곱 명이 나눠 먹는데 누군들 고기 맛을 제대로 보겠습니까? 그냥 기름기로 만족하세요. 그나마 내일부턴 이것도 없습니다."

내가 고기를 씹어 먹으며 명쾌하게 결론을 내려주었다. 그러자 이견은 후기지수 세 명의 죽그릇을 힐끗 바라보았다.

이어 뼈 있는 한마디를 중얼거렸다.

"그런데 밥해주는 것도 지원에 포함되나?"

사람들의 시선이 모두 이견을 향했다. 당사자인 후기지수들은 죽 먹는 것까지 뚝 멈추고 이견을 바라보았다.

"난 단지 궁금해서."

"아닙니다."

"아냐?"

"두소부 공자께서 제게 말씀하시길 말과 마차의 관리, 표국의 경험을 살려 지름길을 안내하는 것, 교대로 번을 서는 것까지만 도와달라셨습니다."

"한데 왜?"

"뭐가요?"

"왜 우리가 밥을 해주냐는 거지."

"밥은 저 혼자 한 것 같습니다만."

"그러니까 자네가 왜?"

"다른 사람들은 나뭇가지 열심히 모아왔잖아요. 그게 아니어도 밥 한 끼 나눠 먹는데 무슨 이유를 찾고 그러십니까. 같은 호송단끼리."

"같은 호송단이랍시고 아직 인사도 제대로 못 한 사이니까 하는 말이지."

말 속에 큼지막한 가시가 있다. 모닥불을 가운데 두고 딱 이견의 건너편에 앉아 있던 양조광이 조용히 끼어들었다.

"통성명은 한 걸로 기억합니다만."

"통성명이야 적과 싸우기 전에도 하는 것이고."

"하면 다른 인사도 있습니까?"

"처음 만나는 사이의 인사란 모름지기 자신을 소개하고, 상대를 알아보며, 다음에 만날 때의 호칭을 정하는 것이지."

"그래서 어떻게 해야 합니까?"

"나이와 배분과 항렬을 따져 호칭을 정하는 것이 백도인들의 방식이 아니었던가? 배분과 항렬까지는 모르겠으나 나이는 확실히 우리가 많은 것 같은데……."

깍듯이 선배 대우를 해달란 말을 어렵게도 한다.

분위기가 심상치 않았지만, 나는 일단 모른 척했다. 좋든 싫든 앞으로 보름을 함께 먹고 자고 해야 한다. 어떻게든 한번은 관계를 정리할 필요가 있다. 일견도 그걸 알기에 가만히 있는 것이고.

한데 양조광도 만만치 않았다.

"흑도의 세계에서는 나이를 떠나 먼저 어깨부터 견주어보고 누가 더 고수인지를 가린 후에야 비로소 호칭을 정하는 것으로 압니다만."

"그래서 지금 우리랑 형님 동생을 가리자고?"

순간, 모닥불의 불길이 돌풍이라도 만난 것처럼 요동쳤다. 이견과 양조광에게서 뿜어져 나온 강렬한 투기 때문이었다. 그러나 나는 이견의 목울대가 미세하게 꿀렁이는 것을 놓치지 않았다. 대충 나이로 뭉개서 선배님 소리나 들어보려다 상대가 생각보다 세게 나오자 살짝 당황한 것이다.

그때였다.

땡그랑!

내가 국자를 쇠솥에 던져 넣는 소리였다. 나는 자리에서 일어나서는 빗물이 졸졸 흘러내리는 곳에 받쳐둔 함지박을 가져와 쇠솥에 부었다.

치이익!

뿌연 수증기가 한가득 피어올라 여섯 사람의 얼굴을 집어삼켰다.

"이렇게 해두면 모닥불이 꺼지지 않는 한 밤새 아무 때고 뜨거운 물을 마실 수 있습니다. 추위 속에서 번을 서는 사람들에겐 필수지요. 번을 서는 사람들의 몸이 굳지 않아야 다른 사람들도 안전하게 잠들 수 있고요."

나는 여기 모인 사람들의 관계를 한마디로 정리해 주었다. 서로를 어떻게 생각하든 결국 내가 잠들어 있는 동안 상대에게 나의 안전을 맡겨야 하는 사이라고.

일견이 미세하게 입술을 달싹거렸다. 이견에게 더 이상의 도발은 안 된다고 지시를 내리는 것이다. 그에 맞춰 두소부도 양조광에게 전음을 전하는 눈치였다.

또 그때였다.

"크크크."

흡사 귀신의 그것 같은 음산한 웃음소리에 나는 머리끝이 쭈뼛 섰다. 범인은 저만치 창살 우리에 갇혀 있는 백발노성이었다. 모두 같은 생각이었는지 눈살을 찌푸리며 백발노성을 노려보았다.

"항주의 흑도들이라고?"

"그렇습니다만."

"별호가 무엇이더냐?"

"서호삼절입니다. 저는 둘째이고요."

"삼견이 아니고?"

"말씀이 지나치십니다!"

"내 말이 듣기에는 거슬리나 크게 틀린 말은 아닐 것이다. 네놈은 저 점창산에서 내려온 아이의 오십 초식조차 받아내기가 벅찰 테니까 말이다."

이거야말로 화가 머리끝까지 끓어오를 일이다. 이견이 발끈하며 일어섰다.

"무슨 근거로 그런 얼토당토않은 말을 하시는 겁니까?"

"저 아이의 무공은 내가 겪어보아서 이미 아는 것이고, 네놈은 보아

하니 일류의 문턱에 한 발을 걸친 정도겠구나."

누가 보아도 이견을 도발시켜 싸움을 붙이려는 수작이다. 하지만 이 말을 들은 이견으로서는 속셈을 뻔히 알면서도 부글부글 끓어오를 수밖에 없다.

이미 상황이 정리되어 버려 웬만해서는 이견과 양조광이 부딪힐 일은 없다. 한데 그래서 더 문제가 되었다. 백발노성은 방금 호송단에 언제 다시 타오를지 모르는 불씨를 심은 것이다. 그것도 쉽게 가라앉지는 않을 불씨를 말이다.

"새파랗게 어린놈에게 밀린다고 억울해할 것 없다. 내가 보기엔 점창의 제자 놈도 십중팔구 자기보다 더 어린 천룡표국의 저 시건방진 표사를 이기지 못할 것 같으니까 말이다."

현재 대외적으로 나는 방탕한 생활을 일삼다 본격적인 무공을 수련한 지 고작 몇 달에 불과했다. 이런 내가 십수 년을 용맹정진한 점창파의 양조광을 이길 리 만무하다. 적어도 사람들이 보기에는 그렇다.

백발노성의 이 한마디는 앞서 한 말의 신뢰까지 모두 무너뜨려 버렸다.

"허허 참."

이견은 어처구니없음에 헛웃음을 터뜨렸고, 일견과 삼견도 조용히 입꼬리가 올라갔다. 한데 정작 가장 어처구니없어 해야 할 후기지수들의 표정이 예사롭지 않았다. 놀랍게도 이들은 백발노성의 말에 크게 놀라고 있었다.

'이걸 믿는다고?'

첫째 날은 서호삼견과 내가 차례로 번을 섰다. 나는 마지막 순서였고, 그 바람에 나만 깨어 있는 상태에서 아침을 맞았다.

지난밤 마차 밑에 넣어둔 닭이 알을 세 개나 깠다. 나는 사람들이 아직 일어나지 않은 틈을 타 두 개를 펄펄 끓는 물에 넣어 삶았다. 이어 한 개는 내가 소금에 찍어 먹고 다른 한 개는 백발노성에게 가져다주었다.

"무엇이냐?"

"뜨거울 때 드십시오."

"병 주고 약 주는 것이냐?"

"저는 두 번 말 안 합니다."

철거렁.

백발노성이 쇠사슬 때문에 고작 한 자의 자유밖에 허락되지 않는 손을 뻗어 계란을 받아 쥐었다.

"드시고 나면 닭 다시 넣겠습니다."

"허락하겠다."

"통보하는 겁니다."

"보법이 예사롭지 않더구나."

일침을 놓고 돌아서려는 내게 백발노성이 한 말이었다. 나는 얼른 사람들 쪽을 돌아보았다. 절벽에 부딪혀 돌아오는 모닥불의 온기에 모두가 깊이 잠들어 있었다.

"무슨 말씀입니까?"

"이따금 말에서 내려 걸을 때마다 표나지 않게 보법을 수련하더군. 다른 사람들은 몰라도 내 눈을 속일 순 없지."

"혹시 그것 때문에 제가 양조광을 이길 거라고 하신 겁니까?"

"좋은 보법 하나 익혔다고 점창이 만만해 보이더냐? 천하의 사일검법(射日劍法)이 탄생한 곳이다. 사일검법이 무림 일절로 불린 것은 탄현

신법(彈絃身法)이라는 가공할 신법이 있었기 때문이고."

"하면 왜?"

"네놈의 단전에 들어차 있는 공력 때문이다. 고작 약관을 넘긴 놈이 육십 년의 공력이라니. 아무래도 하늘이 네게 천고의 기연이라도 내렸던 모양이지?"

"……!"

놀랄 노 자였다. 보법은 그렇다고 쳐도, 격기를 통해 기운을 흘려 보내본 것도 아닌데 내 단전은 무슨 수로 들여다보았단 말인가. 영문은 알 수 없으나 나는 어젯밤 후기지수들이 백발노성의 말을 흘려듣지 못했던 이유를 어렴풋이나마 알 것 같았다. 이 노인에게 보통의 무림고수들에게는 없는 무언가 비상한 능력이 있는 모양이었다. 후기지수들은 그걸 알고 있었고.

"눈썰미가 좋으시군요."

"생각을 버려라."

"뭐라고요?"

"생각이 많으면 발도 어지러운 법이다."

"제가 어떤 보법을 익힌 줄 알고요."

"어떤 보법이든 마찬가지다. 무릇 보법이란 호랑이가 사슴을 사냥하듯 거침이 없어야 하고, 원숭이가 제 사는 고목을 타고 오르내리듯 빠르고 자연스러워야 한다. 그러려면 법과 식을 계산하려는 머릿속의 생각부터 버려야 한다."

"원론적인 얘기를 매우 그럴듯하게 하시는군요."

"허세 부리지 마라. 깜짝 놀란 거 다 알고 있다."

“이런 말을 왜 해주시는 겁니까?”

“계란값이다.”

“먹을 만한가 보군요.”

“어제부터 굶었으니까.”

“그러게 처음부터 고분고분했으면 좋잖습니까. 쓸데없이 손해도 안 보시고요.”

“천만에. 손해를 본 건 네놈이다. 만약 네놈이 내게 닭을 고아다 바쳤다면 보법에 대한 조언 정도로 끝내지 않았을 테니 말이다.”

“……!”

첫날의 경험 때문인지 둘째 날부터는 노숙할 시간과 장소를 자연스럽게 내가 정하게 되었다. 물론 두소부에게 묻고 허락을 구하는 절차는 거쳐야 했다.

내 판단은 언제나 정확했고 사람들을 놀라게 했다. 사실 이 길에는 오랜 세월 표사와 쟁자수들이 정해놓은 최적의 지점들이 있었다. 나는 단지 때가 되면 그곳들을 찾아갔을 뿐이었다.

신뢰가 점점 쌓이자 이제는 낮에 쉬는 시간과 장소를 결정할 때에도 모두가 내 입만 바라보았다.

사흘째 되는 날, 우리는 장강을 이십 리 정도 앞두고 있었다. 항상 그래왔던 것처럼 세 명의 후기지수들은 선두에서 마차를 막아서듯 길을 잡았다. 정작 길 안내를 하기로 했던 나는 서호삼견과 함께 제일 뒤쪽에서 따랐다.

상관없다. 아침에 출발할 때 오늘 가야 할 길을 두소부에게 미리 대충 가르쳐 주었기 때문이다.

한데 오후가 되자 돌발 상황이 발생했다. 갈림길이 나타났을 때 두소부가 내가 말한 것과 다른 쪽으로 방향을 잡은 것이다.

"이랴!"

나는 말을 달려 앞으로 나아갔다. 잠시 후, 두소부와 나란히 하게 되었을 때 말했다.

"길을 잘못 들었습니다."

"……?"

"이 길로 가면 면양(沔陽)이라는 포구 마을이 나타납니다. 객점이 다섯 개나 들어섰을 정도로 번성한 곳이죠. 많은 사람의 눈에 띌 것입니다."

"대신 조금 더 빠른 길이라고 하지 않았나요?"

"면양포구는 무림인들도 많이 이용하는 곳입니다."

"참고하겠습니다."

나는 두소부가 일부러 이쪽으로 방향을 잡았다는 걸 알 수 있었다. 한데 그 이유가 절대 지름길이어서는 아니다.

"방심하기엔 아직 이릅니다."

"무슨 뜻입니까?"

"백발노성이 제아무리 흑백 양쪽으로부터 손가락질받는 인사라고 해도, 그를 따르는 무리가 전혀 없다고는 누구도 장담할 수 없습니다."

안타깝게도 전생에서 나는 무림인이 아니었고, 강호에서 일어나는 모든 일을 아는 것도 아니었다. 백발노성이 호송 중에 도망갔다는 것은 알지만, 구체적으로 어디에서 어떻게 도망갔는지는 알지 못했다.

"그래서 지난 사흘간 우리가 은밀한 여정을 했나요? 오고 가는 적지 않은 사람들과 마주친 것으로 압니다만."

"마흔일곱 명이었습니다. 절반은 인근 마을의 농부들이었고 나머지는 타 표국의 표사와 상인들 그리고 무공을 익힌 흔적이 없는 나그네들이었습니다."

내가 사람들의 숫자와 면면까지 살피고 있었는 줄은 몰랐는지 두소부가 잠시 놀란 표정을 지었다.

"달라질 것 없습니다."

"혹시 객점에도 들를 생각입니까?"

"못 들를 이유도 없습니다."

자신들이 악명 높은 마두를 사로잡았다고 사람들 앞에서 자랑하려는 걸까? 백발노성의 명성을 생각하면 금방 소문이 퍼지고 이들은 크게 명성을 얻을 것이다.

하지만 지난 사흘간 지켜본 두소부는 그 정도로 그릇이 작지는 않았다. 양조광과 당군백도 동료가 두 명이나 부상을 당해 공석인 상태에서 자기들끼리 공을 가로챌 위인들이 아니었다. 그런 자들이 청성과 점창과 당문의 제자일 리 없다. 그런 자들이 무림맹 용봉지회의 후기지수들일 리도 없다.

그렇다면 이유는 한 가지밖에 없다.

"백발노성에게 모욕감을 주고 싶은 겁니까?"

"그에겐 이미 명예가 없습니다."

"아니면 차도살인을 하려는 것이거나요."

"……!"

강호에 알려지기로 백발노성에겐 따르는 무리가 없다. 반면에 그에게 당해 불구가 되거나 가까운 사람을 잃은 이는 많다. 그들은 쇠사슬에 묶인 채 무림맹으로 끌려가는 백발노성을 보면 속이 다 시원할 것이다.

하지만 만약 그것으로는 성에 차지 않는 사람들이 있다면? 백발노성이 무공을 쓸 수 없는 틈을 이용해 무림맹에 도착하기 전에 어떻게든 복수를 하려 들것이다. 최소한 무림맹에서는 관부와 달리 생포된 사람을 죽이는 법은 없으니까.

내 짐작이 틀리지 않다면 두소부는 지금 백발노성을 죽이려 하고 있었다. 그것도 다른 사람의 손을 빌려서.

두소부의 눈이 더할 나위 없이 동그래졌다. 여태껏 본 중에서 가장 놀라고 당황한 모습이었다. 슬쩍 뒤를 돌아보니 양조광과 당군백도 당혹스러운 기색이 역력했다.

"제가 정곡을 찌른 모양이군요."

"정룡 공자는 약속대로 지원만 하시면 됩니다. 하면 아무런 피해가 가지 않을 것입니다."

"명문대파의 후기지수들답지 않습니다."

"우리다운 게 어떤 겁니까? 싸움에 임해서는 언제나 기수식부터 펼치고, 적이 내상을 입으면 회복할 때까지 기다렸다가 싸우는 것이 우리다운 모습입니까?"

"……?"

"섣부른 조언은 사양하겠습니다."

"황산에서 대체 무슨 일이 있었던 겁니까?"

대답은 바로 뒤에서 따라오고 있던 양조광에게서 나왔다.

"함께 갔던 후배가 한쪽 팔을 잃었습니다. 고작 스물세 살밖에 안 된 예쁜 후배였지요. 용봉지회에 들어오는 것이 평생의 꿈이어서 하루하루가 꿈을 꾸는 것 같다고 했던."

예쁘다고 한 것으로 보아 여자인 모양이었다. 자세한 내막은 모르겠으나, 두소부는 그 여자 후배가 팔을 잃은 것이 자신 때문이라고 생각하는 것 같았다. 당군백과 양조광 역시 같은 채무감을 느끼고 있는 것이고.

나는 두소부가 천룡표국을 찾아왔을 때 감히 표왕 앞에서 무림맹주의 동패까지 내밀며 명령권을 고집했던 이유를 비로소 알 것 같았다. 그는 나나 삼형제가 생각했던 것처럼 공을 빼앗길까 봐 걱정했던 것이 아니었다. 천룡표국이 백발노성을 무사히 무림맹까지 호송할까 봐 우려했던 것이다. 덧붙여 무림초출인 내가 지원조를 이끌게 되었다고 했을 때 전혀 불만을 드러내지 않은 이유도 알 것 같았다.

이건 말릴 수가 없겠다.

늦은 오후가 되자 흡사 바다를 방불케 하는 거대한 강과 마주하게 되었다. 대륙을 서에서 동으로 가로지르며 강남과 강북의 경계를 이루는 장강이었다. 예상했던 대로 면양포구는 장강을 건너기 위해 모여든 사람들로 북적이고 있었다.

칼 찬 무림인들이 맹수의 우리에 백발괴인을 싣고 나타나자 단번에 사람들의 시선을 끌었다.

"죄인을 호송 중인가?"

"관부의 인물들은 아냐."

"딱 봐도 무림인들이구먼."

"누굴 호송하는 거지?"

"백발의 머리카락과 수염이 얼굴을 뒤덮은 것이 꼭 늙은 원숭이가 우리에 갇혀 있는 것 같군."

"서, 설마 백발노성?"

두소부는 마차를 포구의 커다란 버드나무 아래까지 끌고 갔다. 쇠창살 우리에 갇힌 자신의 모습이 치욕스러운지, 아니면 평소대로 행동하고 있을 뿐인지 모르겠으나 백발노성은 눈을 감은 채 가부좌만 틀고 있었다.

"군백, 가서 우리가 다 함께 묵을 큰 방이 있는지 알아봐라. 특별한 손님이 있음도 밝히고. 조광, 너는 가서 내일 아침 일찍 말과 마차를 실을 배편이 있는지 알아보고."

"알겠습니다."

"알겠습니다."

사람이 모이는 곳에 소문도 모이는 법이다. 그런 면에서 볼 때 면양 포구는 강남의 소문들이 장강을 넘기 위해 모이는 여러 장소들 중 한 곳이었다. 최근 모인 소문들 중엔 얼마 전 황산에서 벌어진 무림맹 후기지수들과 백발노성의 싸움에 관한 것도 있었던 모양이다.

잠깐 사이 버드나무 주변은 백여 명이 넘는 사람들로 북적거렸다. 그 중엔 칼 찬 무림인들도 제법 보였다. 사람들은 먼저 후기지수들의 준수한 용모와 협의에 찬사를 보냈다.

찬사는 곧 백발노성을 향한 조롱과 욕설로 바뀌었다.

"사람 죽이기를 밥 먹듯 했다지?"

"사부도 죽인 작자가 남인들 못 죽일까?"

"강서성에선 강간마라는 소문도 있던걸."

"마병을 치료하기 위해 아이들을 산 채로 잡아다 간을 빼 먹었다는 말도 들어보았네."

"금수만도 못한 인간이군."

백발노성이 쇠사슬에 묶여 우리에 갇히지 않았다면 감히 눈도 마주치지 못할 사람들이 온갖 확인되지 않은 말들을 쏟아냈다.

그러던 어느 순간.

깡!

어디서 날아온 돌멩이 하나가 쇠창살을 때렸다. 잠시 침묵이 흐르는가 싶더니 여기저기서 돌멩이들이 툭툭 날아들기 시작했다. 일부는 쇠창살에 맞고 튕겨 나갔지만, 일부는 우리 안으로 들어가 백발노성을 맞추었다.

좁은 우리 안에서 피할 도리도 없었지만, 무슨 생각에선지 백발노성은 고스란히 돌멩이를 맞고만 있었다.

퍽퍽!

어느새 백발노성의 이마며 얼굴에서 피가 흘러내리기 시작했다.

일견이 내 곁으로 와서 조용히 물었다.

"말려야 하지 않을까?"

"나서지 마십시오."

"어째서?"

"벌인 사람이 수습해야죠."

돌멩이의 숫자가 점점 많아지자 두소부가 마차 앞을 쓰윽 막아섰다. 그러자 돌팔매질이 뚝 그쳤다.

두소부는 사람들을 향해 한차례 포권을 취어 보인 후 말했다.

"저는 청성파의 제자 두소부라고 합니다. 강서성에서 악명을 떨치던 마두 하나를 잡아 무림맹으로 호송 중이고요."

"와아아!"

고작 자기소개를 했을 뿐인데 우레와 같은 함성이 쏟아져 나왔다. 그러고 보니 구경꾼은 어느새 이백여 명으로 불어나 있었다. 무림맹 용봉지회의 후기지수들과 백발노성이 나타났다는 소문이 그새 면양포구 전체에 퍼진 것 같았다.

두소부의 말이 이어졌다.

"저희는 마두를 무림맹까지 안전하게 호송해야 하는 임무를 띠고 있습니다. 하여 더 이상의 공격적인 행동은 묵과할 수 없음을 엄중히 경고하는 바입니다."

그러면서 냉정하고 차가운 눈길로 좌중을 한번 쓸었다. 그 기세에 흠칫 놀란 사람들이 너도나도 들고 있던 돌멩이를 뒤로 감췄다. 뿐만 아니라 먼 길에 지친 후기지수들을 쉬게 해주어야 한다며 몇몇 사람들의 주도하에 십 장 밖으로 물러나기까지 했다.

그러다 누군가 불쑥 물었다.

"저 마두는 어떻게 잡은 겁니까?"

돌팔매질도 그랬지만, 일단 한 사람이 물꼬를 트자 질문이 쏟아졌다. 이런저런 살이 붙었지만 결국 요점은 하나였다. 저런 마두를 아직은 후기지수에 불과한 당신들이 어떻게 잡을 수 있었느냐?

하지만 두소부는 사람들의 질문에 일절 대답하지 않았다. 그가 원하는 건 백발노성이 잡혀가고 있다는 사실을 알리는 것일 뿐 자랑을 하려던 것이 아니었으니까.

그때였다.

"그건 내가 말해주겠소."

갑작스러운 목소리의 주인공은 쇠창살 우리에 갇혀 있던 백발노성이었다. 두소부가 눈동자를 빛내며 백발노성을 노려보았다.

어리둥절해진 군중이 웅성거리기 시작했다.

백발노성은 입가로 흘러내린 핏물을 혀로 한차례 핥고는 큰소리로 외쳤다.

"누구 술 좀 가진 거 없소? 객점 현판을 보니 회가 동해서 견딜 수가 없군. 그렇다고 나를 끌고 가는 놈들이 술을 사줄 것 같지도 않고."

"여깄소."

걸걸한 목소리와 함께 네 명의 사내들이 군중을 헤집고 나왔다. 하나같이 등에 칼을 가로질러 멘 장한들이었다. 세 명은 얼굴에 칼자국까지 선명했는데, 아무리 보아도 좋은 무리는 아닌 것 같았다.

그중 한 명이 두소부를 향해 술 호리병을 흔들어 보이며 물었다.

"괜찮겠소?"

"물러나시오."

"단지 술일 뿐이오만."

"경고하겠소. 물러나시오."

"저것 보라지. 예의라곤 눈곱만큼도 없다니까."

백발노성이 빽 소리쳤다.

두소부는 사람들의 접근은 막았어도 백발노성의 입까지 막을 도리는 없었다. 그리고 이미 그에게로 쏟아진 사람들의 관심 또한 끊을 수가 없었다.

"애초 황산의 동굴에서 면벽 수련 중인 나를 찾아온 자들은 모두 다섯이었소. 누가 명문대파의 제자들 아니랄까 봐 대낮에 인기척까지 하며 나타나서는 무기를 쥐라더니 검진을 펼치더군."

"그래서 어떻게 됐소?"

"어려도 생강이라더니 과연 명문대파의 무공은 무서웠소. 죽을 뻔한 위기를 몇 번이나 넘기며 반나절을 꼬박 싸웠소. 그리고 마침내 둘은 쓰러뜨리고 셋은 거의 쓰러뜨리기 직전까지 갔었지."

"한데 왜 이렇게 된 거요?"

"독(毒) 때문이오."

"독?"

"끝을 내기 위해 검진 속으로 조금 무리해서 뛰어들었는데 갑자기 숨이 턱 막히며 내공이 흩어지지 않겠소? 알고 보니 사천당문의 산공독(散功毒)에 당한 것이었소. 그토록 조심한다고 했건만."

"아아!"

"세상에서 가장 무서운 건 아름다운 여자와 독이오. 그것보다 더 무서운 건 독공을 익힌 미녀이고. 물론 여러분이 미녀를 만날 일은 없겠지만 말이오."

"우우."

"그건 그렇고, 누가 나 좀 구해주지 않겠소?"

패자의 무용담 끝에 너무나 태연자약하게 나온 말이었다.

사람들은 한순간 백발노성이 농담을 하는 거라고 생각했다. 여전히 자기들끼리 시시덕거리며 독과 미녀의 상관관계에 대해 떠들고 있을 뿐이었다. 하지만 백발노성의 입에서 다음 말이 튀어나오는 순간 더는 그럴 수가 없게 됐다.

"내가 금전 오백 냥을 비처에 숨겨두었는데, 무림맹으로 잡혀가면 아무짝에 쓸모가 없어지는 거잖소. 해서 누구든지 저들에게서 나를 구해주는 사람이 있다면 오백 냥을 모두 주겠소."

두소부의 눈이 툭 튀어나왔다. 때마침 객점에서 돌아온 당군백도, 배편을 알아보러 갔다가 돌아온 양조광도 그 자리에서 석상처럼 굳어버렸다. 나와 서호삼견도 표정을 굳혔다.

시끌벅적하던 군중은 그야말로 찬물을 흠뻑 뒤집어쓴 것 같았다. 쥐 죽은 듯한 침묵이 흐르는 가운데 아까 술 호리병을 가지고 나왔던 사내가 큰 소리로 물었다.

"그걸 어떻게 믿소?"

"그건……."

"조광!"

두소부가 벼락처럼 외쳤다. 그러자 가까이 있던 양조광이 창살 사이로 양손을 뻗어 백발노성의 혈도를 빠르게 짚었다.

타타타탁!

솜씨와 기세가 예사롭지 않더라니 백발노성은 '켁!' 하는 단말마와 함께 목부터 뻣뻣하게 굳어서는 그대로 옆으로 넘어가 버렸다. 한데 호리병의 사내는 잠시 사이를 두었다가 이미 마혈을 짚혀 옴짝달싹할 수 없는 백발노성에게 또 질문을 했다.

“노인장에게 그만한 돈이 있다고 칩시다. 하지만 일이 끝난 후 순순히 지불할 거라는 건 무엇으로 보장하겠소?”

전음이다. 백발노성은 마혈을 짚혀 쓰러진 와중에도 전음으로 사내와 대화를 나누고 있는 것이다.

당군백이 각종 집기류를 실은 마차에서 황급히 도롱이를 꺼내 백발노성의 얼굴을 덮었다. 이렇게 하면 상대를 볼 수가 없고, 상대를 볼 수가 없으면 특별한 경지가 아니고서는 군중 속에 있는 한 사람을 딱 꼬집어 전음을 나누기란 대단히 어려운 일이었다.

사람들은 이제 모두 사내의 얼굴을 바라보았다. 과연 마지막 순간 백발노성이 자신의 얘길 전했는지 궁금한 것이다.

사내는 만족한 듯 씨익 웃더니 슬금슬금 뒤로 빠졌다. 그러고는 일행들과 함께 순식간에 사람들의 시야에서 사라져 버렸다.

나는 조용히 읊조렸다.

“뭐라고 한 거지?”

“잡아다 물어볼까?”

“이미 늦었습니다.”

“어째서?”

“중요한 건 백발노성에게 금전 오백 냥이라는 돈과 그걸 지불한다는 보장이 있냐는 것입니다. 한데 방금 그 사내가 웃으면서 대답이 되어버렸습니다.”

“하면 이제 어쩔 셈인가?”

“입장을 정해야겠지요.”

두소부는 물론이거니와 당군백, 양조광은 한순간에 공황 상태에 빠져 버렸다. 놀라긴 군중 역시 마찬가지여서 너 나 할 것 없이 할 말을 잃은 채 뻣뻣하게 굳어 있었다.

이제 소문이 퍼지는 건 시간문제다. 백발노성의 목숨을 노리고 찾아오는 사람이 얼마나 있을지 모른다. 하지만 장담하건대 그 몇 배 혹은 몇십 배에 달하는 사람들이 백발노성을 구하러 몰려올 것이다.

두소부는 세상에 다시 없을 바보짓을 했다. 혈통 좋은 강아지가 늙은 독사를 상대하다 그만 발목을 물려 버린 격이다.

두소부가 서둘러 양조광에게 물었다.

"배편은?"

"말과 마차를 실을 수 있는 배가 한 척 있습니다. 말씀하신 대로 내일 아침 첫 배를 예약해 뒀습니다."

"돈은 달라는 대로 줄 테니 지금 당장 배를 띄우자고 해. 군백은 지금부터 사람들의 접근을 모두 막는 한편 무슨 일이 있어도 마차 곁을 떠나지 마라."

"알겠습니다."

"알겠습니다."

"그리고 정룡 공자와 세 분은 마차를 포구 쪽으로 옮겨주십시오. 서두르십시오. 아무래도 오늘 밤은 휴식 없이 강행군을 해야 할 것 같습니다."

"싫습니다."

"예?"

"우린 이쯤에서 손을 떼겠습니다."

"갑자기 왜 이러는 것입니까?"

"그건 오늘 낮에 제가 물었던 말인 것 같습니다만."

"……!"

"애초 제가 받은 명령은 대의에 동참하는 차원에서 마두를 호송하는 무림맹 용봉지회의 후기지수들을 지원하는 것이었습니다. 한데 애초 대의는 없었고, 당신들은 아무리 봐도 용봉이 아닌 것 같습니다."

"정룡 공자!"

"말과 마차는 빌려드리겠습니다. 말값은 대충 알 것이고 마차 역시 특별 제작한 것으로 아주 비싼 물건이니 잘 쓰시고 가까운 천룡표국의 분타로 돌려주시기 바랍니다. 그럼."

나는 정중하게 포권지례를 하고 돌아섰다. 서호삼견은 그것마저도 않고 나를 따랐다. 버드나무에 묶어둔 말에 올라탄 나와 서호삼견은 뒤도 돌아보지 않고 또각또각 길을 나섰다.

그 모습을 지켜보고 있던 당군백의 얼굴이 노래졌다. 자신들끼리 몰려드는 무림인들을 상대하며 길까지 찾아 헤맬 생각을 하니 눈앞이 캄캄한 것이다.

십여 장쯤 나아갔을 때 일견이 말 머리를 붙이며 물었다.

"어딜 가는 건가?"

"항주로 돌아가야죠."

"객원표사비는?"

"오늘 것까지만 드리겠습니다."

"자네만 괜찮다면 우린 계속 갈 의향이 있네. 대신 표사비는 좀 올려줘야겠지. 상황이 크게 바뀌었으니까."

"멍청한 놈들 곁에 있다가 똥 밟습니다."

"똥은 치우면서 가면 되고."

"이게 어디 한두 삽에 치워질 똥입니까?"

"무림맹에 소식을 보낼 수만 있다면 별동대가 마중을 나올 것이니 길어야 칠 일 정도만 버티면 되네. 칠 일 안에 소문이 퍼지면 얼마나 퍼지겠나. 멀리 가도 천 리를 넘지 못할 것이네. 여기에 소문을 듣고 달려오는 시간까지 고려하면 고작 사오백 리 안에서 찾아오는 무림인들만 상대하면 되지. 그것도 얼마나 올지 모르고. 생각보다 일이 수월할 수도 있네."

"혹시 호송하는 척하다가 백발노성을 빼돌리실 생각입니까?"

"그 생각도 안 해본 건 아니네."

"생각을 해봤다고요?"

"생각으로야 자네도 두세 번은 죽였지."

"정말입니까?"

"솔직히 우리가 그리 좋은 인연으로 만난 건 아니지 않나?"

"한데 왜 실행으로 옮기지 않으셨습니까?"

"자네 하나 죽이자고 표왕과 불구대천의 원수가 될 순 없으니까. 세상에 그런 밑지는 장사를 왜 해."

"지금은요?"

"금전 오백 냥이 큰돈이기는 하지만 목숨을 걸고 무림맹과 맞설 만큼 큰돈은 아니지. 우리가 집도 절도 없이 떠도는 낭인들도 아니고."

"잘 생각하셨습니다."

"아쉽군."

그때였다. 갑자기 당군백이 앞을 가로막고 나타났다. 힐끗 돌아보니 마차 옆에는 두소부만 망연자실한 표정으로 서 있었다. 무슨 일이 있어도 마차 곁을 떠나지 말라던 명령조차 거역하고 내게로 달려온 것이다.

"팔을 잃은 아이의 이름은 언보보였어요. 언가권으로 유명한 진주 언가(晋州彦家)의 후예였죠. 팔을 잃은 그날 밤 밤새 고열에 시달리다가 사람들이 잠시 한눈파는 틈을 타 호수에 뛰어들었어요."

"……!"

말하지 않아도 알 수 있었다. 그녀는 이미 이 세상 사람이 아니다. 어제 아끼는 후배가 팔을 잃었다는 말을 할 때도 이런 얘기는 없었다. 그만큼 힘들게 꺼낸 말일 것이다.

한데 나는 왠지 이것마저도 전부가 아닐 것 같다는 느낌이 들었다. 어쩌면 호수에 몸을 던져 죽으려 했던 이정룡 때문인지 모르겠다.

"혹시 다른 이유도 있습니까?"

"……?"

"그녀가 호수에 몸을 던진 이유 말입니다."

당군백은 더욱 조심스러워했다. 그러나 이내 체념을 한 듯 낮게 한숨을 쉬고는 말했다.

"두소부 선배와 언보보는 몇 년 전 서로를 처음 본 후 몰래 좋아해 왔어요. 그러다 최근에 언보보가 무림맹에 파견되어 용봉지회로 들어오면서 다시 만나게 됐죠."

두소부는 좋아하던 여자가 상실감으로 목숨을 끊게 만들었던 원수를 무림맹으로 안전하게 호송해야 하는 임무를 져야 했던 것이다. 황산에서 천룡표국으로, 천룡표국에서 다시 이곳으로 오는 동안 백발노성을 호위하면서 그는 어떤 심정이었을까? 하룻밤에도 몇 번씩 목을 졸라 죽이고 싶었을 것이다. 차라리 백발노성이 직접 여자를 죽였다면 제 손으로 복수를 할 명분이라도 있지.

비통하고 울분에 찬 심정은 충분히 알겠다. 하지만 그렇다고 해서 그가 하려던 짓과 불순한 의도까지 이해되고 용서되는 건 아니었다.

"지금은 지름길을 잘 알고 있는 정룡 공자와 세 분의 도움이 어느 때보다 필요해요. 제발 저희를 도와주세요."

"천룡표국이 왜 무림맹에 입맹을 하지 않았는지 아십니까? 그건 무도(武道) 그 자체가 목적인 무림문파들과 달리 천룡표국은 칼을 수단으로 부를 축적하는 곳이기 때문입니다."

"……?"

"천룡표국의 칼이 필요하면 돈으로 사십시오."

"그 말씀은?"

"표물은 백발노성. 내용은 표물을 무림맹까지 호송하는 것. 비용은 금전 이백 냥입니다. 덧붙여 의뢰를 하면 하나부터 열까지 제 명령에 따라야 합니다."

"금전 이백 냥이라고요?"

"우리 네 사람의 목숨값이 백발노성이 내건 자기 한 사람 목숨값의 절반도 채 안 됩니다. 이걸 비싸다고 말하지는 않으시겠지요?"

"잠시만 기다려 주세요."

당군백이 두소부를 향해 달려갔다. 그녀가 사라지자 일견이 목구멍을 쥐어짰다.

"제정신인가?"

"바람 불 때 돛을 올려야지요."

"그 정도 돛을 올릴 바람은 아니니 하는 말이지."

"일단 이렇게 부른 다음 백 냥 정도에서 타협을 볼 겁니다. 처음부터 백 냥을 질렀으면 오십 냥으로 뚝 자르고 들어왔을 겁니다."

"백 냥도 너무 많네."

"무림맹의 웬만한 당(堂)보다 힘이 세다는 용봉지회의 조장입니다. 그 정도 결정권은 있을 겁니다. 표물이 지닌 가치와 위험을 생각하면 우리도 그 정도는 받아야 하고요."

"만약 백 냥을 주겠다고 하면 우리 몫은? 설마 처음 약속했던 은전 열 냥으로 퉁 칠 생각은 아니겠지?"

"은전을 금전으로 바꿔 드리겠습니다."

"장난치는 건가?"

"앞 숫자는 이(二)로 바꾸고요."

"삼(三)으로 바꿔주게."

"그럼 전 고작 열 냥 먹습니다."

"안 그럼 우린 빠지겠네."

"금방 배우시는군요."

"이런 건 원래 우리가 전문이네."

"알겠습니다."

"딴말하기 없기네."

"대신 최대한 협조하시는 겁니다."

"협조나 마나 두소부가 수용을 해야 말이지."

그때 두소부와 당군백이 대화를 끝내고 이쪽을 바라보았다. 한데 두소부가 갑자기 나를 향해 공손하게 포권지례를 하는 것이 아닌가.
삼견이 더듬거리며 말했다.
"저, 저거 수락한다는 뜻인 것 같은데요. 이, 이백 냥에."
"……!"
"……!"
"……!"

표행단이 다시 꾸려졌다. 사람은 그대로였지만 명령의 체계와 역학 관계가 바뀌었다. 나는 후기지수 세 명과 서호삼견이 지켜보는 앞에서 백발노성이 탄 마차를 말과 분리했다. 그리고 쇠창살 문을 열어 닭도 모두 잡아 양조광에게 잠시 맡겼다.
모두가 의아해하는 사이 나는 마차의 견인목을 잡고 번쩍 들었다. 그런 다음 강가로 쭉쭉 밀고 갔다.
백발노성은 어느새 마혈을 스스로 풀고는 가부좌를 틀고 앉아 고개를 갸우뚱하며 물었다.
"지금 뭐 하는 건가?"
"물속에 처박아 버리려고요."
마침내 비탈이 나타났고, 나는 거침없이 손을 놓았다. 그러자 마차는 돌부리에 걸려 쿵쾅대면서 빠른 속도로 굴러 내려갔다.
풍덩!
하얀 물보라와 함께 마차가 강물에 처박혔다. 이어 쇠창살의 무게 때문인지 빠른 속도로 가라앉기 시작했다.
"이, 이런 미친!"

백발노성이 놀라 소리쳤지만, 마차는 순식간에 사라져 버렸다. 쇠창살 밖으로 내밀어 마지막까지 필사적으로 흔들어대던 그의 손도 이내 보이지 않았다.

후기지수들과 서호삼견 그리고 아직도 떠나지 않고 주변을 맴돌며 구경하던 군중은 나의 미치광이 같은 행동에 전부 넋이 나가 버렸다.

두소부가 황급히 다가와 물었다.

"어쩌려는 겁니까?"

"귀하가 빼앗긴 주도권을 되찾아 오려는 겁니다."

"그러다 죽으면요?"

"원하던 바가 아닙니까?"

"정룡 공자!"

"물러나 있으십시오."

반 각쯤 지났을까? 사람들이 크게 웅성거리기 시작했다. 물속에서 마차가 거꾸로 뒤집힌 채 거북이처럼 엉금엉금 기어 나오고 있었기 때문이다. 바퀴가 보이고, 바닥이 보이고, 쇠창살이 보이더니 백발노성의 거친 숨소리가 들렸다.

"헉헉헉!"

알고 보니 백발노성은 천장의 쇠창살 밖으로 두 발을 내밀고, 양손으로는 쇠창살을 잡고 조금씩 물속을 걸어 올라왔던 것이다. 다만 손과 발에 묶인 쇠사슬의 길이가 한 자를 넘지 않아 큰 걸음을 떼지 못할 뿐이었다. 그마저도 지쳤는지 비탈에 마차를 걸칠 수만 있게 되자 털썩 주저앉고는 토악질을 해댔다.

"웩! 웩!"

서호삼견이 동시에 신형을 날렸다. 이어 눈 깜짝할 사이에 마차를 뒤집고는 다시 비탈길을 끌고 올라왔다. 세 사람이 보여준 신기에 군중 속에서 우레와 같은 함성이 쏟아져 나왔다. 반면 쇠창살 우리에 갇힌 백발노성은 물귀신처럼 축 늘어진 것이 거의 초주검이 되어 있었다.

내가 가까이 다가가 말했다.

"저는 눈치 볼 곳이 많은 후기지수들과는 다릅니다. 만약 노인장을 구하려는 사람들 때문에 제 목숨이 위험하다고 판단되면 방금처럼 제가 먼저 죽여 없애 버리면 그만입니다."

"……!"

"제게 이런 최후의 수단이 있다는 걸 명심하시고 앞으로는 언행에 각별히 주의해 주십시오. 그럼 충분히 알아들으신 걸로 알고 출발하겠습니다."

"무식한 새끼!"

나는 집기들을 실은 마차의 바닥에서 철전 한 발을 꺼냈다. 일전에 백백곡의 여자 궁수가 공주를 쏘려다가 나를 맞춘 바로 그 화살이었다. 하지만 지금은 화살의 끄트머리에 용이 수 놓인 작은 삼각 깃발이 매달려 있었다. 모양은 작아도 대천룡표국의 표행임을 알리는 표기였다.

나는 표기를 백발노성이 갇혀 있는 우리의 한쪽 끝 모서리에 묶었다. 그리고 후기지수들과 서호삼견을 돌아보며 말했다.

"벌써 해가 지고 있습니다. 좀 늦긴 했지만, 오늘은 강 건너에서 밤을 보내는 게 좋을 것 같군요. 모두 서둘러 주시기 바랍니다."

5장
가자, 무림맹으로

보통 나룻배라 함은 사공 한 명이 삿대를 찍거나 노를 저어 가는 작은 배를 말한다. 하지만 장강에서 그런 배들은 촌로들이 강기슭을 따라 오르내리며 고기를 잡을 때에나 쓰인다. 대신 십여 명 이상이 노를 젓거나 돛을 매단 나름 대형 선박들이 나룻배 역할을 한다.

"이런 배 하나 가지고 있으면 평생 먹고 살겠지?"

"먹고 사는 게 다 뭡니까. 우리보다 훨씬 부자일걸요."

"뭘 그 정도까지나."

"둘째 형님은 장강에선 나룻배 한 척당 첩이 하나라는 말도 못 들어보셨습니까?"

"그게 무슨 소리야?"

"쉽게 말해 세 척의 나룻배를 거느리면 첩도 세 명 정도는 거뜬히 거느릴 수 있다. 뭐 이런 뜻입니다. 하물며 말과 마차를 운반하는 이런 대형 나룻배의 선주는 더 말할 것도 없겠지요."

"그렇게나 돈이 된다고?"

"괜히 강하방(江河幇)까지 만들어 걸핏하면 칼부림을 벌이는 게 아니라니까요."

강하방은 장강을 중심으로 나룻배의 권리를 독점한 방회였다. 먹고 사는 문제가 걸린 만큼 폐쇄적이고 잔혹하기로 유명했다.

"에잇, 갑자기 입맛이 확 떨어지네."

이견이 만두를 먹다 말고 술병을 잡아갔다.

나와 서호삼견은 갑판 한가운데 켜져 있는 선등(船燈) 아래에 둘러앉아 객점에서 사 온 돼지고기와 만두로 늦은 저녁을 먹는 중이었다.

내가 말했다.

"뭍에 닿으면 한동안은 입에 뭐 넣을 수가 없을 겁니다. 그러니 지금 시간이 있을 때 조금이라도 더 배를 채워두세요."

삼견이 듣고 있다가 말했다.

"걱정 말게. 이미 혼자서 돼지고기까지 두 그릇 뚝딱 하셨다네. 속이 느끼해서 술을 찾으시는 것일세."

그러나 나는 말을 중단하지 않았다.

"이제부터는 모두가 사람 밥을 먹고 소처럼 힘을 써야 합니다. 자기 자신을 위해서도 다른 사람들을 위해서도."

그제야 사람들은 내 말이 이견을 향한 것이 아님을 깨달았다. 선등 아래에는 후기지수들도 함께 앉아 있었다. 그러나 세 사람 모두 술이나 홀짝일 뿐 음식은 거의 입에 대지 않았다.

두소부가 고개를 들어 나를 바라보며 말했다.

"도와주셔서 고맙습니다."
"표행을 할 뿐입니다."
"하면 표주로서 한 가지 물어봐도 되겠습니까?"
"말씀하십시오."
"무림맹까지 갈 자신이 있습니까?"
"왜 저를 고용했습니까?"
"질문은 제가 했습니다만."
"대답을 하기 위해 물은 겁니다. 금전을 이백 냥씩이나 주고 저를 고용했을 때는 그만한 이유가 있었을 것 아닙니까?"
"군백과 조광을 지키기 위해서입니다."
"……?"
"아시다시피 나는 이미 평정심을 잃었습니다. 이러다가 두 사람까지 위험에 빠뜨릴 것 같아서 나를 대신해 줄 다른 사람이 필요했습니다. 금전 이백 냥은 백발노성을 무림맹까지 호송해 주는 대가가 아니라 군백과 조광의 안전을 위해 내가 지불하려는 돈입니다."
당군백과 양조광의 눈시울이 붉어졌다. 두소부가 두 사람을 생각하는 만큼 두 사람 또한 두소부의 상처받은 마음을 잘 알고 있을 것이다.
"무슨 말을 하는 건지 모르겠는데, 두 사람이 안전하길 바란다면 만두를 먹으십시오. 조장이 뭘 먹어야 조원들도 눈치 보지 않고 배를 채울 것 아닙니까?"
"……?"
"백발노성이 무림맹까지 산 채로 갈지 안 갈지는 모르겠습니다. 하지만 저는 확실히 갈 겁니다. 시체라도 갖고 가서 검시를 해야 귀하들이 방만한 태도로 호송에 임했다는 걸 증명할 테니까요."

계약을 하기 직전 두소부에게서 받아둔 약속이 한 가지 있었다. 후기지수 세 사람은 표주이자 호송단의 일원으로서 전력을 다해 도울 것. 다시 말해, 세 사람이 명백히 전력을 다하지 않아서 생긴 실패에 대해서 나는 책임을 질 필요가 없다. 애초 팔짱을 끼고 수수방관할 생각이 아니었기에 두소부도 흔쾌히 수락했었다.

그러나 나는 지금 계약서의 조항을 빌미로 실패하면 당신들 탓이라는 말을 하고 있는 게 아니었다. 오히려 그 반대로 당신들이 도와주면 반드시 성공한다는 말을 하고 있는 것이다. 후기지수들은 내 말을 알아듣고도 남을 만큼 충분히 똑똑했다.

두소부를 시작으로 세 사람이 만두를 먹기 시작했다. 당군백이 나를 향해 미세하게 묵례를 해왔다. 고맙다는 뜻이다. 그리고 조용히 물었다.

"이제 어떡할 건가요?"

"사라질 겁니다."

"무슨 말씀인지."

"싸우지 않고 적을 굴복시키는 것이 최선이라는 병법의 가르침도 있지 않습니까. 싸우지 않으려면 사라질 수밖에요."

"우리보다 앞서 강 건너 무양포구로 간 나룻배가 열 척도 넘을 거예요. 아무리 밤이라지만 소문이 파다하게 퍼져 지켜보는 눈이 많을 텐데 어떻게 사라진다는 거죠?"

어느새 어둠이 완전히 내려앉은 장강은 한 치 앞을 볼 수가 없었다. 하필 달조차 뜨지 않은 밤이라 더 그랬다.

잠시 후, 삼견이 세 명의 뱃사공을 내 앞으로 데려왔다. 둘은 젊었고 하나는 오십 줄의 초로인이었다. 셋 다 닮은꼴로 못생긴 것이 누가 봐도 삼부자였다. 아들 둘은 겁에 질려 있었고, 늙은 아버지는 산전수전 다 겪은 장강의 뱃사공답게 담담했다.

나는 늙은 아버지에게 물었다.

"무양포구까지는 얼마나 남았습니까?"

"깜깜해서 알 수가 없습니다."

"노련한 사공께서 그걸 모를 리가요."

"십 리는 더 가야 할 것입니다."

"딱 절반쯤 왔군요."

"노련하기는 표사님께서 더 하신 것 같습니다만."

지켜보고 있던 사람들은 반 시진 넘게 배를 타고 왔는데도 아직 십 리나 남았다는 말에 놀라고, 그게 딱 절반이라는 걸 알아맞힌 나 때문에 또 놀랐다.

"지도에 그렇게 쓰여 있더군요."

"원하시는 게 무엇입니까?"

"목적지를 바꾸어야겠습니다."

"어디로 말입니까?"

"무양포구에서 십 리 정도 위쪽에 있는 여강촌입니다. 그리고 지금부터는 선등을 모두 끄고 잠항을 해주십시오."

"달도 뜨지 않은 캄캄한 밤입니다. 이 밤에 어디가 어디인 줄 알고 방향을 잡겠습니까? 어림도 없습니다."

"장강을 오가는 뱃사공들은 밤에 길을 잃을 때를 대비해 모두 별자리를 읽는 것으로 압니다만, 모르시면 제가 가르쳐 드릴 수도 있고요."

전생에서 30년 동안 장강을 넘어 다녔다. 항상 면양포구를 이용한 것은 아니지만, 장강의 사정은 어디나 다 비슷했다. 늙은 사공이 어디서 사기를 치려고.

왜 그러는지 짐작 못 하는 바는 아니다. 장강에서 나룻배를 끄는 뱃사공들은 원래 눈치가 빠르고 바가지를 잘 씌우기로 악명 높았다. 하물며 쉰 살이나 먹은 강하방도라면 반쯤 요괴라고 봐야 한다.

"꼭 방향 때문만은 아닙니다. 이런 밤에 잠항을 하다가는 다른 배들과 부딪혀 가라앉을 수도 있습니다. 여러분께서 얼마나 고수들이신지 모르나 장강 한가운데서 빠지면 절대 살아남지 못할 것입니다."

"이런 밤에도 배가 뜹니까?"

나는 알면서도 모르는 척 물어보았다. 일단 늙은 뱃사공의 입을 통해 지금 장강의 상황을 다른 사람들에게 알려주고 싶었기 때문이다.

"보이지 않는다고 해서 아무것도 없다고 생각하면 큰 오산입니다. 이 시간에도 장강엔 적지 않은 배들이 떠 있습니다. 선등은 내가 탄 배의 크기와 위치와 방향을 다른 배들에게 알려주기 위한 선원들 간의 약속입니다. 밤중에 다른 배들과 충돌해 물고기 밥이 되지 않으려면 선등은 필수입니다."

"말 한 필을 드리겠습니다."

"그래도 안 되는 건 안 되는 겁니다."

"마차 두 대도 드리겠습니다."

잘 만든 마차 한 대는 소 한 마리 값에 육박한다. 천룡표국의 마차는 중원 전역을 누비도록 만들어진 만큼 튼튼하기가 이를 데 없다. 말한 필에 마차 두 대까지. 뱃사공은 지금 횡재를 한 것이다. 반면 나는 어차피 사정상 버려야 하는 물건들을 돈 대신 지불하고 원하는 걸 얻는 셈이다.

"우리가 선등을 끄더라도 다른 배들이 켜놓았을 테니 일찍 발견해서 피해 가면 아주 불가능한 것은 아닙니다만……."

"그쯤 하시지요. 천룡표국의 표기를 못 보신 것도 아닐 텐데, 더 욕심부리다간 큰 단골을 잃으실 수도 있습니다. 참고로 저는 천룡표국의 사공자입니다."

"정말이십니까?"

"딱 보면 얼굴이 다를 텐데요."

"헛! 제가 사람을 몰라뵙고."

늙은 사공이 황급히 머리를 조아리기 시작했다. 덩달아 옆에 있는 두 아들도 함께 머리를 조아렸다.

"여강촌까지 안전하게 모시겠습니다."

옆에서 지켜보던 사람들은 세 번이나 놀란 표정을 지었다. 첫 번째는 내가 목적지를 바꾼다는 것에 놀라고, 두 번째는 말과 마차를 버린다는 것에 또 놀랐다. 그리고 마지막으로 안 된다고 열변을 토하던 뱃사공이 순식간에 돌변하는 것에 놀랐다.

선등을 모두 끈 채 잠항이 시작됐다. 늙은 뱃사공의 말대로 깜깜한 밤중인데도 불구하고 장강엔 배들이 적지 않게 떠 있었다. 일부러 밤중이 되기를 기다렸다가 고기 그물을 내리는 배들에서부터 강을 따라 며칠째 오르고 내려가는 상선들까지. 늙은 뱃사공은 그런 배들을 요리조리 잘도 피해가며 운항했다.

그사이 나와 후기지수들과 서호삼견은 마차에 있는 짐들을 조용히 정리하기 시작했다. 바로 옆 사람도 식별하기 어려울 만큼 어두운 가운데서 필요한 짐과 불필요한 짐들을 나누려니 여간 어려운 게 아니었다.

그러던 어느 순간, 나는 귓가에 스치는 바람에서 무언가 이질적인 것을 느꼈다. 동시에 나도 모르게 목구멍부터 쥐어짰다.

"모두 조용히!"

나의 한마디에 사람들이 모두 하던 일을 뚝 그치고 숨소리조차 죽였다. 누군가 슬그머니 내 곁으로 다가오더니 모기만 한 소리로 물었다.

"왜 그러나?"

일견이었다.

"앞쪽에서 무슨 소리가 난 것 같습니다."

"우린 아무 소리도 못 들었는데."

"양조광, 백발노성의 마혈을 짚으시오. 어서!"

나의 다급한 목소리에 누군가 후다닥 일어나서는 쇠창살 우리가 있는 곳으로 가는 게 느껴졌다. 이어 투다닥 하는 소리가 들렸고, '켁!' 하며 쓰러지는 소리도 들렸다.

그리고 또다시 이어진 침묵.

한참이 지난 후, 배의 오른쪽 전방 저만치 칠흑 같은 어둠 속으로부터 도란도란 말소리가 들려오기 시작했다.

"아직 멀었소?"

"슬슬 보일 때가 됐습니다만."

"너무 멀어서 그런 것 아니오?"

"면양포구에서 말과 마차를 실을 수 있는 배는 딱 두 척밖에 없는데, 그것들 모두 밝은 선등을 열 개씩 매달고 운행합니다. 나타나기만 하면 여기서도 충분히 보일 것입니다."

"한데 왜 안 보이는 것이오?"

"조금 더 기다려 보시지요."

대화는 두 사람이 나누는 것이었다. 한데 그중 한 명의 목소리가 귀에 익었다. 낮에 면양포구에서 백발노성에게 술 호리병을 건네줘도 되냐고 물었던 바로 그 사내였다.

대화는 또 이어졌다. 나는 공력을 최대한으로 끌어 올렸다.

"그런데 문제없겠소이까?"

"뭐가 말입니까?"

"명문대파의 후기지수들이 호송 중이라고 했잖소이까? 거기에 천룡표국의 젊은 표두와 늙은 표사들도 세 명이 있었다고."

"천룡표국의 표두와 표사들이야 신경 쓸 것이 없고, 문제는 청성, 점창, 당문의 후기지수들인데, 이 깜깜한 밤에 장강 한가운데서 쥐도 새도 모르게 없애 버리면 무슨 일이 일어났는지 누가 알겠습니까."

"과연 녹산귀도(綠山鬼刀) 형의 말씀이 맞소이다. 깜깜한 밤에 사람이 사라졌는데 물귀신에게 홀려 죽었는지 도깨비에게 홀려 죽었는지 알 턱이 없지요. 껄껄껄."

"말조심하십시오!"

"아, 그렇지. 서로 별호를 부르지 않기로 했지."

"수하들에게도 다시 한번 단단히 일러두시고요."
"다들 들었겠지? 모두 조심하도록!"

술 호리병 사내의 별호가 녹산귀도인가 보다. 짐작하건대 그는 낮의 일이 있고 난 후 빠른 배를 타고 장강을 건너 무양포구로 갔다. 이어 평소 알고 지내던 인근 흑도방파의 우두머리를 설득해 흑도들을 잔뜩 이끌고 온 것이다. 대체 몇 명이나 끌고 왔기에 저렇게 자신만만한 걸까.

그사이 대화 소리는 점점 가까워졌다. 저들의 배는 가만히 서 있었지만, 우리가 탄 배의 돛이 부풀어서 저절로 나아가며 생기는 현상이었다.

그러던 어느 순간이었다. 십여 장 앞 허공에서 갑자기 미세한 빛을 내는 물줄기가 생겨나서는 호선을 그리며 아래로 떨어졌다. 누군가 선미쯤에 서서 오줌을 싸는 모양이었다. 주워듣기로 소갈병에 걸린 사람이 한밤중에 오줌을 누면 종종 저렇게 빛이 난다고 했던 것 같다.

'위험할 텐데…….'

한 치 앞도 보이지 않는 와중에 선미에 서서 강으로 오줌 눌 생각을 하다니. 십중팔구 술에 취했거나 아니면 이런 일을 밥 먹듯이 하는 수적인 것 같았다.

그때였다.

푸르르!

우리 쪽 배에 타고 있던 말 한 마리가 갑자기 투레질을 했다. 큰 소리는 아니었지만, 그렇다고 놈들이 듣지 못했다고 확신할 수도 없었다. 생각지도 않은 상황에 머리끝이 쭈뼛 섰다.

나는 옆에 있는 사람들만 겨우 들을 수 있는 소리로 속삭였다.

"당군백, 독 없는 암기를 쏘아 선미에 있는 놈을 쓰러뜨릴 수 있겠소?"

말이 끝나기 무섭게 '쉭!' 하는 소리와 함께 무언가가 내 귓가를 스쳐 지나가는 게 느껴졌다. 거의 동시에 저쪽 배에서는 오줌 줄기가 갑자기 사방으로 흩어지며 풍덩 하는 소리가 들렸다.

"엇! 누가 빠졌다!"

"누가 빠진 거야?"

"사람 살려!"

"독사 형님이 물에 빠지셨다!"

"어디야? 어디에 빠지신 거야?"

"횃불을 밝혀라!"

"안 돼!"

마지막 날카로운 소리는 녹산귀도와 대화를 나누던 두령 놈의 것이었다. 놈이 거듭 소리쳤다. 빛과 달리 어지간한 소리는 바람 속에서 멀리까지 나아가지 못하니 상대적으로 덜 조심하는 것이다.

"빠진 쪽 난간을 작게 두들겨 소리를 내줘라."

퉁! 퉁! 퉁! 퉁!

"독사, 소리가 들리느냐?"

"예, 들립니다."

"너 또 술 처먹었냐?"

"갑자기 무릎이 따끔해서 그만."

"소리가 나는 쪽으로 헤엄쳐 온 다음 알아서 기어올라라. 그리고 갑판에 올라오는 즉시 대가리 박고 있어라."

"복명!"

"한심한 새끼."

"공기가 축축한 것이, 아무래도 안개가 끼어 선등 불빛을 가리는 것 같습니다. 조금 더 가까이 다가가서 매복하는 것이 좋겠습니다."

"다들 들었지. 다른 배들에게 신호를 주고 백 장 정도만 앞으로 나아간다. 이제부터는 큰 소리가 나지 않게 각별히 조심하도록."

마지막 두 사람의 대화는 녹산귀도와 흑도방파의 두령이 나눈 것이었다. 그러자 놈들이 탄 배에서 '탁!' 하고 작은 불꽃이 터졌다. 불꽃이라고 해봐야 두어 걸음 안을 겨우 밝힐 정도로 작았다. 누군가가 화석(火石)을 치는 모양이었다.

한데 그것을 시작으로 우리가 탄 배의 왼쪽 하고도 앞뒤 서너 곳에서 화답하듯 탁탁 불꽃이 터졌다. 놀랍게도 배는 모두 다섯 척이나 되었고, 우리가 탄 배는 그 배들 사이로 지나가고 있었던 것이다.

'이런 미친!'

나도 모르게 똥구멍에 힘이 팍 들어갔다.

나뿐만이 아니었다. 모두 말은 않지만 여기저기서 꼴깍꼴깍 침 삼키는 소리가 쉴 새 없이 들려왔다. 그것보다 훨씬 더 먼 사방에서는 첨벙첨벙 노 젓는 소리가 들리기 시작했다. 어림잡아도 배 한 척당 십수 명이 동시에 노를 젓는 것 같았다.

소리는 점점 멀어지더니 반 각쯤 지나자 아무리 공력을 끌어 올려도 더는 들리지 않게 되었다.

"이제 됐습니다."

"휴우, 하마터면 죽을 뻔했네."

"사방에서 화석을 칠 때 기절하는 줄 알았습니다."

"배가 다섯 척이라면 대체 몇 명이나 탄 거야?"

"백 명은 확실히 넘을 겁니다."

"고작 한 시진도 지나지 않았는데 백 명이나 찾아오다니. 이거 누구 말대로 선등을 끄고 잠항을 하지 않았다면 꼼짝없이 당했겠군."

이견과 삼견이 주고받으며 안도의 한숨을 내쉬었다. 얼굴은 보이지 않지만 다들 여기저기서 한숨을 쉬어댔다.

그 와중에 일견이 내게 물었다.

"대체 배가 다가오는 건 어떻게 안 건가?"

"실은 제 단전에 공력이 좀 있습니다. 어려서부터 아버지께서 저를 불쌍히 여기셔서 형님들 몰래 영약을……. 아무튼 좀 복잡한 사연이 있습니다."

말은 그렇게 했지만, 나도 속으로는 꽤 놀랐다. 이렇게 많은 사람이 있는데도 불구하고 내가 가장 먼저 적들의 소리를 들었을 줄이야. 공력이 있고 없고, 혹은 높고 낮음이 이렇게 큰 차이를 만드는 줄은 예전엔 미처 몰랐다.

"어찌 되었든 천만다행이네. 자네가 기지를 발휘하고 배도 일찍 발견한 덕분에 무사할 수 있었네."

"그것보다 녹산귀도가 누군지 아십니까? 짧은 시간에 백여 명을 동원하는 수완도 그렇고, 강에서 매복하고 기다릴 생각을 한 것도 그렇고. 아무래도 쉽게 떼어낼 수 있는 인간이 아닌 것 같습니다만."

"나도 처음 들어보는 별호네."

"선배께서 모르는 흑도의 인물도 있습니까?"

"흑도라는 보장도 없거니와 설사 그렇다고 해도 내가 천하의 흑도들을 다 알 수는 없는 노릇이지. 해가 바뀔 때마다 새로운 고수가 나타나는 법이니까."

"애석하군요. 어떤 자인지를 알면 다음에 찾아올 때 대비를 하기가 훨씬 수월할 터인데 말입니다."

그때였다.

"저기요.".

갑자기 들려온 낯선 목소리에 사람들의 대화가 뚝 끊어졌다.

잠시 후, 어둠 속으로부터 그 목소리가 다시 들려왔다.

"당신들 누구세요?"

갑작스러운 침묵이 배를 집어삼켰다. 나도, 사람들도 지금의 상황을 파악하느라 머리를 팽팽 굴렸다.

그때 낯선 목소리가 또 들려왔다.

"당신들 혹시 마두를 호송하는?"

"당신은 설마 독사?"

"그걸 어떻게?"

"이런 미친!"

"이런 씨발!"

스릉!

"둘째 형님, 저놈 지금 칼 뽑은 거 같은데요?"

"우리도 뽑아!"

스릉! 스릉!

독사와 이견과 삼견이 동시에 보법을 펼치고 움직이면서 갑판이 출렁거렸다. 당장 칼이 부딪쳐도 이상하지 않은 일촉즉발의 상황에서 내가 숨죽여 외쳤다.

"모두 멈춰!"

다시 정적이 찾아왔다. 당황한 나머지 잠시 잊고 있는 것 같은데, 만약 저놈이 소리쳐 동료들을 부르기라도 하면 끝장이다.

"당군백, 혹시라도 저자가 소리를 지르면 그 즉시 소리가 난 방향으로 독암기를 쏘아 즉사시켜 버려야 합니다. 가능하겠습니까?"

"물론이죠."

"삼절 선배, 만약 저자가 물속으로 뛰어들면 그 즉시 소리만으로 위치를 파악해 창을 던져 즉사시켜야 합니다. 가능하겠습니까?"

"물론이지."

대답과 함께 '철컹철컹'하는 소리가 들렸다. 삼견이 등에 멘 분절창을 풀어 능숙하게 조립하는 소리였다.

서호삼견은 원래 각각 도·검·창의 달인이었고, 그래서 자신들을 삼절이라 불렀다. 셋째인 삼견은 창술의 달인이었다. 다만 창이 길다 보니 평상시에는 분절해 등에 멨으며, 범용으로 허리에 칼도 한 자루 차고 다녔던 것이다.

몇 마디 말로 독사의 입과 발을 묶어버린 나는 그제야 안도의 한숨을 내쉬었다. 이제 놈을 무장해제 시키고 사로잡는 일만 남았다.

"독사, 내 말 듣고 있소?"

대답은커녕 숨소리조차 들리지 않았다. 십중팔구 숨을 멈춰 기척도 숨겼을 것이다.

"도망을 치기엔 이미 늦었고, 당신 혼자서는 언감생심 우리를 감당할 수 없을 것이오. 순순히 무기를 버리고 투항하시오."

대답은 여전히 없었다. 야만의 세계에서 살아온 흑도답게 피를 보기 전에는 쉽게 꺾이지 않을 모양이었다.

"하는 수 없군. 이절 선배와 삼절 선배께서는 그를 찾아 쓰러뜨리십시오. 여차하면 죽여도 좋습니다. 단, 병장기 부딪히는 소리가 최대한 나지 않도록 주의하십시오."

"셋째야, 창을 잡았느냐?"

"좌도우창입니다."

"네 창이 기니 왼쪽에서부터 어둠 속을 게 구멍 쑤시듯 슬슬 쑤시며 몰아와라. 하면 내가 오른쪽에서 기다리고 있다가 기척이 느껴지는 즉시 목을 쳐버릴라니까."

"생포하지 않고요?"

"우리를 죽이러 온 놈이다."

"하긴 생포하는 게 더 어렵지."

사사삭! 슈슈슉!

깡!

짧은 금속성을 신호로 암흑 속의 혈투가 시작되었다. 본격적으로 싸움이 시작되자 이견과 삼견도 입을 닫았다. 말소리로 자신들의 정확한 위치와 동선이 발각되는 걸 우려한 탓이다.

휙! 휙휙휙!

병장기 부딪히는 소리를 내지 말라는 내 말 때문인지 금속성은 거의 나지 않았다. 그래서 더 이상했다. 독사의 입장에서는 조심할 이유가 없는데 소리가 나지 않을 리가 없지 않겠나.

'설마!'

그 순간 앞쪽에서 불어오는 바람에 술 냄새가 확 느껴졌다. 머리끝이 쭈뼛 서며 저절로 이능력이 발동되었다.

어찌 된 영문인지 모르지만 공력과 이능력은 비례해서 높아졌다. 또한 나의 손발은 예전의 느려터진 그 손발이 아니었다.

스윽!

나는 귀영무의 보법을 펼치며 왼쪽으로 두 걸음을 이동했다. 조금 전 내가 서 있던 곳으로 날카로운 바람이 뻗어가는 게 느껴졌다.

'칼!'

내가 말하는 동안 소리로 위치를 파악해 두었다가 이견과 삼견이 달려드는 틈을 타 빠져나와서는 내게로 온 모양이었다. 나를 쓰러뜨려 인질로 잡은 후 동료들을 소리쳐 부를 생각인 것이다. 생각했던 것보다 훨씬 대단한 재주를 가진 데다 머리까지 비상했다.

하지만 내가 익힌 귀영무는 귀신의 그림자가 추는 춤이라는 이름에 걸맞게 지금과 같은 상황에서 그야말로 최적의 공능을 발휘한다. 나는 한 줌의 바람처럼 좌에서 우로, 우에서 다시 좌로 옮겨 다녔다.

놈도 만만치 않았다. 어떻게 알았는지 내가 서 있는 위치를 귀신같이 알아채서는 그림자처럼 따라붙으며 칼질을 해댔다.

휙! 휘익! 휙!

대여섯 번 칼을 휘두르고 피하길 반복하자 나는 칼바람을 기준으로 놈의 위치와 동선을 파악할 수 있게 되었다. 덧붙여 시간이 느려지는 이능력을 기반으로 초식과 초식 사이의 짧은 빈틈까지도 찾아냈다.

십초박의 선팔초(先八招) 중 일초(一招)가 번개처럼 작렬했다.

퍽!

주먹 끝에서 느껴지는 묵직한 타격감과 입체감. 정확히 놈의 면상에다 주먹을 꽂아 넣었음을 알 수 있었다. 그 와중에도 왼쪽에서 칼바람이 느껴졌다. 나는 놈의 신형을 오른쪽으로 타고 돌며 선삼초를 연이어 작렬했다. 추정하는 위치는 옆머리.

퍼퍼퍽!

놈의 상체가 심하게 흔들리며 비틀거리는 게 느껴졌다. 지독한 놈이었다. 분명 의식이 나가는 중일 텐데, 그 와중에도 내가 있다고 생각되는 방향으로 기어이 칼을 한 번 더 휘둘렀다.

나는 칼의 궤적 아래로 미끄러져 들어갔다. 이어 한 손으로 바닥을 짚고는 놈의 발목을 힘차게 걷어차 버렸다.

'퍽!' 하는 소리와 함께 놈의 신형이 허공에 뜨는 게 느껴졌다. 그리고 약간의 시차를 두고 다시 '쿵!' 소리가 들려왔다.

소리가 묵직한 것이 분명 머리부터 떨어졌을 것이다.

"뭐, 뭐야!"

"무슨 일이야!"

그때까지도 선수에서 자기들끼리 싸우고 있던 이견과 삼견이 비로소 하던 짓을 멈추고는 후다닥 물러났다.

나는 뒤쪽을 돌아보며 외쳤다.

"사공께선 어디에 계십니까?"

"여기 있습니다."

"돛의 밑부분이 전부 갑판에 닿도록 내릴 수 있겠습니까?"

"물론입니다."

"당장 그렇게 해주십시오."

우리가 탄 나룻배에는 세 개의 돛이 달려 있었다. 이것들은 모두 이중으로 덧댄 광목천에다 황토와 숯가루를 반죽해 넣은 물로 아홉 번 염색해 만든다. 이렇게 하면 장강의 거친 바람에도 찢어지는 법이 없고, 사철 내리쬐는 햇볕에도 잘 삭지 않는다.

잠시 후, 돛의 밑부분이 갑판에 닿자 당장 바람부터 차단되었다.

나는 돛과 돛 사이의 갑판에서 선등 하나를 밝혔다. 그러나 돛이 불빛을 차단하기 때문에 최소한 전방과 후방에 있는 다른 배들에게는 들킬 염려가 없었다.

불이 켜지는 순간 희끄무레하게 드러난 갑판의 상황에 사람들은 모두 아연실색했다.

우선 선수 쪽에서는 이견과 삼견이 창검을 들고 금방이라도 싸울 태세를 취하고 있었다. 그리고 두 사람으로부터 한참 떨어진 내 발아래에서 한 사람이 피투성이가 된 채 대(大)자로 뻗어 있었다.

그 와중에도 한 손엔 칼을 꼭 쥔 상태였다.

"혹시 이놈이 독사?"

"뭐가 어떻게 된 거야?"

좌악!

일견과 이견이 떠들어대는 와중에 나는 두레박으로 강물을 퍼다가 놈의 얼굴에 끼얹었다. 정신을 번쩍 차린 놈은 그 와중에도 벌떡 일어나 싸우려 했다. 하지만 일견이 놈의 손에 쥔 칼을 꾹 눌러 밟는 바람에 칼을 놓쳤다.

잔뜩 휘어진 칼 손잡이가 갑판을 때리면서 '퉁!' 하고 울렸다.

"아직 덜 맞은 모양이군."

말과 함께 내가 쓰윽 다가갔다. 목소리로 상대가 누구인지를 알아차린 놈이 식겁을 하며 뒷걸음질 쳤다.

"자, 잠깐만."

"……?"

"그만하면 충분하오."

"지금부터 내가 묻는 말에 똑바로 대답하시오. 만약 조금이라도 망설이거나 거짓말을 할 생각이라면 목숨을 걸어야 할 거요. 알아듣겠소?"

"알아들었소."

"당신이 독사요?"

"그렇소."

"소속 방파는?"

"그걸 말하면 나는 죽을 것이오."

"아니면 지금 내 손에 죽고."

"차라리 죽이시오."

독사가 갑자기 그 자리에 털썩 주저앉았다. 그러고는 정말 죽음을 각오한 듯 눈까지 감아버렸다. 돌변한 태도에 모두가 어리둥절한 표정을 지었다.

"이유가 무엇이오?"

"내가 소속 방파를 발설하면 일벌백계로 삼기 위해 사흘 밤낮 고문을 하다 죽일 거요. 그러느니 차라리 지금 단칼에 죽겠소."

독사는 유흥가 어느 골목 혹은 어느 방파에나 한두 명씩은 있는 흔한 별호였다. 그러니 별호만 가지고 탐문하여 놈의 정체를 파악하기란 생각보다 어려운 일이다. 지금은 그러고 다닐 시간도 이유도 없고.

"삼룡채(三龍砦)의 수적이라는 게 무슨 그리 대단한 비밀이라고."

"그걸 어떻게!"

"정말 삼룡채에서 나왔소?"

"알고 물어본 거 아니었소?"

"이런 쳐 죽일!"

나는 하마터면 놈의 면상에 십초박의 선팔초를 모두 꽂아 넣을 뻔했다. 다행히 일견이 얼른 앞을 막아서는 바람에 행동으로 옮기지 않을 수 있었다.

일견이 조심스럽게 물었다.

"왜 그러나?"

"천룡표국과 오랜 세월 호의적인 관계를 유지해 온 수채입니다. 족보가 없는 놈들도 아니고, 나름 장강수로맹에 속해 있는 큰 수채인데 천룡표국이 개입되어 있다는 걸 알면서도 모조리 살인멸구하려 했다니……."

"나는 끝까지 반대했소. 정말이오."

"혹시 내가 천룡표국의 사공자인 건 알고 있나?"

"그, 그런 말은 없었는데."

독사의 눈이 휘둥그레졌다. 정말로 까맣게 몰랐던 모양이다.

그래도 달라질 건 없다. 청성, 점창, 당문의 후예들이 호송 중임을 알면서도 살인멸구하려 한 자들이 나 하나 더 있다고 생각을 바꿨겠나.

"녹산귀도는 어떤 자이지?"

"수하 세 명과 함께 강호를 떠돌아다니는 청부업자요. 돈 되는 일이라면 뭐든지 다 하는데, 특히 무림인들에게 억울한 일을 당한 사람들로부터 거액을 받고 복수를 대신해 주는 것으로 유명하외다. 실력은 하나같이 일류 이상이라 들었고."

나는 사람들을 돌아보았다. 혹시 한 번쯤 들어본 적이 있냐는 뜻이었다. 하지만 모두 고개를 가로저었다.

"삼룡채에서 당신의 위치는?"

"세 번째요."

세 번째면 언제 두령을 죽이고 채주가 되어도 이상하지 않을 위치다. 졸개 나부랭이인 줄 알았다가 생각보다 거물이자 나도 사람들도 어안이 벙벙해졌다.

"혹시 호리독사(壺裏毒蛇)를 아나?"

"수하들이 날 부르는 별호이오만."

호리는 술독을 일컬으니 호리독사란 술독에 빠진 독사를 뜻한다. 나는 이제야 독사가 누구인지 생각났다. 본래 유명한 도둑 출신으로 은신술과 잠행술에 뛰어난 그는 사실상 삼룡채 내에서 최고의 고수였다. 하지만 허구한 날 술에 취해 있다 보니 어쩌다 채주나 부채주와 자웅을 겨룰라치면 흠씬 두들겨 맞기 일쑤였다. 때문에 자연스럽게 서열 싸움에서 밀려났고 세 번째가 되었다.

그 자신도 채주나 부채주가 되어 골치 아프게 삼룡채를 이끄는 것보다 술이나 실컷 마시면서 세 번째로 편안하게 지내는 것에 만족했다.

"이제 날 어떡할 겁니까?"

나는 저만치 갑판에 굴러다니는 강철 닻을 가져왔다. 아마 늙은 뱃사공이 어디서 주운 물건인 것 같은데, 끄트머리에는 때마침 밧줄까지 제법 길게 묶여 있었다.

나는 강철 닻과 연결된 밧줄의 다른 쪽 끝을 독사의 두 발목에 묶었다. 그리고 양쪽 팔을 뒤로 꺾어 다른 가는 밧줄로 친친 묶고는 그를 번쩍 들어다 배의 난간에 세웠다.

"뭐, 뭐 하는 거요?"

"당신들이 우리에게 하려던 짓."

"솔직히 말하면 살려준다고 했잖소!"

"그래서 솔직히 말했나?"

"어쨌든 다 알게 됐잖소."

"아깐 당당하게 죽이라고 하더니."

"살려주시오. 제발!"

"싫어."

나는 강철 닻을 거침없이 강물 속으로 던져 버렸다. 풍덩 소리와 함께 닻이 떨어지고, 뒤이어 독사가 발목부터 홱 하며 끌려 들어갔다.

머리까지 물에 빠져 자취를 감추려는 순간, 나는 한 손을 뻗어 놈의 머리끄덩이를 덥석 잡았다. 그리고 천천히 얼굴만 물 밖으로 내놓았다.

"내가 당신을 살려줘야 하는 이유를 한 가지만 말해봐."

"수채가 텅 비어 있습니다. 채주가 돈을 숨겨둔 장소를 압니다. 은전이 궤짝으로 다섯 개는 될 겁니다. 최소 삼만 냥 봅니다."

"우리는 표사지 도둑이 아니다."

"자, 잠깐만. 남직예를 가로질러 하남으로 들어가는 가장 빠르고 은밀한 길을 압니다. 제가 안내하겠습니다."

"지름길이라면 나도 얼마든지 알고 있다."

"표사들이 다니는 길과 도둑이 다니는 길은 다릅니다. 이건 소싯적에 무림인들의 추적을 피하는 과정에서 알아낸, 세상에서 오직 저만 아는 길입니다."

"……!"

한 식경 후, 배는 여강촌에 도착했다.

나는 약속했던 대로 말 한 필과 마차 두 대를 배에 남겨두고 모두 내리게 했다.

쇠창살 우리 속에 갇혀 있던 백발노성도 말안장에 빨래처럼 엎어지게 널어놓은 다음, 양손과 발목에 묶여 있는 쇠사슬을 밧줄로 연결해 말의 배 아래에서 하나로 묶었다.

마지막으로 나만 남았을 때 뱃사공을 보며 말했다.

"뒷일을 부탁해도 되겠습니까?"

"저희는 상류로 계속 올라갔다가 이틀 후에나 다시 내려올 생각입니다. 그 정도면 되겠습니까?"

"천룡표국은 강하방이 보여준 신의를 잊지 않을 것입니다."

"부디 보중하십시오."

나까지 내리자 배는 빠른 속도로 사라졌다.

나는 사람들을 모이게 한 후 두소부에게 지시를 내렸다.

"세 분께선 호리독사와 함께 먼저 가십시오. 상황이 상황이니만큼 오늘은 쉬지 않고 길을 재촉하시고, 내일 저녁쯤 곽산(郭山) 초입에 있는 관제묘에서 다시 만나기로 하십시다."

"정룡 공자는 어쩌려고요?"

"우린 꼬리를 자른 후 얼른 따라겠습니다."

삼룡채에 도착했을 때는 어느새 삼경이 가까웠다. 횃불이 여기저기 밝혀진 수채를 바라보며 일견이 낮은 목소리로 물었다.

"불을 지르는 건 어떤가?"

"그럼 일이 커집니다."

"독사가 말한 은전을 찾아 볼모로 삼는 건? 마침 집도 비었고."

"우린 빈집을 털려고 온 게 아닙니다."

"나도 그런 뜻으로 한 말은 아니네."

"그렇다고 해도 일단 우선 수채를 차지하기는 해야겠습니다. 텅 비었다고 해도 최소한의 인원은 남아 있을 겁니다. 죽이지만 않는다면 그 어떤 욕설과 폭력도 허용합니다."

"죽이지 않는 게 제일 어려운 일이네."

호리독사의 말대로 수채는 텅 비어 있었다. 횃불을 들고 왔다 갔다 번을 서는 수적들이 열 명 정도 있기는 했다. 하지만 돈독 오른 서호삼견을 감당하기엔 그들의 무공이 너무나 형편없었다.

열 명을 모두 쓰러뜨리고 광에 가두는 데는 불과 한 식경도 걸리지 않았다. 나는 놈들이 떨어뜨린 손도끼 하나를 챙긴 다음 새벽까지 늘어지게 잠을 잤다.

해가 밝아올 무렵이 되자 삼룡채의 주인인 칠척노도(七尺怒刀)가 휘하의 수적 백오십여 명을 이끌고 나타났다. 수적들의 숫자가 생각했던 것보다 많자 서호삼견의 얼굴은 대번에 흙빛이 되었다. 나도 간이 살짝 쪼그라드는 것 같았다.

별호만큼이나 큰 체구를 자랑하는 칠척노도는 자신이 없는 사이 누군가에 의해 수채가 점령당했다는 걸 알아차리고서는 눈이 회까닥 뒤집혔다.

"네놈들은 누구냐?"

"처음 뵙겠습니다. 백발노성의 호송을 책임진 천룡표국의 십칠각주 이정룡입니다."

"……!"

천룡표국이라는 말이 나오는 순간부터 칠척노도의 얼굴이 노래졌다.

순간, 수적들 속에서 누군가 칠척노도에게 재빨리 달려가 귓속말을 전했다. 칠척노도의 얼굴이 더욱 노래졌다.

"사공자라는 말이 사실이오?"

"호리독사도 같은 반응을 보이더군요."

"호리독사가 살아 있소?"

"그렇습니다."

"그럼 그렇지. 그 인간이 쉽게 죽을 리가 있나."

수하가 살아 있다는 데도 칠척노도는 전혀 기뻐하는 기색이 없었다. 오히려 얼굴이 노래지다 못해 창백해졌다. 호리독사가 모든 걸 불었을 테니 당연히 놀랄밖에.

그러다 갑자기 눈동자에 기광이 돌았다.

"다른 일행은……?"

"무림맹 후기지수들을 말씀하시는 거라면 백발노성과 함께 다른 곳에 있습니다. 제가 만약 살아서 돌아가지 못한다면 천룡표국에 삼룡채를 찾아가 보라고 알려주어야 하지 않겠습니까?"

마지막 희망까지 사라지자 칠척노도는 모든 걸 체념한 얼굴이었다.

"원하는 게 무엇이오?"

"술이나 한잔 얻어먹었으면 합니다. 주인이 계시질 않아 어디에 뭐가 있는지 알 수가 있어야지요."

그러면서 나는 야외에 놓여 있는 통나무 탁자의 상석 바로 왼쪽에 철썩 앉았다. 굳이 왼쪽에 앉은 것은 칠척노도가 왼손잡이, 즉 좌수검(左手劍)이기 때문이다. 대화가 길어질 것을 예감한 칠척노도가 자연스럽게 상석을 차지하고 앉았다.

잠시 후, 술이 나오고 칠척노도와 내가 주거니 받거니 몇 잔을 마셨다. 그때까지 칠척노도는 단 한 마디도 하지 않았다. 지금쯤 내 의중을 파악하느라고 머릿속에서 불이 나고 있을 것이다.

"잘 마셨습니다."

"그냥 가시려고?"

나는 대답 대신 품속에서 전낭 하나를 꺼내 식탁 위에다 쓱 밀어놓았다.

"이게 무엇이오?"

"표물이 장강을 건넜으니 성의를 표시해야지요."

"사공자……."

"은전 열 냥입니다. 삼룡채의 채주께서 아무래도 우리 천룡표국에 무언가 섭섭한 것이 있으신 것 같아 오늘은 좀 넉넉하게 넣었습니다."

"어제 일은……."

"호리독사에게 모두 들었습니다. 녹산귀도의 꼬임에 빠져 천룡표국이 개입한 줄은 까맣게 모르셨다고요."

"그, 그렇소이다."

"녹산귀도는 어디로 갔습니까?"

"밤새 기다려도 배가 나타나지 않자 다시 무양포구로 들어갔소이다. 목격자가 있는지 수소문을 해보겠다고 했소. 아무래도 쉽게 포기할 것 같지 않았소이다."

"채주님께선 어쩌실 겁니까?"

"삼룡채에서 사공자를 귀찮게 하는 일은 없을 것이오."

"고맙습니다."

내 말을 아무도 다치지 않았으니 이대로 조용히 넘어가자는 뜻으로 알아들은 모양이다.

칠척노도는 비로소 굳었던 표정을 풀며 전낭을 집기 위해 탁자 위로 슬그머니 손을 뻗었다.

"이건 염치 불고하고……."

그 순간, 나는 고도의 집중력을 발휘해 이능력을 발동시켰다. 동시에 허리춤에 꽂아둔 손도끼를 질풍처럼 뽑아 들고는 놈의 왼손을 사정없이 내려쳤다.

텅!

"으아악!"

자지러지는 비명과 함께 칠척노도가 발작적으로 튀어 오르며 물러났다. 하지만 손목 아래는 전낭을 집은 채 그대로 탁자 위에 놓여 있었다.

잘린 단면에서는 피가 분수처럼 뿜어져 나왔다.

채채채채채챙!

갑작스러운 상황에 수적들이 모두 도검을 뽑아 들었다. 이에 맞서 서호삼견도 동시에 각자의 병장기를 뽑아 들고는 수적들과 대치했다.

"죽여! 모두 죽여 버려!"

칠척노도가 악다구니를 썼지만, 누구도 함부로 덤벼들 생각을 못 했다. 천룡표국의 사공자라는 신분이, 표왕이라는 이름이, 무엇보다 내가 이곳에 온 걸 무림맹 후기지수들이 안다는 사실이 두려운 것이다.

"이 새끼들, 뭐 하는 거야! 어서 죽여 버리라니까!"

나는 이러지도 저러지도 못하고 있는 부채주 독혈랑(獨血狼)을 바라보며 착 가라앉은 음성으로 말했다.

"칠척노도가 더는 검을 쓸 수 없으니 이제부터 당신이 채주요. 선택을 하시오. 일을 좀 더 크게 벌려볼 것인지, 아니면 은전 열 냥을 챙기고 계속해서 천룡표국과 우호적인 관계를 유지할 것인지."

삼룡채의 채주가 금전 오백 냥에 눈이 멀어 장강수로맹과 오랜 우호 관계였던 천룡표국의 사공자를 쥐도 새도 모르게 없애려 했다. 이건 맹에서도 바람막이가 되어줄 수 없는 대형 사고였다.

맹에서는 오히려 주제넘은 일탈을 문제 삼아 수뇌부 대여섯 명 정도 목을 치는 것으로 천룡표국에 사과의 뜻을 표하려 할지도 모른다. 부채주 정도 되는 그릇이라면 이 정도 계산은 할 것이다.

한데 독혈랑은 내가 생각했던 것보다 훨씬 똑똑한 인물이었다.

"청성, 점창, 당문의 후기지수들은 어떻게 하신답니까?"

"날더러 그들의 입까지 막아달란 말이오?"

"이 미친 새끼. 지금 뭐 하자는 거야!"

칠척노도가 고래고래 고함을 질렀다. 그 순간, 독혈랑이 갑자기 들고 있던 대도로 칠척노도의 목을 뎅겅 쳐버렸다.

쿵!

목이 먼저 떨어지고 뒤이어 몸뚱어리가 털썩 넘어갔다. 시뻘건 피가 순식간에 바닥을 물들였다. 갑작스러운 상황에 너 나 할 것 없이 모두 뜨악했다.

독혈랑이 말했다.

"모든 건 멍청한 채주가 고집을 피워서 생긴 일입니다. 앞으로는 절대 그런 일 없을 것입니다. 약속드립니다. 그리고 사과드리겠습니다."

독혈랑이 무림인들의 인사법인 포검식의 예를 취했다. 그러자 식당 안에 들어와 있던 수적들 전부가 모두가 똑같은 자세로 머리를 숙였다.

"후기지수들에게 보고 들은 대로 전하겠소."

"고맙습니다."

호광과 남직예의 경계를 이루며 남북으로 뻗은 대별산맥(大別山脈)은 수천 개의 봉우리와 골짜기를 거느린 강동지역 최대의 산맥이었다.

호리독사는 바로 그 대별산맥의 울창한 숲 사이로 길을 잡았다. 때로는 높은 고개를 넘고, 때로는 대낮에도 볕이 들지 않을 만큼 캄캄한 골짜기를 통과했다. 도저히 사람이 지나갈 수 없을 것 같은 곳도 호리 독사가 앞장서면 길이 생겨났다. 그 모습이 신기했던지 고갯마루에서 잠시 휴식을 취할 때 삼견이 물었다.

"한두 번 와본 솜씨가 아닌 것 같네만?"

"대저 길이란 이정표가 될 만한 것들만 똑똑히 기억해 두면 나머진 선을 긋고 유추할 수 있습니다. 게다가 지금은 초목이 잎을 떨어뜨린 겨울이라 여러모로 훨씬 수월하고요."

"지금은 무엇이 이정표인가?"

"저기 저 소뿔 모양의 봉우리 두 개가 보이십니까? 우각쌍봉(牛角雙峯)이라는 봉우리들입니다. 당연한 말이지만 봉우리와 봉우리 사이에는 골짜기가 있는 법이고, 우린 오늘 그 골짜기를 통과할 겁니다."

"한때 잘나가는 양상군자였다고 들었네. 아직 목숨이 붙어 있는 걸 보면 한 재산 모았을 텐데, 왜 삼룡채에 신변을 의탁한 것인가?"

"술 때문입니다."

"술?"

"저는 술이 없으면 못 사는데, 대신 술에 취하면 아무 말이나 해버립니다. 이를테면 어제 누구 집을 털었다거나, 어디에다 돈을 숨겨두었다거나."

생각지도 못한 답변에 옆에서 듣고 있던 나는 할 말을 잃었다.

짐작하건대, 그는 술버릇 때문에 사람들에게 쫓기고, 술버릇 때문에 기껏 훔친 재물을 허구한 날 도둑맞은 것 같았다.

이견이 불쑥 물었다.

"내공으로 주독을 몰아내면 되지 않나?"

"술을 마실 때마다 그렇게 다짐을 합니다만, 그래도 열 번에 한 번 정도는 저도 모르게 취해 버리곤 해서요."

"고약한 버릇이군."

"이러다가 칼에 찔려 줘도 새도 모르게 죽겠다 싶더군요. 그럴 바에야 차라리 노략질을 하며 술이나 실컷 마시다가 죽자는 생각에 삼룡채로 투신했습니다."

"술이 그렇게 끊기 어렵나?"

"글쎄요. 시도를 안 해봐서."

"시도를 안 해봤다고? 왜?"

"이 좋은 걸 왜 끊습니까?"

나는 도무지 이해가 되지 않아 고개를 절레절레 흔들었다. 세상엔 정말 각양각색의 등신들이 있다는 생각만 들 뿐이었다.

"공령신투(空靈神偸)가 말년에 멍청한 제자를 얻는 바람에 아까운 절기들이 사장되게 생겼다더니, 소문이 사실이었군."

쇠사슬에 손발을 묶인 상태에서 또다시 나무에 묶여 있는 백발노성이 무심코 툭 내뱉은 말이었다.

순간, 모두의 시선이 백발노성에게로 향했다.

일견이 물었다.

"방금 뭐라고 하셨습니까?"

"저놈, 공령신투의 제자야."

"그걸 어떻게 아십니까?"

"놈이 펼친 저급한 신법이 역설적이게도 공령신투의 평생 역작인 영사신법(靈蛇身法)이었네. 우리가 지금 가고 있는 이 길도 십중팔구 공령신투가 놈에게 물려준 길일걸.”

“그가 신법을 펼쳤다고요?”

“개울을 건널 때, 바위를 뛰어넘을 때, 길을 살피기 위해 나무를 기어오를 때. 무인은 자신이 익힌 무공을 어떤 형태로든 드러내게 마련이지. 적어도 내 눈앞에서는. 클클클.”

공령신투는 수많은 거부의 장원을 제집처럼 드나들었다던 전설적인 대도(大盜)들 중 한 명이었다. 무슨 이유에선지 그는 승려들을 아주 싫어했는데, 소림사의 장경각으로 숨어 들어가 수십 권의 낯뜨거운 화첩을 꽂아놓고 나온 일화는 아직도 강호에 유명했다.

소림사에서는 공령신투의 소행이라는 명확한 증거가 없고, 또한 도둑맞은 물건이 없으니 이러지도 저러지도 못하고 애를 먹었다고 한다. 한데 호리독사가 그 공령신투의 제자라고?

일견이 호리독사를 돌아보며 물었다.

“사실인가?”

“부끄럽습니다.”

“허허. 공령신투의 제자가 수채로 들어가 노략질이나 하고 있었다니.”

이번엔 내가 백발노성에게 물었다.

“저이의 신법이 그렇게 형편없었습니까?”

“형편없고말고. 지하에 있는 공령신투가 이 사실을 알면 벌떡 일어났을걸. 이런 걸 두고 죽 쒀서 개 줬다고 하는 건가.”

“장강의 배 위에서 그는 이절 선배와 삼절 선배를 속이고 제게로 다가와 칼을 휘둘렀습니다. 저는 오히려 그의 은밀한 신법에 감탄했습니다만.”

"하지만 자네에게 패했지. 그것도 오초지적으로."
"삼초지적이었습니다."
"오 초는 펼친 것으로 아네만."
"삼 초를 펼쳤을 때 이미 제압했습니다."
"뭐 그렇다고 치고. 영사는 하늘을 나는 신령한 뱀을 뜻하네. 공령신투의 영사신법은 은밀하고, 가볍고, 빠른 것이 특징이지. 하지만 저놈의 신법은 은밀하고 가볍기는 하나 빠르지가 않아. 하기사 단전에 축기된 내공이 이제 겨우 이십 년 안짝에 불과하니 어쩌면 당연한 일일지도."
모두의 시선이 또다시 호리독사를 향했다. 그는 민망한 듯 씨익 웃더니 물에 불린 육포를 질겅질겅 씹었다.

장강을 건넌 지 나흘째 되던 날까지 우리는 사람이라곤 그림자조차 보지 못했다. 모두 호리독사 덕분이었다. 은밀하고 안전하게 길 안내를 하겠다는 약속을 그는 최소한 지금까지는 확실히 지켰다.
그러다 보니 서로에 대한 경계심이 많이 누그러졌다.
호리독사는 근성이 느껴지는 별호와 달리 천성이 매우 낙천적이었다. 그 덕분인지 언제부턴가 서호삼견과 죽이 척척 맞았다. 다만 그를 이렇게 말 잘 듣는 짐승으로 만들기 위해서는 한 가지 꼭 필요한 것이 있었다.
"술이 떨어졌다고요?"
"절반은 귀하가 마셨소만."

"저는 술 없으면 하루도 못 버팁니다."

"참으시오."

"못 참습니다."

"못 참으면 어쩔 거요?"

나는 두 눈을 치켜뜨며 호리독사를 노려보았다. 네놈이 나를 죽이려 왔다가 사로잡혔고, 길 안내를 해주는 조건으로 살려두고 있다는 사실을 다시 한번 표정으로 상기시켜 주기 위해서.

한데 호리독사는 전혀 겁을 먹지 않았다.

"혹시 십 년 묵은 죽엽청주(竹葉青酒)를 마셔보셨습니까?"

"갑자기 뭔 소리요?"

"안 마셔보셨다면 오늘 밤 제가 실컷 마시게 해드리겠습니다. 공짜로요."

생각만 해도 신이 나는지 그는 더욱더 열심히 길 안내를 했다.

나는 지금 그를 포로로 잡아 부리는 건지, 아니면 객원표사로 고용한 건지 살짝 헷갈릴 지경이었다. 심지어 사흘 전 내가 채주의 손목을 찍고, 부채주가 그의 목을 치는 바람에 삼룡채의 채주가 바뀌었다는 말을 전했을 때의 일이었다. 그는 '그것참 큰일 났네요'라고 한마디 하고는 서호삼견과 술을 나눠 마시기 바빴다. 그에게선 삼룡채에 대한 소속감이나 애정을 털끝만큼도 볼 수가 없었다.

저녁 무렵이 되자 우리는 우거진 숲 한가운데 있는 거대한 무덤 앞에 도착했다. 연대를 알 수 없는 석상과 비석들은 이미 쓰러져 나뒹구는 데다 관목으로 뒤덮여 주변의 자연과 동화된 지 오래였다.

내가 혼잣말처럼 중얼거렸다.

"이런 곳에 어떻게 무덤이 있지?"

"아주 오랜 옛날엔 근처에 길이 나 있었던 것 같습니다. 십 년이면 강산도 변한다지 않습니까. 하물며 천 년도 더 지났으니 더 말할 것도 없지요."

"천 년이라고요?"

"한(韓) 대에 인근 지역을 지배하던 왕족의 대총(大塚)으로 짐작하고 있습니다. 처음 발견했을 때는 돈 될 만한 것들은 진작에 도굴을 당해 사라지고 없었지요."

"이런 오지에 무덤이 있는 줄 어찌 알고?"

"최초로 도굴을 당한 시기가 이미 수백 년 전이었던 것 같습니다. 그 시대의 선배들께서 어떤 지혜와 통찰을 지녔는지 우리로서는 알 수가 없지요."

나는 더 이상 할 말이 없었다.

호리독사는 굳게 닫힌 바위 문을 열었다. 그러자 놀랍게도 퀭한 구멍과 함께 아래로 연결된 계단이 나타났다.

그는 아무렇지도 않게 계단을 따라 내려갔다. 그리고 잠시 후, 계단 저 아래로부터 불이 하나둘씩 켜지는가 싶더니 호리독사의 목소리가 들려왔다.

"내려오십시오."

"삼절 선배께서는 여기서 번을 서십시오."

"나만?"

"조광, 너도 함께 있어라."

"알겠습니다."

두소부의 명령에 조광이 절도 있게 대답했다.

머쓱해진 삼견이 입맛을 다셨다.

나와 눈이 마주치자 두소부는 가볍게 고개를 끄덕였다.

안으로 들어가자 여기저기 유등(油燈)이 밝혀진 가운데 백 명은 족히 드러눕고도 남을 만큼 거대한 지하 석실이 모습을 드러냈다. 석실 한가운데는 커다란 석관이 놓여 있었고, 그 주변에는 연대를 알 수 없는 각종 항아리가 반쯤 깨진 채로 여기저기 나뒹굴었다. 아마도 석관의 주인과 함께 묻힌 부장품 항아리들인 모양이었다.

하지만 깨진 항아리 주변엔 내용물은 온데간데없고 귀뚜라미만 새까맣게 기어 다녔다.

"나름의 비처인 모양인데, 이렇게 공개해도 되는 것이오?"

"저도 까맣게 잊고 지내다 십여 년 만에 와보는 것입니다. 아마 앞으로도 십중팔구 그럴 것인데, 아껴서 무엇하겠습니까?"

그러면서 그는 석관의 한쪽 끝을 어깨에 대고 힘차게 밀었다. 그러자 끽끽 소리와 함께 석관이 밀려 나가면서 숨겨져 있던 공간이 드러났다. 누군가 일부러 파놓은 듯한 바닥에는 사람 머리통만 한 항아리 대여섯 개와 칼 한 자루, 화섭자, 땔감으로 쓸 솔방울, 작은 약병들 그리고 갈아입을 옷가지 등이 놓여 있었다.

도주하는 와중에 들렀을 때 쓰기 위한 일종의 보급품 같았다. 작은 약병들은 십중팔구 금창약일 것이다.

호리독사는 먼지가 뿌옇게 내려앉은 항아리 하나를 골라서 꺼냈다. 이어 두껍게 붙여놓은 밀봉을 제거하고 뚜껑을 열었다. 그러자 진한 주향이 석실 안에 가득히 퍼졌다. 향이 생각했던 것보다 훨씬 좋은지라 한순간 모두가 놀랐다.

"누구 호리병 가진 거 없습니까?"

"여깄네."

이견이 얼른 허리춤에 차고 있던 호리병을 풀어 내밀었다. 호리독사가 그걸 받아 들고는 항아리를 기울여 술을 따랐다.

"자 드셔보십시오."

이견이 낚아채듯 호리병을 건네받고는 쭉 들이키려고 했다.

순간, 내가 그의 손목을 덥석 잡았다.

"잠깐만요!"

"왜 그러나?"

나는 의심의 눈초리로 호리독사를 한번 노려본 후 당군백에게 말했다.

"독이 들어 있는지 확인할 방법이 있습니까?"

"일반적인 것들은요."

"확인해 주십시오."

이견은 그제야 정신이 번쩍 드는 모양이었다.

모두가 집중을 하는 가운데 당군백이 호리병을 받아 쥐었다. 이어 품속에서 은잔을 꺼내더니 술을 가득 따르고 변색을 살폈다. 그런 다음엔 새끼손가락만 한 옥병을 꺼내 정체 모를 액체를 한 방울 떨어뜨렸다.

"이게 무엇입니까?"

"가장 널리 사용되는 열일곱 가지 무색무취의 독을 판별할 수 있는 시약이에요."

별다른 이상이 없는지 이제 술에 입술과 혀끝을 차례로 대보았다. 그래도 이상이 없자 입안에 조금 흘려 넣었다가 얼른 뱉은 후 남은 맛을 음미했다.

"독이 있으면 어쩌려고요?"

"백독불침까지는 아니지만 어지간한 독에는 내성이 있어요. 감당할 수 없다 싶으면 재빨리 해독하면 되고요."

"당문에선 모두가 이런 식으로 독을 판별합니까?"

"오랜 세월 축적된 혀끝의 경험보다 나은 판별법이 없으니까요. 대신 몇 가지 절차를 거치면서 극도로 조심을 기하죠."

당문의 독인들은 목숨을 걸고 독공을 수련한다고 들었다. 오늘 직접 보니 그 말이 한 치의 거짓도 없는 사실이었다.

그때 옆에서 꿀꺽꿀꺽하는 소리가 났다. 돌아보니 호리독사가 항아리째 집어 들고는 술을 마시고 있었다. 양껏 마신 그는 항아리를 척 내려놓으며 감탄사를 내뱉었다.

"크어 좋다!"

좌중에 잠시 어색한 침묵이 흘렀다. 당황한 당군백은 얼굴이 벌게져서 어쩔 줄을 몰라 했다.

"에라, 모르겠다."

이견이 호리독사의 손에서 항아리를 빼앗아 마시기 시작했다. 다음엔 일견이 항아리를 건네받았다.

당군백과 두소부는 서호삼견에게서도 아무런 이상이 없음을 확인한 후에야 비로소 호리병에 있는 술을 한 모금씩 나눠 마셨다. 그러고도 짧은 운기를 통해 몸속을 관조하며 독이 있는지 다시 한번 확인하는 신중함을 보였다. 덕분에 나는 안심하고 마실 수 있었다.

술을 마시는 동안 석실 안은 술 넘기는 소리 외에는 누구의 목소리도 들리지 않았다. 이윽고 순번이 몇 차례 돌아가고 나서야 비로소 이런저런 말들을 쏟아놓기 시작했다.

"이게 죽엽청주란 말이지."

"이런 술은 처음 먹어봤습니다."

"맛있군. 맛있어."

"첫 번째는 본래 좋은 재료로 술을 담갔기 때문이고, 두 번째는 사철 차가운 무덤 속에서 무려 십 년 동안이나 묵혔기 때문이지요."

마지막 말은 호리독사의 입에서 나온 것이었다. 일견과 이견의 극찬에 그는 기분이 매우 좋아진 것 같았다.

"더 마셔도 되겠나?"

"물론입니다. 다만 돌아가는 길에 다시 들러서 없어진 항아리만큼 채워놓아야 합니다. 혹시 또 압니까? 십 년 후에 우리 중 누가 여길 지날 일이 있을지."

"이를 말인가. 껄껄껄."

"나도, 나도 한 잔만 부탁하네."

백발노성이 더는 참지 못하고 애원했다.

호리독사가 나를 살짝 돌아보았다. 줘도 되는지 의향을 묻는 것이다. 나는 고개를 끄덕였다.

술 항아리 네 개가 바닥나는 데는 한 식경도 걸리지 않았다. 사람들은 술을 마시는 와중에도 간간이 내공을 끌어 올려 주독을 몰아내는 걸 잊지 않았다.

어느 순간 일견과 두소부가 자진해서 바깥사람들과 교대를 하겠다며 나갔다.

잠시 후, 양조광과 삼견이 돌아왔고 두 사람은 앞선 사람들이 그랬던 것처럼 십 년 묵은 죽엽청주 맛에 빠져들기 시작했다.

그러다 삼견이 아무렇지도 않게 툭 말했다.

"묘왕대총(泖王大塚)이 여기에 있었군."

"무슨 말입니까?"

"대별산맥 어딘가에 있다는 공령신투의 비처 말일세. 한때 이곳에 공령신투가 엄청난 보물을 숨겨놨다는 소문이 돌아 무림인들이 찾아서 급습을 하기도 했었지. 하지만 깨진 항아리에 쥐똥만 가득했었다더니 사실이었군."

"무림인들이 이곳을 안다고요?"

"아는 사람도 있을 거라는 뜻일세."

"그 얘길 왜 이제 하는 겁니까?"

"그게 그리 중요한 일인가?"

"우리는 계속 호리독사만 안다고 생각한 길을 따라왔습니다. 한데 이곳의 위치를 안다면 더는 은밀한 길이 아닌 셈이지요."

나는 얼른 호리독사를 노려보았다. 그는 반쯤 술에 취한 채 별일 아니라는 듯이 말했다.

"길은 저만 아는 길이 맞습니다. 다만 이곳을 아는 무림인들은 더러 있을 겁니다. 그래서 술 항아리와 보급품들을 석관 아래에 숨겨둔 것이고요."

"어쩐지 쉽게 공개하더라니."

"하지만 염려 마십시오. 일부러 여길 찾아와 볼 사람은 없습니다. 우리를 추적해 오는 사람도 전혀 없었고요."

"추적을 해오지 않고 기다렸다면?"

"예?"

"당신이 공령신투의 제자라는 걸 삼룡채에 아는 사람이 있소? 그러니까 내 말은, 혹시라도 녹산귀도가 삼룡채로 돌아갔다가 당신이 살아있다는 얘길 들었을 때, 당신이 사실은 공령신투의 제자라는 걸 말해줄 만한 사람이 있냐는 거요."

"……!"

"왜 그러는 거요."

"다 알고 있을 겁니다."

"뭐요?"

"술만 취하면 입이 풀리는 바람에……."

"이런 미친!"

그때였다. 바깥에서 갑자기 깡깡 쇳소리가 울리기 시작했다. 적이 나타나 칼싸움이 벌어진 모양이었다.

"모두 나가!"

내가 일갈했다. 사람들은 너 나 할 것 없이 무기를 챙겨 들고 일어섰다. 그러나 채 다섯 걸음을 떼기도 전에 픽픽 쓰러졌다. 나 역시도 몸이 물먹은 솜처럼 무거워지며 옆으로 고꾸라졌다. 일어나려고 발버둥을 쳐보았지만 팔 하나 드는데 무슨 천 근짜리 쇳덩어리를 드는 것 같았다.

나도, 사람들도 쓰러진 모습 그대로 바닥에 찰싹 붙어버렸다.

당군백에게 소리쳐 물었다.

"대체 이게 뭡니까?"

"잠혼독(潛魂毒)인 것 같아요!"

"아깐 독이 없다더니!"

"잠혼독은 흡독(吸毒)의 일종이에요. 처음엔 운기에도 잘 걸리지 않다가 흥분하거나 갑자기 격하게 움직이면 발작하고요."

"흡독이라면?"

"먹거나 피부에 닿는 게 아니라 코와 입으로 흡입하게 만드는 독을 총칭하는 말이에요. 아무리 살펴봐도 이상한 점이 없었는데. 귀뚜라미들도 자연스럽게 돌아다녔고요."

"유등!"

석실에 들어오는 순간 누구든 유등에 불을 켤 수밖에 없다. 그 기름에 흡독의 정수를 부어놓으면 불이 켜지는 순간부터 시작해 독 기운도 서서히 퍼져 나갔을 것이다.

"맙소사!"

"해독제는 있습니까?"

"없어요."

"내공으로 태우는 방법은?"

"내공의 정도에 따라 다르겠지만, 두 시진 이상은 걸릴 거예요. 하지만 저렇게 계속 유등이 타오르는 한 그마저도 소용없는 일이고요."

바깥의 칼 부딪히는 소리가 점차 격렬함을 잃어가고 있었다. 일견과 두소부 역시 석실 안에서 한참을 있다가 나갔다. 칼부림을 벌이는 순간 독이 발작했을 것이다.

"빌어먹을!"

"죄송해요."

"소저가 왜?"

“독이라면 저의 전문 분야인데 이렇게 어처구니없이 당하다니. 부끄러워서 얼굴을 들 수가 없군요.”

“세상의 수많은 독을 소저라고 어떻게 다 알고 방비를 하겠소. 그리고 이 호송의 책임자는 나요. 문제가 있다면 모두가 내 책임…….”

나는 하던 말을 멈췄다. 갑자기 하단전에서 불덩어리가 튀어나와 전신 혈도를 따라 질주하기 시작했기 때문이다. 동시에 온몸이 땀으로 축축해지며 조금씩 가벼워짐을 느낄 수 있었다. 이런 현상은 이화원에서 독무(毒霧)에 당했을 때도 일어났었다.

그땐 단순히 몸속에 새로 생긴 내공으로 독성을 밀어낸다고만 생각했다. 한데 잠혼독까지 이렇게 빠른 속도로 밀어내는 걸 보면 아무래도 그 이상의 무언가가 있는 것 같았다. 내공의 많고 적음보다는 그 성질에 관련된 것 같다고나 할까?

‘천지령의 진기를 내공으로 바꿨기 때문에?’

만약 이 추리가 맞고, 앞으로 같은 일이 또 일어난다면 나는 사실상 천지령보다 약한 독물에 대해서는 불침지체(不侵之體)의 몸이 되었을 확률이 높다. 이건 생각지도 못한 일이었다.

그때였다. 수건으로 입과 코를 친친 휘감은 네 명의 장한이 석실로 들어왔다. 그중 두 명이 한여름 개처럼 축 늘어진 일견과 두소부를 어깨에 짊어지고 왔다가 바닥에 휙 던져놓았다.

“첫째 형님, 괜찮으십니까?”

“소란 떨지 마라!”

“선배?”

“무사하다.”

삼견과 양조광이 각각 일견과 두소부의 상태를 확인했다. 다급하다기보단 민망함이 느껴지는 목소리로 미루어 다행히 칼을 맞거나 하진 않은 것 같았다. 하기사 제대로 싸워보지도 못했을 테니.

한 사람이 내 앞으로 다가왔다. 수건 밖으로 드러난 눈매와 등에 멘 칼 그리고 뛰어난 근골로 미루어 전날 면양포구에서 보았던 그 사내가 틀림없다.

"천룡표국의 사공자라고?"

"당신은 녹산귀도고."

"역시 알고 있었군."

"솜씨가 아주 좋소."

"피차일반이네. 솔직히 자네 때문에 이렇게까지 개고생을 하게 될 줄은 몰랐네."

"이제 어쩔 셈이오?"

"걱정 마시게. 해칠 생각은 전혀 없으니까. 다만 우리 일에 방해가 되면 곤란하니 당분간 이렇게 있어주셔야겠네."

"언제는 살인멸구를 하려 들더니."

"아시다시피 상황이 바뀌었네. 귀하들이 내가 누구인지를 이미 알아버렸고, 그 사실을 또 누구에게 말했는지도 알 수 없는 노릇이고."

"나는 모르겠으나, 무림맹에선 당신들을 그냥 두지 않을 것이오. 감당할 수 있겠소?"

"어차피 이번에 크게 한몫을 챙긴 후 오랫동안 잠적할 계획이었네. 우리가 후기지수들을 살해하지 않은 이상 무림맹에서도 전력을 쏟기에는 부담스럽겠지."

"음하하!"

갑자기 광소가 터져 나왔다. 석실의 가장 안쪽에서 쇠사슬을 묶인 채로 쓰러져 있는 백발노성이었다. 그는 참았던 울분을 터뜨리듯 큰 소리로 말했다.

"내가 비록 면양포구에서 마차를 탄 채로 물에 빠져 죽을 뻔한 수모를 당했다만, 결국 이렇게 이기고 말았구나!"

"그때 수장시켜 버렸어야 하는 건데."

"하늘 밖에 하늘이 있는 줄을 이제야 알겠느냐?"

"너무 좋아하지 마시오. 무림맹에서 귀하를 잡으러 갈 테니까. 그땐 나도 반드시 시간을 내어 동참할 것이고."

"기대하고 있겠다."

백발노성은 가볍게 응수하고는 녹산귀도를 향해 말했다.

"거기 자네 별호가 녹산귀도라고?"

"그렇습니다."

"이리 와서 쇠사슬을 풀어주게. 아니, 우선 바깥으로 데리고 나가게. 시원한 공기부터 좀 쐬고 나서 천천히 궁리를 해보도록 하지. 늙어서 그런가 무덤 속에 있으니 영 기분이 더럽군."

"그건 곤란하겠습니다."

"음?"

"우리는 노사를 구해 드리러 온 것이 아닙니다. 죽이러 왔습니다."

"그, 그게 무슨!"

"청부를 받았습니다."

"……!"

순간, 잔잔하던 석실 안의 공기가 요동쳤다. 백발노성은 말을 잃었고, 사람들은 이게 무슨 상황인지를 파악하느라 또 계속해서 입을 닫았다.

나는 장강의 배 위에서 독사와 나누었던 대화를 떠올렸다.

"녹산귀도는 어떤 자이지?"

"수하 세 명과 함께 강호를 떠돌아다니는 청부업자요. 돈 되는 일이라면 뭐든지 다 하는데, 특히 무림인들에게 억울한 일을 당한 사람들로부터 거액을 받고 복수를 대신해 주는 것으로 유명하외다. 실력은 하나같이 일류 이상이라 들었고."

"후후후."

나도 모르게 헛웃음이 흘러나왔다.

"사람의 운명은 진짜 한 치 앞을 알 수가 없군요. 강물에 빠지는 수모까지 당해가며 현상금을 금전 오백 냥씩이나 내걸었는데, 오라는 구원자들은 안 오고 저승사자들이 찾아올 줄이야."

고개를 돌리고 있어서 백발노성의 썩어 문드러지는 표정을 볼 수 없는 것이 천추의 한이었다. 대신 악에 받친 음성을 들을 수 있었다.

"누구에게 청부를 받았느냐?"

"내일 아침쯤이면 알게 될 것입니다."

"무슨 뜻이지?"

"청부자께서 노사의 목 치는 장면을 직접 보겠다고 하여 지금 이리로 오고 있는 중입니다. 저희 입장에서는 약간의 추가 비용을 받을 수 있으니 나쁠 것이 없지요."

"그가 얼마를 제시했든 내가 두 배를 주겠다."

"우리가 돈을 받고 복수를 대신해 주기는 합니다만 역청부를 받지는 않습니다. 그런 삼류로 보셨다니 섭섭하군요."

녹산귀도는 이어 수하들을 돌아보며 말했다.

"무기를 전부 회수하고 유등에 기름을 가득 채워놓아라. 내일 아침까지 꺼지지 않도록 해야 한다."

그러고는 홀연히 나가 버렸다. 그의 수하 한 명이 유등을 일일이 찾아다니며 기름을 다시 채우기 시작했다. 말이 좋아 기름이지 잠혼독의 정수로 만든 독유(毒油)일 것이다.

그사이 두 명은 쓰러진 사람들의 병장기를 챙겼다. 심지어 석관 아래에 있는 오래된 칼과 약병들까지도 모조리 챙겼다. 그들이 가장 조심하고 또 공을 들인 것은 당군백의 품속을 뒤질 때였다. 나는 놈들이 당군백에게 정신이 팔려 있는 틈을 타 품속에 숨겨둔 운철검을 조용히 꺼내 등으로 깔고 누웠다.

운철검의 손잡이에는 원래 부엉이 눈알만 한 야광주가 박혀 있었다. 이놈이 밤만 되면 밝게 빛나서 두꺼운 가죽으로 씌워 놨는데, 이렇게 요긴하게 쓰일 줄이야.

이윽고 한 놈이 와서 내 허리에 매달려 있는 검을 빼앗고 품속을 더듬기 시작했다. 혹여 용린신갑을 들킬까 염려했지만, 옷을 두껍게 입은 데다 자연스럽게 구부러지는 특성 때문인지 별다른 의심을 하지 않았다.

일이 끝나자 놈들이 모두 밖으로 나갔다. 그리고 '쿵!' 소리와 함께 석실 문이 굳게 닫혔다. 석실 안에 남은 사람들은 그야말로 생매장이라도 당한 것처럼 비통한 감정에 휩싸였다. 백발노성은 꼼짝없이 죽게 된 것 때문에 비통해했고, 후기지수들은 호송을 실패하게 된 것 때문에 비통에 잠겼다. 반면 호송이 성공하든 실패하든 큰 상관이 없는 서호삼견은 그나마 죽이지 않는 것에 크게 안도하는 눈치였다.

나는…….

"골치 아프게 됐네."

그러면서 강시처럼 벌떡 일어나 앉았다. 곳곳에서 저마다의 자세로 누워 있는 사람들이 갑자기 나를 향해 눈알을 굴리며 경악스러워하는 표정을 지었다.

당군백이 물었다.

"어떻게 된 거죠?"

"독을 밀어냈소."

"이렇게 빨리요?"

"천룡표국의 내공심법에 약간의 공능이 있소."

"맙소사."

일견이 내게 물었다.

"이제 어떡할 건가?"

"글쎄요."

"싸울 건가?"

"저 혼자 네 명을 무슨 수로요."

"하면?"

"이제부터 생각해 봐야죠."

백발노성이 갑자기 끼어들었다.

"놈들은 자네가 잠혼독에 중독되어 옴짝달싹 못 하는 줄로 알고 있네. 그걸 역이용해 기습을 해야지."

"싫습니다."

"왜?"

"너무 위험합니다."

"자네는 호송단의 수장이고 나를 무림맹까지 안전하게 호송해야 할 의무가 있네. 만약 실패한다면 자네의 경력에도 큰 오점을 남기게 될 걸세."

"오점을 남기는 것이 죽는 것보단 낫지요."

"자네를 죽이지 않는다고 저들 입으로 말했잖나."

"그거야 얌전히 있을 때 얘기고요."

"갑자기 왜 이렇게 멍청해진 건가!"

"노인장께선 갑자기 왜 생각이 바뀌셨습니까? 언제는 무림맹으로 가기 전에 자신을 빼돌려 주면 금전 오백 냥을 주겠노라고 선포까지 하시더니."

잠시 침묵이 흘렀다.

나를 바라보는 백발노성의 눈동자에 쌍불이 들어왔다. 내 속을 꿰뚫어 보려는 것이다.

이윽고 그가 착 가라앉은 음성으로 물었다.

"원하는 게 뭔가?"

"무얼 주실 수 있습니까?"

"나를 구해주는 사람에게 주기로 했던 금전 오백 냥을 자네에게 주겠네. 조건은 단 하나, 나를 무림맹까지 산 채로 안전하게 데려다주는 것일세."

"무림맹에 잡혀가면 어떻게 주시려고요?"

"돈이 있는 곳을 알려주겠네."

"확실합니까?"

"나는 결코 거짓말을 해본 적이 없네."

"그런데 아까 녹산귀도에게는 두 배를 제시하셨잖습니까."

"그래서 지금 천 냥을 달라고?"

"천 냥 받고 재주도 하나 가르쳐 주십시오."

"누가 천 냥을 준다고 했나!"

"싫으면 말고요."

"후우……."

백발노성은 치밀어 오르는 화를 억누르느라 한차례 길게 심호흡을 했다.

"일단 돈은 그렇다 치고, 재주를 가르쳐 달라는 건 또 무슨 소린가?"

"단지 보기만 하는 것으로 상대의 내공 수준을 간파하시더군요. 지난번에는 저를, 며칠 전에는 호리독사를. 그 재주를 배우고 싶습니다."

"그건 단순한 격기술(激氣術) 일세. 내가고수라면 누구나 할 수 있는. 자네의 아버지인 표왕도 당연히 할 수 있는 일이고."

"격기술이야 내공이 어느 경지에 이르면 누구나 하겠죠. 하지만 오로지 허공을 통해서, 그것도 상대가 눈치채지 못하도록 단전을 더듬는 것은 분명 아무나 할 수 있는 일이 아니죠."

"……!"

쥐 죽은 듯한 침묵이 흘렀다. 당사자인 나와 백발노성도, 그리고 중독을 당한 채 쓰러져 듣기만 하는 사람들도 모두 입을 닫았다.
침묵을 깬 것은 백발노성이었다.
"너 같은 놈은 살다 살다 처음 본다."
"노사께서도 평범하시진 않습니다."
"언제는 노인장이라고 하더니."
"의뢰인이시니까요."
"아직 수락하지 않았다."
"수락이 아니라 의뢰입니다. 노사께서 제게 무림맹까지 안전하게 호송해 달라고 의뢰를 하는 것이지요. 수락은 제가 하는 것이고요."
"내가 의뢰인이라면 후기지수들은 무엇이냐?"
"저들도 의뢰인입니다."
"이중으로 받아먹겠다?"
"이중으로 의뢰를 요청하신 건 노사이십니다만."
백발노성이 어금니를 꽉 깨물었다. 그리고 잠시 사이를 두었다가 말했다.
"조건이 있다."
"말씀하십시오."
"이제부터는 말안장에 편안히 앉아서 가게 해줄 것. 잠을 잘 땐 모닥불 곁 제일 따뜻한 자리를 내줄 것. 끼니마다 술과 고기를 챙겨줄 것."
"다른 건 그렇다 쳐도 이런 산중에서 끼니마다 술과 고기를 무슨 수로 갖다 바칩니까? 장강을 건널 때 마차를 버리는 바람에 닭도 다 삶아 먹었는데요."
"그건 내가 알 바 아니고."

그러면서 나를 노려보는 눈에 독기가 가득했다. 어떻게든 관철하려는 의지가 엿보였다.

"금전 천 냥은 확실히 있는 겁니까?"

"누가 보면 내가 먼저 준다고 한 줄 알겠군. 염려 마라. 네놈이 약속을 지킨다면 틀림없이 손에 넣을 수 있을 테니까."

"좋습니다. 제가 양보하지요."

"양보란 말 쓰지 마라!"

"알겠습니다."

"계약이 성립된 것이냐?"

"그렇습니다."

저만치에서 '아아!' 하는 소리가 연달아 흘러나왔다. 이견과 삼견이 놀라서 감탄성을 터뜨리는 것이었다.

액수가 무려 금전 일천 냥이다. 여기에 앞서 후기지수들이 지불하기로 한 금전 이백 냥도 있었다. 표행만 성공시킨다면 나는 그야말로 돈방석에 앉는 셈이었다. 말은 않지만 후기지수들도 당혹감을 감추지 못하는 기색이었다. 짐작하건대 후기지수들을 당혹하게 하는 것은 내가 백발노성에게서 배우기로 한 무공 때문일 것이다.

"거기 호리독사 듣고 있소?"

"왜 그러십니까?"

"보급품 중에 여분의 등잔 기름도 있소?"

"앗!"

내 말뜻을 알아들은 호리독사가 대답은 않고 감탄성부터 내질렀다. 다른 사람들에게서도 술렁임이 느껴졌다.

"있나 보군."

"석관 아래를 보시면 붉은색 칠을 한 항아리가 있을 겁니다. 등잔불도 밝히고 필요하면 횃불도 만들 겸 넉넉히 가져다 놓았지요."

과연 술 항아리들 사이로 붉은 칠을 한 항아리가 보였다. 나는 유등의 독 기름을 전부 평범한 기름으로 바꾸었다. 최소한 석실 안이 더는 독 기운으로 오염되지는 않을 것이다.

그리고 당군백에게 물었다.

"이러면 도움이 좀 되겠습니까?"

"잠혼독의 유증(油蒸)이 석실에 가득 차서 완전하게 해독을 하려면 깨끗한 공기로 바뀌어야 해요. 그때까진 운기행공으로 증세를 어느 정도 개선할 수는 있겠지만, 정룡 공자처럼 불침의 수준으로 밀어낼 순 없을 거예요."

"어쩔 수 없지. 모두 건투를 빕니다."

원래 사람들은 입구를 향해 달려나가다가 쓰러졌다. 그 바람에 전부 석실의 입구와 연결된 계단 아래 이런저런 모습으로 엎어져 있는 상태였다. 나중에 짐짝처럼 들려 온 일견과 두소부 역시 앞서 쓰러진 사람들 사이로 던져졌고. 반면, 백발노성은 석실의 가장 안쪽 모퉁이에서 새우처럼 옆으로 쓰러져 있었다.

나는 백발노성의 앞으로 가서 정좌를 하고 앉았다.

"이제 가르쳐 주십시오."

"뭘?"

"상대의 단전을 더듬는 공부 말입니다."

"지금?"

"딱히 할 일도 없잖습니까?"

"나는 운기행공을 안 한다더냐?"

"어차피 쇠사슬에 묶여 있는데 해독은 해서 무엇 하시려고요. 그리고 당 소저의 말을 들으니 잠혼독이라는 것이 몸만 무겁게 할 뿐 목숨에는 지장이 없다고 합니다."

"싫다면?"

"말안장에 앉아 편안히 가셔야지요."

"날강도가 따로 없군."

"원래 의뢰를 하실 때는 표비의 절반을 먼저 내는 것이 원칙입니다. 그래야 양측이 함부로 취소할 수 없게 되면서 비로소 계약이 성립하는 것이지요."

"됐고. 그동안 어떤 무공들을 익혔느냐?"

"우연한 기회에 좋은 스승을 만나 보법과 권각법을 사사했습니다. 제가 가장 공들여 수련하고 있는 것이지요. 그 외 가문비전의 내공심법인 천무진경을 비롯해 검법, 신법, 곤법, 금나술, 벽호공, 암기술 등을 틈나는 대로 익히고 있습니다. 하지만 보법과 권각법을 제외하면 신통치 않습니다."

협상이었든 협박이었든 어느 한 분야의 대가로부터 절기를 사사하는 순간이다. 나는 최대한 예의를 갖춰 상세하게 말했다.

물론 시간을 느리게 흐르도록 만드는 이능력은 뺐다. 그건 무공도 아니거니와 말을 해준다 한들 믿지도 않을 것이다.

"전음입밀은?"

"초보적인 수준에서 가능합니다."

"보통의 무인들이 익히는 무공 중 내공의 고하에 따라 성취가 절대적으로 좌우되는 두 가지가 있는데, 그게 무엇인지 아느냐?"

"신법과 전음입밀이라고 들었습니다."

"한데 이미 육십 년의 내공을 하단전에 쌓고도 초보적인 수준을 벗어나지 못하는 것은, 전음입밀이 기(氣)에 소리를 실어 보내고 회수하는 음공(音功)의 일종이기 때문이다."

"반성하고 있습니다."

[망혼소(亡魂歗) 역시 음공이다.]

백발노성의 말이 갑자기 전음으로 바뀌었다. 다른 사람들에게는 들리지 않도록 하기 위해서다.

한데 타인의 단전을 더듬어보는 공부가 음공이었다고?

[이름이 망혼소입니까?]

[그렇다.]

[망자의 휘파람 소리라니.]

[한번 보겠느냐?]

음공이라는 말에 나는 귀를 쫑긋 세웠다. 하지만 내공을 귀에다 집중한 탓인지 귀뚜라미가 우는 것 같은 이명만 살짝 울릴 뿐이었다. 소리는 엉뚱한 곳에서 났다. 좌아아 하며 석실 안에 있던 수백 수천 마리의 귀뚜라미 떼가 일제히 튀어 오르기 시작한 것이다. 그 모습이 흡사 석실 안 작은 세계에서 전쟁이라도 난 것 같았다.

그러다 이내 소나기가 그치듯 순식간에 잠잠해졌다.

[어떻게 하신 겁니까?]

[바람은 분명히 존재하지만 사람의 눈에는 보이지 않는다. 마찬가지

로 세상에는 사람의 귀에는 들리지 않지만, 짐승이나 미물들이 들을 수 있는 소리가 있다.]

[혹시 제 귀에서 이명이 울린 것과 관련이 있습니까?]

[뭣? 이명이 울렸다고?]

얼마나 놀랐는지, 백발노성은 중독을 당해 쓰러진 게 맞나 싶을 정도로 벌떡 일어나 앉았다. 그리고 실성한 사람 같은 얼굴을 하고는 물었다.

[정말이냐?]

[그렇습니다만.]

[이런 말도 안 되는 일이!]

[무슨 문제라도 있습니까?]

[네놈은 정말 여러모로 이상한 인간이구나. 나이에 어울리지 않는 내공이야 기연을 얻어서 그렇다 쳐도, 짐승도 아니면서 망혼소를 들을 수 있다고?]

[그게 망혼소였습니까?]

[어쩌면 내가 생각했던 것보다 훨씬 빨리 망혼소를 펼칠 수 있을지도 모르겠다. 어떻게 이런 일이.]

[어째서요?]

[듣지 못하게 태어난 아이는 커서도 제대로 말을 할 수가 없다. 망혼소를 익히는 것도 이와 같다. 먼저 듣지 못하면 소리를 낼 수가 없는 법이다.]

[그것도 그렇겠군요.]

[이명이 울리려면 족히 일 년은 걸릴 거라고 생각했거늘. 아무래도

기연이 네놈의 몸을 한두 가지 바꾼 게 아닌 것 같구나. 대체 무엇을 먹은 것이더냐?]

어쩌면 먹은 것 때문이 아닐 수도 있다. 십중팔구 부적이 내 몸속에 각인되고 난 이후 생긴 변화들 중 하나일 것이다.

이젠 궁금하지도 않았다. 의문을 가져봤자 머릿속만 복잡할 뿐 아무것도 알아낼 수가 없기 때문이다.

[격기술(激氣術)이 기(氣)를 파도처럼 부딪쳤다가 돌아오는 파장으로 상대의 내공을 가늠하는 것이라면, 망혼소는 인간이 들을 수 없는 소리를 만들어 기(氣) 대신 사용하는 것이다. 상대와 너 사이에 허공이 있기 때문에 격기술과는 비교도 할 수 없는 상승의 공부다.]

[혹시 망혼소로도 세상을 볼 수 있습니까? 가령 지금처럼 막힌 석실 안에서 유등을 다 꺼버린다면 말입니다.]

[왜 그런 의문을 가진 것이냐?]

[소리가 부딪혀 돌아오는 파장으로 상대의 단전을 더듬어보는 것이라면, 이런 석벽도 소리로 더듬어볼 수 있지 않겠습니까?]

[후우. 네놈은 정말 여러 번 나를 놀라게 하는구나. 까마득한 수련의 끝에 그런 경지가 있다는 말은 들었다. 하지만 나로서는 일 장 안에 있는 인간의 단전을 더듬는 정도가 고작이었다.]

[무시하려는 뜻으로 드린 말씀은 아닙니다.]

[알고 있다. 이것만으로도 실로 엄청난 공부라는 것을. 너 역시 자만하지 말거라. 망혼소를 듣고 만들어내는 것보다 더 어려운 것이 보는 것이니라.]

[소리를 본다고요?]

이후로도 백발노성의 가르침은 계속됐다. 하나같이 나로서는 들어 본 적도 없고, 상상도 해본 적 없는 신기한 얘기들뿐이었다.

가장 이해할 수 없는 건 소리가 부딪혀 돌아오는 파장을 인간의 감각 기관으로 느끼고 그것을 그림처럼 형상화한다는 것이다.

내가 의문을 표했더니 백발노성은 이렇게 말했다.

[인간의 몸에는 물고기도 있고, 뱀도 있고, 새도 있다. 그것들이 남긴 미지의 감각들을 일깨워야 비로소 망혼소를 제대로 펼칠 수 있느니라.]

머릿속은 오히려 더 복잡해졌다.

그러던 어느 순간이었다.

꾸구궁.

누군가 석벽의 문을 열기 위해 힘을 주고 있었다.

"놈들이 온 모양이다!"

"벌써 아침이라고요?"

놀란 백발노성이 옆으로 홱 쓰러졌다. 나도 입구의 계단 쪽으로 후다닥 달려가서 어제와 똑같은 모습으로 쓰러졌다.

꾸구구궁!

마침내 석문이 활짝 열렸다. 그러나 예상했던 것과 달리 밝은 빛은 전혀 들어오지 않았다. 오히려 유등을 밝혀놓은 석실보다 바깥이 더 깜깜했다. 아직 한참 새벽인 것이다.

'그럼 그렇지.'

한데 아침에 온다던 놈들이 왜 갑자기 들이닥치고 난리일까?

석실의 문이 열리고도 놈들은 선뜻 들어오지 않았다. 대신 겨울 산속의 찬바람만 세차게 불어 닥쳤다.

[석실 안의 공기를 바꾸려는 거예요.]

당군백의 전음이었다.

그제야 나는 그녀와 내가 서로의 숨결이 느껴질 만큼 가까운 거리에서 얼굴을 마주 보고 자빠져 있다는 것을 깨달았다. 두 얼굴 사이에 있는 것이라곤 그녀가 넘어지면서 바닥을 짚은 희고 가느다란 손뿐이었다. 일단 그걸 인지하고 나자 굉장히 어색하고 민망했다.

당군백도 그 민망함을 감추려고 내게 말을 건 모양이었다.

[독은 얼마나 몰아냈습니까?]

[걸을 수는 있지만 싸우기에는 역부족이에요.]

[다른 사람들은?]

[대동소이할 거예요.]

[애석하군요.]

[죄송해요. 매번 도움이 못 돼서.]

잠시 후, 녹산귀도를 필두로 십여 명의 사람들이 들어왔다. 하나같이 등에 칼을 메고 있었는데, 전신에서 느껴지는 기세나 흉성이 예사롭지 않았다.

그들은 먼저 석실 안을 구석구석 살피고, 쓰러져 있는 사람들도 발로 건드려 보았다. 심지어 서호삼견은 발끝으로 뒤통수를 돌멩이 차듯 툭툭 차기까지 했다.

"뭐 하는 짓이냐!"

참다못한 이견이 버럭 소리를 질렀다. 순간 '빽!' 소리와 함께 그의 뒤통수에 거센 발길질이 작렬했다.

"이런 죽일 놈이!"

"조용히 해라!"

일견이 버럭 소리쳤다. 그러고는 발길질을 한 사내를 향해 착 가라앉은 음성으로 말했다.

"얌전히 굴 테니 모욕은 주지 마시오."

"존성대명이 어찌 되시나?"

"항주 서쌍교방의 서호삼절이오."

"흑도로군."

"그렇소."

"늙은 흑도들이 대갈통을 차이고도 꾹 참는 걸 보니 중독을 제대로 당했군. 석실은 안전하다. 사부님을 모셔와라."

잠시 후, 우람한 근육을 자랑하는 장한 두 명이 남여(籃輿)를 앞뒤로 메고 들어왔다. 남여란 덮개가 없이 의자형으로 생긴 가마를 말한다.

남여 위에는 앙상한 체구에 양 손목과 발목이 모두 잘려 나가고 없는 노인이 앉아 있었다. 얼굴의 가죽은 전부 흘러내려 기괴하기 짝이 없고, 머리카락은 백발을 넘어 은발이었는데 그마저도 죄다 빠져 몇 가닥 남아 있지 않았다. 못 해도 백 살은 될 것 같았다.

"사부님!"

백발노성의 입에서 흘러나온 음성이었다. 목소리가 어찌나 떨리는지 나는 한순간 다른 사람이라고 착각할 뻔했다.

한데 사부님이라니. 백발노성이 천하의 무인들로부터 손가락질을 받은 이유가 사부를 죽이는 패륜을 저질렀기 때문이다.

그런데 사부가 살아 있었다고?

"십 년 만에 보는구나."

"분명 이 손으로 묻었거늘……!"

"누누이 가르치지 않았더냐. 사람을 죽일 땐 반드시 목을 자르거나 심장을 갈라 소생의 여지가 없도록 해야 한다고. 너의 그 나약한 심성이 화를 자초했음이야."

"귀식대법!"

"몇 날 며칠을 네놈이 묻어준 관 속에 갇혀 있었다. 몸속에 남겨둔 한 줌의 진기로 피를 돌리고 땅속으로 스며드는 빗물을 마시며 하루하루를 버텼지. 나중에 보니 열흘이 지났더군."

"어떻게 살아 나오신 겁니까?"

"의식이 꺼져가던 어느 날 무언가 킁킁거리며 땅을 파는 소리가 들리더구나. 멧돼지 무리가 벌레와 두더지를 잡아먹으려고 부드러운 무덤을 파헤치기 시작한 것이지. 그때부터 입술을 깨물어 피를 흘렸다. 멧돼지가 피 냄새를 맡고 조금이라도 더 깊이 파주기를 간절히 바라면서……."

저런 미친 인간을 봤나. 나는 너무나 놀란 나머지 마른침을 꼴깍 삼켰다. 코앞에 있는 당군백도 무섭고 몸서리가 치는지 손가락을 바르르 떨었다. 그 모습이 안타깝고 측은해서 하마터면 나도 모르게 손을 뻗어 잡아줄 뻔했다.

"그동안 어디에 계셨습니까?"

"심산유곡에 꼭꼭 숨어 있었지. 내가 살아 있다는 걸 제자 놈이 알면 언제 또 찾아와 죽이려 할지 모르니까. 다행히 단전이 녹아 없어지고 사지도 이렇게 불구가 되었지만, 머릿속의 무공들은 그대로라 새로운 제자들을 거느릴 수 있었다."

그러면서 괴노인은 좀 더 큰 소리로 말했다.

"얘들아, 인사드려라. 너희의 대사형이시다. 내가 수많은 마공비기와 좌도방문을 가르쳐 주었지만, 모질지를 못해 항상 사람 죽이기를 주저했지. 그 바람에 천고의 자질을 지니고도 대성을 하지 못했다. 하지만 그것 때문에 내가 오늘 이렇게 살아 있으니 오히려 잘된 일이라고 해야 하나? 크크크."

웃음소리가 폐부를 후벼 파는 것처럼 섬뜩했다.

강호에 알려진 백발노성의 소문은 크게 두 가지였다. 사부를 죽이는 패륜의 죄를 저질렀다는 것과 금단의 마공을 익혀 무수한 무림인들을 불구로 만들었다는 것.

한데 나는 왠지 이 두 가지 일의 순서가 바뀐 것 같다는 생각이 들었다. 즉, 마공을 익혀 무수한 무림인들을 불구로 만든 것이 먼저고, 사부를 죽인 것이 나중이라는.

가령, 젊은 시절 사부가 무서워 억지로 마공을 익혔다면? 사부의 명령으로, 혹은 수련의 일환으로 숱한 무림인들과 생사결을 펼쳤으나 차마 죽이진 못하고 불구로만 만들었다면? 그러다 스스로 강해지자 더는 그렇게 살기 싫어서 사부를 죽여 없애려 했다면?

어디까지나 상상일 뿐이고, 실제 사실과는 얼마든지 다를 수 있다. 설사 상상이 맞다고 해도 크게 달라질 건 없고.

그때 갑자기 당군백의 전음이 들려왔다.

[제게 칠점사(七點蛇) 한 마리가 있어요. 물리면 그 즉시 몸이 굳기 시작하며 일곱 걸음을 떼기 전에 목숨을 잃죠.]

[아까 다 빼앗기지 않았습니까?]

[놈들이 품속을 뒤지려 하자 곧장 풀어놓았어요. 지금 석실 안을

조용히 돌아다니고 있고요. 원한다면 한 사람을 지정해 물게 할 수 있어요.]

[이 상태에서 어떻게?]

[그건 가문의 비기라 말해 드릴 수가 없고요.]

[알겠습니다. 내가 신호를 주면 아까 우리 머리통을 찼던 놈의 발을 물게 하십시오. 신발이 두꺼우니 발목을 물면 더욱 좋고.]

[알았어요.]

"여긴 왜 오신 겁니까?"

"삼십 년 동안이나 가르친 제자가 백도의 애송이들에게 잡혀가 뇌옥에 짐승처럼 갇혀 사는 꼴을 볼 수야 없지 않겠느냐? 그건 내 얼굴에도 똥칠을 하는 것이지."

"부디 헛걸음이 아니길 빕니다."

"마지막으로 내게 할 말이 있느냐?"

"다른 사람들은 건드리지 말아주십시오."

"아직도 그 심약한 심성을 버리지 못했더냐."

"부탁드립니다."

"전에 내가 갇혀 있던 무덤보다 훨씬 넓구나. 내가 너에게 마지막으로 주는 선물이니라. 그럼, 잘 가거라."

가마가 다시 들리고 방향을 틀어 입구와 연결된 계단 앞까지 왔다.

그 순간, 뒤에 있던 그의 수하인지 제자인지 모를 자가 물었다.

"다른 사람들은 어떻게 할까요?"

"모두 죽여 입을 봉해라."

"잠깐만요!"

갑자기 끼어든 사람은 녹산귀도였다.

"그건 곤란합니다. 이미 저희가 백발노성의 뒤를 쫓고 있다는 사실이 알려졌습니다. 만약 후기지수들과 표왕의 아들이 백발노성과 함께 실종되면 저희가 의심을 받을 것입니다."

"그래서 너희를 앞세운 것이다."

순간 바깥에서 다섯 명의 칼잡이들이 더 석실 안으로 튀어 들어왔다.

안쪽 구석에는 백발노성과 함께 녹산귀도 일당 네 명이 있었고, 입구를 연한 계단 쪽에는 괴노인의 수하들 열한 명이 버티고 서서 대치하는 형국이 만들어졌다. 덕분에 제법 넓다고 생각했던 석실 안이 인간들로 꽉 차면서 더없이 좁게 느껴졌다.

"지금 뭐 하자는 겁니까?"

"녹산귀도, 너도 죽어줘야겠다."

"아무리 마두라지만, 최소한의 명예조차도 없단 말씀입니까?"

"돈에 칼을 팔고, 그 칼로 사람의 목숨을 취하는 네놈이 할 말은 아니지. 뭣들 하느냐. 한 놈도 남기지 말고 모두 죽여 없애 버려라!"

그때였다.

"헉!"

짧은 비명과 함께 한 놈이 갑자기 주저앉았다. 놀란 사람들의 시선이 모두 쓰러진 자를 향했다.

순간, 나는 이능력을 발동시켰다. 동시에 누운 상태에서 몸을 벼락처럼 회전하며 앞쪽에 있는 가마꾼의 발목을 걷어차 쓰러뜨렸다.

'퍽!' 소리와 함께 가마가 앞쪽으로 고꾸라지며 괴노인이 굴러떨어졌다. 그사이 몸을 벌떡 일으킨 나는 왼팔로는 괴노인의 머리통을 감아당기고, 오른손으로는 운철검을 목에 갖다 대며 금방이라도 그어버릴 것 같은 자세를 취했다.

"모두 움직이지 마!"

그야말로 눈 깜짝할 사이에 벌어진 일이었다.

괴노인의 제자들이 모두 뒤돌아 나를 보았다. 그러고는 하나같이 찢어 죽일 것 같은 얼굴을 했다.

그중 한 놈이 앞으로 나오며 말했다.

"네놈이 정녕 죽고 싶은……."

나는 운철검으로 괴노인의 왼쪽 귀를 쓱 그어 올려 버렸다. 이어 아랫배 세 군데에 짧은 칼빵을 벼락처럼 놓았다.

쓱! 푹푹푹!

"우, 움직이지 마라!"

내가 말을 하기도 전에 괴노인이 먼저 목구멍을 쥐어짰다. 그러자 모두가 그 자리에서 석상처럼 굳어버렸다.

그사이 칠점사에 물린 놈은 바닥에 대자로 누워서는 사지를 바르르 떨고 있었다. 죽기 직전의 마지막 경련을 일으키는 것이다.

한편 쓰러져 있던 후기지수들과 서호삼견은 비틀거리면서도 모두 몸을 일으켰다.

나는 당군백을 힐끗 돌아보며 말했다.

"사람들 이끌고 밖으로 나간 다음 힘을 합쳐 석문을 굳게 닫으십시오. 그리고 내가 다시 열어달라고 하기 전까지는 절대로 열어주면 안 됩니다."

"혼자 어쩌시려고요?"

"남의 무덤에서 하룻밤 신세를 졌으니 쓰레기들은 깨끗이 청소를 하고 떠나는 것이 고인에 대한 예의일 것입니다."

말이 끝나기 무섭게 이견과 삼견이 도망치듯 밖으로 나갔다. 뒤를 이어 다른 사람들도 하나둘씩 나갔고, 이내 석문이 굳게 닫혔다.

나는 눈앞의 적들을 쓸어 보며 말했다.

"녹산귀도, 거기 계시오?"

"물론 여기 있네."

"잘난 척하시더니 꼴이 아주 좋습니다."

"자네가 내게 당한 것과 같은 이치지."

"우리 계산은 나중에 따로 하기로 하고, 일단 이것들부터 함께 치우는 게 어떻겠소?"

"내가 뭘 해주면 되겠나?"

"술병을 던져 석실의 유등을 모두 꺼주시오."

"암흑 속에서 다 같이 뒤섞여 싸우자고?"

"아니오. 나 혼자 싸울 것이오. 귀하는 수하들과 함께 놈들이 백발노성의 곁으로 다가오지 못하도록 지켜주시오."

"감당할 수 있겠나?"

"생각하는 것처럼 내가 불리하지만은 않을 것이오."

퍼퍼퍼퍽!

말이 끝나기 무섭게 술 호리병이 깨지며 벽에 붙어 있던 등잔들도 함께 꺼지기 시작했다. 이윽고 마지막 등잔까지 꺼졌을 때 석실 안은 완벽한 암흑의 공간으로 변했다.

괴노인이 말했다.

"이러지 말고 나와 협상을……."

쓰윽!

털썩!

"놈이 사부님을 죽였다!"

"놈을 죽여라!"

놈들이 칼을 앞세우며 달려왔다. 이미 각오를 하고 있던 나는 그 즉시 이능력을 발동시켰다. 동시에 귀영무의 보법을 펼치며 왼쪽 석벽을 타고 달렸다. 이어 놈들의 진영 한가운데로 뛰어들며 운철검을 다섯 차례 긋고 찔렀다.

쓱쓱! 푹푹푹!

"으악!"

"아악!"

"놈이 가운데로 왔다!"

"커억!"

"내가 놈을 찔렀다."

"나야, 이 병신아!"

"칼을 함부로 휘두르지 마라!"

그때쯤 나는 허공으로 솟구쳤다가 손과 발로 착지하듯 천장을 찍고는 왼쪽으로 튕기듯 꺾어지며 떨어졌다.

그리고 또다시 난사.

쓱! 쓱! 푹푹푹!

슬쩍 칼을 맞은 놈이 질풍처럼 돌아서며 칼을 찔러왔다. 정확히 배의 정중앙을 찔렀다. 그러나 칼끝은 용린신갑의 비늘을 뚫지 못했다.

땅!

나는 주먹으로 도신을 쳐서 부러뜨린 후 놈의 목이 있음 직한 곳을 향해 운철검을 바람처럼 그었다.

쓰윽!

“커헉!”

계속해서 놈들 사이를 비집고 다니며 운철검을 사방팔방으로 휘둘러 댔다. 반면 놈들은 운철검보다 훨씬 큰 대도를 들고도 함부로 휘두르지 못했다. 일단 석실이 좁고, 자칫하면 아군들을 벨 수가 있기 때문이다. 하지만 나는 아무리 휘둘러도 아군을 벨 염려가 없었다.

미치광이 살인마라도 된 것처럼 좁은 석실을 누비고 다녔다. 인륜도 도덕도 저버리고, 그동안 익혔던 모든 무공을 그 어떤 제약도 느끼지 않고 극한까지 펼쳤다. 긋고, 찌르고, 차고, 치고, 꺾기를 한참. 나는 혼자 하는 수련이나 대련만으로는 절대 가볼 수 없는 어떤 경지를 느꼈다.

나는 또 느낄 수 있었다. 나의 무공이 마침내 일류의 경지에 닿았음을.

이윽고 모든 움직임이 잦아들고 칼질을 멈추었을 때, 석실 안은 쓰러진 자들의 신음과 피비린내로 가득 찼다.

“괜찮나?”

“귀하는?”

“우린 무사하네.”

“백발노성은?”

“나도 무사하네.”

나는 바닥을 더듬어 칼을 하나 주운 다음 석문 쪽을 향해 던졌다. 그리고 석실 전체가 울리도록 소리쳤다.

"끝났습니다."

문이 활짝 열리고 누군가 소나무 가지에 불을 붙여 조심스럽게 들어왔다. 호리독사였다. 그의 뒤로 서호삼견과 후기지수들이 보였다.

횃불 아래에 드러난 석실은 아비규환이 따로 없었다. 괴노인이 목을 그인 채 쓰러져 죽은 가운데, 그와 함께 왔던 열세 명의 사람들은 몸 여기저기 피를 흘리며 나뒹굴고 있었다. 내 손과 옷에도 온통 피 칠갑이었다.

사람들의 눈은 석실 안을 한참이나 쓸다가 천천히 내게로 모아졌다. 그리고 하나같이 경악스러워하는 표정을 감추지 못했다.

나는 온몸에서 힘이 빠짐을 느끼며 바닥에 털썩 주저앉았다. 그리고 저 구석에서 눈을 동그랗게 뜨고 있는 백발노성을 바라보며 말했다.

"이래도 제가 날강도입니까?"

사람들은 석실 한가운데 주저앉은 나와 안쪽 구석진 곳에 있는 녹산귀도 일당을 번갈아 보았다. 녹산귀도 일당은 깨끗한데 나만 핏물을 흠뻑 뒤집어쓴 것이 이상한 모양이었다.

그러다 당군백이 후다닥 다가와 물었다.

"혹시 다치셨나요?"

"내 피가 아닙니다."

당군백은 그제야 안도의 한숨을 내쉬었다.

그러자 사람들의 의문은 더욱 커졌다.

이견이 목구멍을 쥐어짰다.

"대체 무슨 일이 일어난 거지?"

녹산귀도가 대답했다.

"사공자가 이르길, 우린 싸움에 나서지 말고 백발노성의 앞을 지켜 달라고만 했습니다. 그리고 혼자 저들을 모두 해치웠지요."

사람들은 하나같이 이해할 수 없다는 표정들이었다.

왜인지 모르겠는데, 그러다 점점 수긍하는 듯한 기색으로 바뀌었다. 나는 저들이 나를 이미 자신들과 동등한, 혹은 그 이상의 고수로 인정하고 있음을 느낄 수 있었다.

"아직 끝나지 않았다."

백발노성의 묵직한 음성이 석실에 울려 퍼졌다.

그는 또 말했다.

"그의 목을 잘라라."

괴노인은 이미 목이 길게 그여 숨통이 끊어진 상태였다. 그럼에도 불구하고 백발노성이 저렇게 집착하는 것은 이번에도 다시 살아날지 모른다는 공포 때문이었다.

"저는 표물을 호송하는 표사지 복수를 대신해 주는 청부업자가 아닙니다. 그것도 이미 죽은 사람을 상대로."

나는 자리에서 일어나 맑은 공기를 쐬기 위해 밖으로 걸어갔다. 이대로 있다가는 토악질이 나올 것 같았다.

그때 뒤에서 녹산귀도의 말소리가 들려왔다.

"그건 우리가 해드리죠."

뒤이어 척척 소리가 울리기 시작했다. 녹산귀도의 수하들이 돌아다니며 쓰러져 뒹구는 자들의 목을 치는 소리였다.

살육이 끝나자 녹산귀도 일당은 짐승들이, 특히 멧돼지가 냄새를 맡고 들어가지 못하도록 입구의 석문을 굳게 닫았다.

백발노성은 남은 술이 있으면 달라더니 갑자기 합장이 되어버린 고대 왕족의 무덤에 술을 뿌렸다.

애도는 그걸로 끝이었다.

그때쯤엔 동쪽 하늘이 서서히 밝아오고 있었다.

녹산귀도가 내게 말했다.

"소문이 빠르게 퍼지고 있네. 어쩌면 우리는 시작에 불과할 뿐, 더 무서운 자들이 찾아올지도 모르니 각오하는 게 좋을 걸세."

"백발노성이 내걸었던 현상금을 없던 일로 하겠다면 좀 낫지 않을까요? 당사자의 입을 통해서 말입니다."

"협박 때문에 거짓말을 한다고 생각할걸. 자네가 백발노성이 탄 마차를 통째로 장강에 처넣고 수장시키려 한 일도 벌써 유명해졌다네."

"소문이 퍼지게 만든 장본인들께서 그렇게 남의 집 불구경하듯 얘기하셔도 되는 겁니까?"

"혹시 우리가 아직도 적인가?"

"그건 지금부터 계산을 해봐야 알겠지요."

"그렇지. 우리 사이의 계산이 남아 있었지."

"귀하는 우리를 두 번이나 죽일 뻔했습니다. 하지만 저는 반대로 귀하와 수하들의 목숨을 살려주었고요. 인정하십니까?"

"모두 인정하는 바이네."

"제가 목숨을 살려준 대가는 귀하 역시 석실 안에서 백발노성을 지켜주었으니 그걸로 갈음하겠습니다."

"고맙네."

"하지만 우리를 두 번이나 죽이려 한 것에 대해서는 계산을 받아내야겠습니다. 안 그러면 강호인들이 저를 무서워서 복수도 못 하는 겁쟁이 녀석이라고 손가락질하지 않겠습니까?"

"전혀 그럴 것 같지는 않네만."

"귀하의 의견을 물은 게 아닙니다."

"우리가 어떻게 해주길 바라나?"

"호송단의 일원이 되어 무림맹까지 함께 가줄 것을 요구합니다. 제가 귀하를 부리는 모습을 보면 강호인들도 저를 손가락질하지 못할 것입니다."

"농담이겠지?"

"목소리 들어보면 아실 텐데요."

"우리가 백발노성을 가로채면 어쩌려고?"

"역청부는 받지 않는 것으로 압니다만. 혹시 하룻밤 사이에 가치관이 바뀐 건 아니겠지요?"

지난 밤 백발노성이 얼마를 받았든 그 두 배를 주겠다고 했을 때 녹산귀도는 눈 하나 깜짝하지 않았다. 내가 본 녹산귀도는 살인을 예사로 하는 떠돌이 청부업자이지만, 자신이 한 말에는 반드시 책임을 지는 자였다.

"싫다면?"

"우리를 죽이려 했던 삼룡채의 채주는 손목을 바쳤습니다. 물론 부채주가 그의 목을 쳐버리는 바람에 숨통이 끊어지긴 했지만요. 잘 아시다시피."

손목을 내놓으라는 말에 녹산귀도의 수하들이 일제히 살기를 끌어올리며 칼을 잡았다. 그에 반응해 서호삼견과 후기지수들도 각자의 병장기를 잡아갔다.

"허세 부리지 말게. 지금은 깜깜한 석실 안과 다르고, 다른 사람들은 아직 잠혼독을 완전히 몰아내지 못해 도울 형편이 못 됨을 알고 있네. 자네 혼자서는 우리 넷을 감당할 수 없네."

"오히려 반대일 겁니다."

"무슨……?"

"운기를 해보시지요."

녹산귀도를 필두로 그의 수하들까지 전부 선 자리에서 단전의 기운을 끌어 올려 전신을 더듬기 시작했다.

그러다 약간의 시간 차이를 두고 모두의 얼굴이 흙빛으로 변했다. 대답을 들을 필요도 없었다.

"대체 언제!"

"사천당문의 사람과는 항상 열 걸음 이상 거리를 두라는 강호의 격언이 있지요."

"독과 암기는 모두 빼앗았을 텐데."

"공령신투의 제자가 우리 쪽에 있습니다."

저만치에서 녹산귀도의 수하 하나가 품속을 더듬다 말고 얼굴이 하얘졌다.

녹산귀도는 한심하다는 듯 고개를 절레절레 흔들었다.

"무슨 독인가?"

"흔한 산공독으로 약하게 대접했다고 들었습니다. 반 시진 정도 내공을 끌어 올리지 못할 뿐, 목숨에는 지장이 없을 겁니다. 하지만 제가 빚을 받아내기에는 충분한 시간이죠."

"이번 청부는 여러모로 꼬이는군."

"그건 대답이 아닙니다만."

"휴우. 어쩔 수 없군."

후기지수들과 서호삼견은 깜짝 놀란 얼굴을 했다.

내가 녹산귀도 일당을 중독시켜야 한다는 말을 할 때만 해도 놈들의 기습에 대비해서라고 생각했을 것이다. 한데 한발 더 나아가 호송단으로 끌어들여 버렸으니 황당하고 어처구니없을밖에.

나는 사람들을 돌아보며 말했다.

"이제부터는 다시 제가 길을 잡겠습니다."

동선이 발각되는 바람에 산길을 가는 건 이제 더는 의미가 없다. 오히려 찾아오는 적들에게 기습에 유리한 지리적 여건만 조성해 줄 뿐이었다.

나는 곧장 하산을 감행했다. 그리고 천룡표국의 표사들이 하남행을 할 때 사용하는 큰길을 따라 이동했다. 객점이 나오면 들러서 식사를 하고, 사람들이 많이 모이는 곳도 개의치 않았다. 호송을 하는 고수가 나를 포함해 열두 명이나 있다 보니 잔챙이들은 아예 접근조차 못 했다.

그러나 조석으로 예사롭지 않은 기세를 풍기는 자들이 나타나 도전을 해왔다. 하지만 녹산귀도와 서호삼견 그리고 후기지수들이라는 삼중의 벽을 뚫고 나에게까지 다가온 자들은 없었다. 그제야 서호삼견과 후기지수들은 녹산귀도 일당을 끌어들인 내 판단이 신의 한 수였음을 인정했다.

그렇게 날마다 치른 크고 작은 싸움이 무려 일곱 차례였다. 사람들은 말로 표현할 수 없을 만큼 지쳐갔다.

그러던 어느 날 저녁 커다란 강 회수(淮水)를 만났다. 나는 번잡함을 무릅쓰고 포구촌의 식당이 딸린 작은 여각을 잡아 투숙했다.

"객점 주변에 수상한 자들이 속속 모여드는 중이네. 병장기를 든 자들은 전부 적이라고 봤을 때, 어림잡아도 오십 명은 될 것 같네."

"수일 전부터 우리를 추적해 오며 지치길 기다렸던 대여섯 개의 무리가 연합한 것 같네. 그 아래 떠돌이 낭인들이 콩고물이라도 얻어먹을 욕심에 붙은 것 같고."

"회수를 건너기 전에 거사를 치르려는 것입니다. 그 말은 곧 오늘 밤 어떻게든 객점으로 쳐들어와 끝장을 보겠다는 뜻이고요."

녹산귀도, 일견, 두소부가 각각 자신들이 이끄는 조를 대표해 한마디씩 했다.

지난 닷새 동안 함께 생사를 넘나들다 보니 이들 세 개 조는 좋든 싫든 합이 잘 맞을 수밖에 없었다.

"호리독사. 금전 한 냥을 줄 테니 여각을 통째로 빌리시오. 먼저 투숙한 사람들에게는 은전 한 냥씩 쥐여줘서 내보내고. 그들도 보는 눈이 있을 테니 도망치듯 뛰쳐나갈 거외다."

"알겠습니다."

"당 소저, 독과 암기는 얼마나 남았습니까?"

"오늘 아침에 있었던 싸움에서 바닥났어요. 그래도 적들에게서 빼앗은 비도 세 자루와 장검 한 자루가 있으니 제 몫을 할 자신이 있어요."

"모두 잘 들으십시오. 오늘 밤은 여각을 요새로 삼고 싸울 겁니다. 단 여러 층으로 분산되지 말고 일 층에 전부 집결해 있어야 합니다. 작전은 늘 하던 방식대로 하되 그때그때 제가 지휘를 하겠습니다."

"화살이라도 넉넉히 있으면 좋으련만."

이견이 한숨을 쉬며 말했다. 요새전은 소수가 자신들의 몸을 숨긴 상태에서 공격해 오는 다수를 상대하는 일종의 수성전이다. 이때는 원거리 무기인 활과 화살이 승패를 좌우할 만큼 필수적이었다.

나는 원래 표국을 나설 때 충분한 활과 화살을 준비했었다. 그러나 지난 닷새 동안의 전투에서 모조리 소모해 버린 상태였다.

"식사나 든든히 챙겨 드십시오. 싸움이 시작되면 밤새 아무것도 입에 넣을 수 없을 겁니다. 그리고 너무 걱정하지 마십시오."

사람들에게 약한 모습을 보이기 싫어 끝까지 강한 척을 했다. 하지만 속으로는 나도 심장이 벌렁거리고 있었다. 그나마 전생에서 표두들이 하는 걸 30년 넘게 지켜본 경험이 보배였다.

시간은 흘러 삼경이 깊었다. 그야말로 피로와 졸음이 극에 달했을 무렵, 모두를 아연실색게 한 사건이 벌어졌다. 갑자기 제 삼(三)의 세력이 나타난 것이다.

지축을 울리는 말발굽 소리와 함께 나타난 기마인들은 모두 삼십여 명. 하나같이 용 같고 범 같은 기세에 허리에는 칼을 차고, 등에는 단궁과 백여 발의 화살이 든 전통으로 무장한 상태였다.

"산적들인가?"

"마적들 같은데요?"

"젠장할. 온갖 것들이 다 꼬이는군."

창밖을 살피며 이견과 삼견이 나눈 대화였다.

잠시 후, 한 사람이 두 명의 수하를 거느리고 당당하게 여각 안으로 들어섰다. 녹산귀도 일당이 칼을 뽑아 들고는 쓰윽 앞을 막아섰다.

마흔 살이나 되었을까? 흡사 장비를 연상케 하는 기골에 부리부리한 눈매를 가진 사내는 좌중을 돌아보며 물었다.

"수장이 누구외까?"

"접니다만."

"천룡표국의 젊은 표사가 호송단을 이끈다고 들었소만."

"제가 바로 그 표사입니다."

"자네가 이정룡인가?"

"그렇습니다."

"소문과 달리 국주님을 전혀 닮지 않았는데."

"귀하는 소문대로 장비를 빼다 박았군요."

"나를 아시는가?"

"천룡표국 십칠각주 이정룡. 합비 분타의 방초산 타주님을 뵙습니다. 먼 길을 달려와 주셔서 감사드립니다."

순간, 좌중의 공기가 크게 출렁였다. 사람들은 너 나 할 것 없이 눈을 동그랗게 뜨고는 나와 새로 등장한 장비를 번갈아 보았다.

"혹시 내가 올 줄 알고 있었나?"

"기대는 하고 있었습니다."

"어떻게 알고?"

"면양포구를 떠나기 전 항주로 사람을 통해 소식을 보냈습니다. 사정이 바뀌어 제가 호송단을 이끌게 되었다고요. 천룡표국에선 사태의 심각성을 깨닫고 저의 행보를 예의 주시했을 것이고, 가장 가까운 합비 분타에 지원을 요청했다면 오늘쯤 이곳에서 만날 수 있을 거라 생각했습니다."

"소문으로 듣던 것과는 많이 다르군. 아니, 이제는 소문으로 듣던 것처럼 대단하다고 해야 하나? 하하하."

방초산은 한차례 호탕하게 웃더니 말했다.

"아무튼, 무사해서 다행이네. 그리고 이제 걱정하지 말게. 남은 여정은 우리가 함께할 것인즉."

"감사드립니다."

천룡표국의 합비 분타에서 지원대가 왔다는 말에 사람들은 너 나 할 것 없이 탄성을 터뜨렸다. 특히 산적이니 마적이니 하며 입방아를 찧어댔던 이견과 삼견은 좋아서 어쩔 줄을 몰랐다.

불과 서른 명이 합류했지만, 감히 덤비는 자들은 없었다. 서른 명의 기세도 기세거니와 충분한 활과 화살이 확보되었기 때문이다.

그날 밤 우리는 모처럼 번을 서지 않고 숙면을 취했다. 그리고 다음 날 아침이 되자 녹산귀도 일행이 쥐도 새도 모르게 사라지고 없었다. 더는 자신들이 필요 없다고 판단한 것이다.

한데 회수를 건너자마자 방초산이 이끌고 온 합비 분타의 지원대도 필요가 없게 되었다. 무림맹에서 별동대의 무인 오십이 마중을 나왔기 때문이었다.

천룡표국을 떠난 지 정확히 보름째 되던 날, 호송단은 장안과 낙양에 이어 중원 삼대 고도(古都)로 일컬어지는 개봉에 도착했다.

십삼 개 성(省)의 일흔두 개 문파가 맹방으로 참여한 무림맹 총타는 그 이름에 걸맞게 거대한 성을 방불케 했다. 저 멀리 무림맹이라는 간판이 보이기 시작하자 그때부터 주변은 길이라기보다 청석을 깔아놓은 넓은 공터에 가까웠다.

그 공터의 좌우에는 소식을 듣고 몰려온 사람들로 가득했다.
온갖 말들이 들려왔다.
"저 노인이 백발노성이군."
"용봉지회의 후기지수들이 잡았다지?"
"잡기는 용봉지회의 후기지수들이 잡았어도, 여기까지 무사히 호송할 수 있었던 건 순전히 천룡표국의 젊은 표사 때문이라던데."
"그 표사가 바로 표왕의 넷째 아들이라더군."
"이름이 이정룡이라고 하던걸."
"저들 중 누가 이정룡인가?"
"앞에서 말을 타고 가는 헌헌장부인가?"
"그건 청성파의 두소부일세."
"그럼 두 번째 말 타고 가는 사내?"
"그건 점창파의 양조광이고."
"한데 맨 뒤에 가는 저 세 명의 중 늙은이들 말이야. 항주에서 제법 이름깨나 날린다는 흑도라는 소문이 있던데."
"그 얘긴 나도 들었지. 서호삼견이라던가?"
"흑도들이 왜 저기에 끼어 있는 거지?"
"이정룡이 객원표사로 고용했다던걸."
"흑도들을 왜?"
"그거야 나도 모르지."
"대체 이정룡이 누구인가?"
이윽고 정문 앞에 도착했을 때 정수리가 고봉밥처럼 솟은 쉰 살가량의 장년인이 기다리고 있었다. 그의 뒤에는 같은 복장을 한 십여 명의 무인들이 대기 중이었고.

두소부, 양조광, 당군백이 걸음을 멈추고는 일제히 말에서 내려 장년인을 향해 포권지례를 올렸다. 아무래도 무림맹의 높은 인사인 것 같았다. 나도 한 박자 늦게 내려서는 알아주든 말든 일단 포권지례부터 올렸다.

두소부가 장년인과 몇 마디 주고받더니 내게로 와서 말했다.

"집법당의 당주님이십니다."

"그 말씀은?"

"백발노성을 넘겨야 합니다."

"전 무림맹이 아니라 두소부 공자에게 의뢰를 받았습니다. 따라서 두소부 공자께서 표주이시니 표행이 완전하게 이루어졌음도 확인해 주시면 인계해 드리겠습니다."

"표행은 완전하게 이루어졌습니다. 덕분에 여러 고비를 넘길 수 있었습니다. 감사드립니다."

"잠시 시간을 줄 수 있겠습니까?"

"물론이죠."

나는 백발노성에게 다가갔다. 손과 발을 쇠사슬에 묶인 채 옆으로 말을 탄 그는 생각보다 담담한 모습이었다.

"여기서 인사를 드려야 할 것 같습니다."

"결국 성공했군. 축하하네."

"혹시라도 오는 동안 제가 무례하게 군 것이 있다면 사과드리겠습니다."

"있으면이 아니라 있었지."

"그게 꼭 제 탓이라고만 할 수는 없지요."

"사과를 하려는 게 맞는가?"

"말이 그렇다는 겁니다."

"어젯밤 내가 그려준 장보도는 잘 갖고 있겠지?"

나는 깜짝 놀라서 얼른 전음을 보냈다.

[그런 얘기를 대놓고 하시면 어떡합니까?]

[난 또 자네가 말로 하기에 괜찮은 줄 알았지.]

[그리고 그게 왜 장보도입니까?]

[지도에 표시된 장소로 가면 금전 외에도 내가 쓰던 물건들이 몇 가지 있을 걸세. 나는 살아서 그곳으로 다시 갈 일이 없을 듯하니 자네가 쓰든지 태워 버리든지 알아서 하시게.]

[쓰던 물건이라고요?]

[가보면 알 걸세.]

[그건 그렇고, 망혼소를 가르쳐 주신 것 감사드립니다.]

[덕분에 말안장에 잘 앉아 왔네.]

나는 마지막으로 포권지례를 올렸다. 비록 마두이고 내 손으로 끌고 온 처지이지만, 그래도 무공을 사사한 것에 대한 예의였다.

집법당의 무사들이 다가와 말안장에 앉아 있는 백발노성을 끌어 내렸다. 그리고 무림맹 안으로 거칠게 끌고 들어갔다.

한편, 공터의 한쪽에는 아까부터 하나같이 출중한 용모를 지닌 젊은 남녀들이 기다리고 있었다. 숫자는 대략 삼십여 명. 그들은 두소부, 양조광, 당군백이 다가가자 포권을 취거나 어깨를 두드려 주며 그동안의 안부를 묻기 바빴다.

일견이 내게로 와서 말했다.

"용봉지회의 후기지수들인 모양이군."

"그런 것 같습니다."

"이제 어떻게 할 텐가?"

"맹으로 들어가서 총군사님을 뵈어야 합니다."

"그런 거물은 왜?"

"전해 드릴 물건이 있어서요."

천룡표국을 떠나기 직전 청룡당주인 유지평이 나를 불렀다. 그러고는 무림맹으로 가거든 총군사를 만나 전해달라며 편지를 한 장 써주었다.

"우리는 여기서 그만 헤어져야겠네."

"함께 들어가지 않고요?"

"농담이지?"

항주의 흑도들이 무림맹으로 들어가는 것도 우습긴 하다. 게다가 표물을 인수인계하는 바람에 임무가 끝났으니 이제 엄격히 말하면 천룡표국의 객원표사도 아니었다.

"어떻게 하시려고요?"

"항주로 가야지. 지금은 자네도 돈이 없을 테니 계산은 그때 받도록 하겠네."

"그럼 한나절만 기다리십시오. 총군사님께 편지를 전달하고 두소부에게 돈만 받아서 얼른 나오겠습니다. 며칠은 코가 삐뚤어지도록 함께 술이나 마시다가 사흘쯤 후 탱자탱자 놀면서 항주로 돌아가시죠."

"퍽이나 사람들이 자네를 놓아주겠군."

"예?"

나는 주변을 돌아보았다. 수많은 사람이 전부 나를 바라보며 '저 친구가 이정룡이구만'이라고 수군대는 중이었다. 세 명의 후기지수들이 용봉지회의 후기지수들과 어울리면서 20대 초반의 젊은 사람이라곤 나만 남게 되자 자연스럽게 신분이 밝혀져 버린 것이다.

심지어 두소부 등과 인사를 끝낸 용봉지회의 후기지수들조차 나를 힐끗거리고 있었다. 특히 무슨 이유에선지 당군백 주변에 있는 여자들의 시선이 더욱 자주 그리고 오랫동안 내게로 향하고 머물렀다.

"무림의 선배로서 충고 하나 해줄까?"

"……?"

"만약 자네의 아버지께서 천룡표국을 나온 다음 항주에다가 새로운 표국을 차린다면 어떻게 될 것 같은가?"

"예?"

"단언컨대 천룡표국을 찾는 표주들 칠 할은 표왕이 차린 새로운 표국으로 발길을 옮길 걸세. 표주들이 천룡표국을 찾는 건 그곳에 표왕이 있기 때문이네. 표왕은 표행에 관한 한 신뢰 그 자체이지."

"갑자기 왜 그런 말씀을 하시는 겁니까?"

"그동안 여러 가지 의뢰를 성공시키면서 자네에겐 다른 형제들이 일찍이 가져보지 못한 강호인들의 신뢰가 생기기 시작했네. 신뢰는 이번 호송 건으로 또 한 걸음 더 나아가겠지. 힘 있는 자들과의 인맥은 그런 신뢰를 더욱 증폭시켜 줄 것이네."

"……!"

"비상한 친구이니 내 말을 충분히 알아들었을 것이라 믿네. 그럼 항주에서 보세. 술은 그때 코가 삐뚤어지도록 마시도록 하지. 물론 자네가 사야 하고.”

일견은 말 머리를 돌려 그대로 걸음을 재촉했다. 이견과 삼견이 뒤를 따랐다. 여기까지 왜 따라왔는지 모를 호리독사도 덩달아 말 머리를 돌려 세 사람을 따라갔다.

그때였다.

“잠깐만요!”

갑작스러운 외침과 함께 양조광이 세 사람을 향해 달려갔다. 두소부와 당군백도 뒤늦게 상황을 알아차리고는 달려갔다. 서호삼견은 다시 말을 멈추고 슬그머니 말 머리를 옆으로 돌렸다.

항상 두소부에게 무엇이든 양보하던 양조광이 이번엔 앞으로 나서더니 세 사람을 향해 말했다.

“선배님들 덕분에 무사히 도착할 수 있었습니다. 항주로 돌아가시는 길은 부디 평안하시길 바랍니다.”

그러고는 정중하게 포권지례를 올렸다. 두소부와 당군백도 뒤따라 포권지례를 올렸다.

천룡표국에서부터 여기까지 오는 동안 단 한 번도 세 사람을 선배라고 부른 적 없는 후기지수들이었다. 심지어 양조광과 이견은 표행의 초기 그 문제로 한번 붙을 뻔하기도 했다.

양조광의 갑작스러운 호칭에, 그리고 흑도들을 향해 마치 무림맹의 고위직을 뵙는 것만큼이나 예를 갖추는 세 사람의 행동에 주변이 잠시 소란스러워졌다.

“흥, 우리가 무슨 그리 친한 사이였다고.”

이견의 말이었다. 그러고는 홀연히 길을 재촉해 버렸다. 일견과 삼견과 호리독사가 그 뒤를 따랐다. 후기지수들의 입장을 고려해 일부러 저러는 것이다.

6장
명표를 만나다(1)

강호무림에는 수많은 무림세력들이 존재한다. 심산유곡에서 독버섯처럼 자라다 끝내는 강호를 경동시키는 마도종파들에서부터 호시탐탐 중원 정복을 노리는 새외의 세력들까지.

무림맹은 바로 이런 불순한 무리로부터 중원무림을 지키기 위해 백도무림인들이 만든 결사 단체였다.

당대의 맹주는 설산신검(雪山神劍) 장초풍. 강호인들이 천하십검 중에서도 제일좌를 논할 때면 뇌검(雷劍) 남궁유룡과 함께 언제나 빠지지 않는 극초절정의 검수였다. 설산신검만이 아니었다. 일흔두 개 문파가 연합한 결사 단체인 만큼 무림맹은 강호를 떨쳐 울리는 고수들이 우글우글했다.

"여기서 쉬시면 됩니다."

접객당의 무사가 안내한 곳은 열 평 정도 되는 작은 방이었다. 깨끗한 침대 위에는 갈아입을 옷이 놓여 있었고, 창가의 햇살이 비치는 곳에는 찾아온 사람과 담소를 나눌 수 있도록 작은 탁자와 의자도 보였다.

"마음에 드십니까?"

"생각했던 것보다 훨씬 좋군요."

"두소부 공자님께서 특별히 부탁하시어 일급 객실로 모셨습니다. 마음에 드신다니 다행입니다."

"객실에도 등급이 있습니까?"

"총 네 등급이 있습니다."

"이 방보다 못한 곳이 세 종류나 있다고요?"

"아닙니다, 가장 위에 특급의 객실이 있고, 이 방은 두 번째로 좋은 곳입니다. 아래에 이급, 삼급이 있는데 두세 명이 함께 쓰지요."

두소부가 특별히 부탁을 하는 바람에 일급의 객실을 주었다고 했다. 그렇다면 원래는 이급의 객실로 배정될 예정이었단 말이 된다.

문득 처음부터 일급과 특급의 객실을 배정받는 사람들은 누구인지 궁금했다. 한데 그런 건 좀 묻기가 그렇다. 꼭 빈정이 상해서 그러는 것 같기도 하고.

"필요한 것이 있으시면 일 층에 있는 붉은 문으로 들어오시어 말씀하십시오. 혹시 장원을 구경하고 싶으시다면 얼굴을 가리는 모자를 쓰시면 안 되고, 반드시 침대에 놓여 있는 붉은색 적건을 쓰셔야 합니다."

"그건 왜 그렇습니까?"

"멀리서도 맹도와 방문객의 구분을 쉽게 하여 만약에 있을지 모르는 사고를 미연에 방지하기 위해서입니다."

"금지(禁地)도 있습니까?"

"그런 곳엔 반드시 지키는 무사들이 있으니 편안하게 돌아다니셔도 됩니다. 물론 담장을 넘거나 하시면 안 되겠지만 말입니다."

"무슨 말씀인지 충분히 알았습니다."

"더 궁금한 건 없으신지요?"

"총군사님은 언제쯤 뵐 수 있는 겁니까?"

"워낙 바쁘신 분이라 정확한 시간을 말씀드릴 수는 없습니다. 일단 군사부에 알렸으니 답변이 올 겁니다."

"알겠습니다."

"그럼 편히 쉬십시오."

접객당의 무사가 나가자 나는 여장을 풀고 간만의 휴식을 청했다.

한잠 늘어지게 자고 났더니 밤이 되어 두소부가 금전 이백 냥을 들고 찾아왔다. 번쩍번쩍 빛나는 금전을 보고 있자니 그동안의 피로가 눈 녹듯 사라지는 것 같았다.

하지만 이게 끝이 아니다. 백발노성이 준 지도에 나와 있는 장소로 가면 무려 금전 일천 냥이 더 있을 것이다. 천룡표국 사공자라는 배경을 등에 업을 것도 없이 나는 이미 거부였다.

"백발노성은 어떻게 되는 겁니까?"

"그에게 당해 불구가 된 맹도들이 너무 많습니다. 죽지는 않겠지만, 십중팔구 남은 생은 볕이 들지 않는 지하 뇌옥에서 보내야 할 겁니다."

"그렇군요."

"밖으로 나가서 술이나 한잔하시겠습니까?"

"술이라고요?"

"실은 용봉지회의 후기지수들이 이 공자를 만나고 싶어 합니다."

"저를 왜요?"

"향시와 회시에서 연달아 장원급제를 한 일이며, 항주의 이화원에서 진왕과 공주를 지킨 일, 그리고 이번에 백발노성을 호송한 일까지. 이 공자는 이미 화제의 인물입니다. 당연히 어떤 사람인지 궁금해하지 않겠습니까?"

"죄송합니다만, 군사부에서 언제 사람을 보내올지 몰라서요. 뵙자고 청해놓고 자리를 비우면 그런 결례가 어딨겠습니까?"

"그럼 내일은 어떻습니까?"

"내일도 대기해야 합니다."

"이 공자만 좋다면 총군사님을 뵙고 난 후로 시간을 미루어두겠습니다."

"선배님."

"갑자기 호칭이 바뀌었군요."

"저보다 다섯 살이나 많으시고, 무림 출도도 훨씬 빠르시니 처음부터 이렇게 불러 드려야 했는데 죄송합니다."

"내가 좀 재수가 없었지요?"

"저도 속이 좁았던 거지요."

"나라도 그랬을 겁니다."

"저는 더 그랬을 겁니다."

"예?"

"당군백 선배께 들었습니다. 황산에서 어떤 일들을 겪으셨는지. 선배님께서 백발노성을 죽이고 싶어 했던 심정을 충분히 이해합니다. 저라면 아마 그 자리에서 목을 쳐 죽였을 겁니다."

갑자기 거액을 받아서 그런지 선배님 소리가 술술 나온다.

"겪어보니 충분히 그랬을 것 같습니다."

"제게 인맥을 쌓게 해주시려는 뜻은 고맙습니다. 하지만 전 그런 일에 서툴고 또 관심도 없습니다. 마음만 받겠습니다."

이번 호송 건에서 두소부는 평정심을 잃고 큰 실수를 했다. 반면 나는 그가 싸지른 똥을 수습하느라 개고생을 했고, 화제의 인물이 되었다.

이런 상황에서 나를 다른 후기지수들에게 소개해 주기란 쉬운 일이 아닐 것이다. 아직 20대이다 보니 강호의 경험이 부족해서 그렇지 인간성은 나쁘지 않은 녀석이었다.

"무슨 말씀인지 알겠습니다. 하면 떠나실 때 뵙겠습니다."

"아니오. 지금 여기서 작별 인사도 했으면 합니다. 당군백, 양조광 선배께도 대신 인사를 전해주십시오."

한마디로 더는 귀찮게 하지 말라는 소리다. 내가 후기지수들과 사귀기를 바라고 딸려 보냈던 천룡표국의 장로들이 알면 뒷목을 잡고 쓰러질 일이었다.

두소부는 무언가 할 말이 더 있는 듯 잠시 머뭇거렸다. 그러나 이내 잘 쉬라는 한마디와 함께 방을 나갔다.

그날 밤, 군사부에서는 아무런 소식이 없었다.

다음 날도 또 그다음 날도.

사람이 온 것은 무려 나흘째 되는 날 오후였다. 나는 약이 바짝 오른 상태에서 군사부를 찾았다.

좁은 하관과 흰 수염이 흡사 늙은 염소를 연상케 하는 칠순 노인의 이름은 사마옥, 강호인들이 만박노군(萬博老君)이라 부르는 백도무림의 지낭(智囊)이자 무림맹 총군사였다.

눈이 마주치는 순간, 나는 그의 보이지 않는 분신이 내 눈을 통해 들어와 불을 켜고 오장육부를 살피는 듯한 느낌을 받았다. 그리고 든 첫 번째 생각은 '함부로 거짓말을 하면 안 되겠구나'였다.

"고생이 많았다고 들었네."

"마땅히 해야 할 일을 했을 뿐입니다."

"향시와 회시에서 연달아 장원급제를 했다고?"

"부끄럽습니다."

"표왕께서 아주 흡족해하시겠군."

"민망합니다."

"그래, 나를 찾아온 이유는?"

이걸로 담소는 끝? 내게는 아무런 관심이 없고, 단지 표왕과 유지평의 체면을 생각해 딱 필요한 만큼만 시간을 할애해 주는 듯한 인상이었다.

상관 말자. 나는 편지만 전해주고 가면 된다.

"본 표국의 청룡당주로 계신 유지평 당주께서 총군사님을 직접 뵙고 인사를 드린 후 서신을 전하라 하셨습니다."

나는 품속에서 꼬깃꼬깃해진 편지를 꺼내 공손하게 건네주었다. 사마옥은 편지를 받더니 당장 읽지 않고 옆에 있는 목함에 놓아두었다.

한데 목함에는 아직 밀봉조차 뜯지 않은 편지들이 수북했다. 족히 수십 장은 되었는데, 아무리 봐도 하루 이틀 쌓인 게 아닌 것 같았다. 내가 전한 편지 또한 그렇게 될 것임을 직감했다.

한때 군사부에서 선후배의 사이로 지냈던 사람의 편지였다. 또한 절강성의 패자라는 천룡표국의 사공자가 직접 가져온 편지이고. 사적으로 보아도 그렇고, 공적으로 보아도 그렇고 이건 예의가 아니다. 내가 무시당하는 건 참을 수 있지만, 천룡표국이 무시당하는 건 참기가 힘들었다.

나는 슬그머니 도발을 했다.

"대답을 듣고 오라셨습니다."

"안면을 트자마자 허언인가?"

"무슨 말씀이신지요?"

"간단한 안부 편지를 전하면서 대답을 듣고 오랬다고 하니 허언이 아니고 무엇인가?"

물론 거짓말이긴 하지만, 사마옥이 신이 아니고서야 절대 알 수가 없다. 오히려 덮어놓고 거짓말이라고 하는 그의 말이야말로 아무 근거 없는 소리다.

나는 용기를 내 조금 더 몰아붙였다.

"읽어보시지도 않고 어떻게 아시는지요?"

"읽어보나 마나일세."

"중요한 내용일 수도 있지 않겠습니까?"

"그렇다면 전서를 이용했겠지. 내가 보아야 할 중요한 편지라면 열에 아홉은 시급을 다투는 것들이라네."

"열에 하나가 남았습니다."

"그 하나마저도 열에 아홉은 편지를 보내는 사람에게만 중요한 청탁이라면?"

나는 그제야 사마옥이 나를 어떤 눈으로 보고 있는지 알아차렸다. 지난 나흘 동안 한마디 언질도 없이 기다리게 했던 이유도 이것 때문이었나 보다.

슬그머니 오기가 생겼다.

“그런 일은 절대로 없을 겁니다.”

“어째서?”

“천룡표국은 무림맹의 맹방이 아니고, 저는 무림맹에 파견될 일이 없으니까요. 그러니 본 표국의 유지평 당주께서 소생을 통해 무림맹의 총군사님께 청탁을 드릴 일은 없을 것입니다.”

“그렇다면 안부 편지이겠군.”

“열에 아홉을 빼면 하나가 남고, 다시 그 하나가 모인 것들에서 열에 아홉을 빼면 아직 백 중 일이 남습니다. 외람되오나 맹의 대소사를 관장하시는 총군사님이시라면 천에 하나도 소상히 살피셔야 하는 게 아닐는지요.”

“나를 가르치려는 것인가?”

“소생이 어찌 감히. 다만, 옛 성현들께서 예상되는 만 개의 일이 무서운 게 아니고 만에 하나가 무서운 법이라고 하신 말씀이 생각나서 여쭌 것입니다.”

“그 무서운 만에 하나를 자네가 들고 왔을 수도 있고 말이지?”

이건 좀 너무 나간 것 같은데. 유지평이 무림맹 총군사에게 그런 중요한 볼일이 있을 리 없고, 그걸 하필 나를 통해 편지로 전할 일은 더더욱 없지 않을까?

후회하기에는 이미 늦었다. 사마옥이 갑자기 편지를 집어 휙 던졌다. 편지는 허공에서 두어 번을 뱅그르르 돌더니 정확히 내 앞에 뚝 떨어졌다.

“직접 뜯어보시게.”

“제가 이 자리에서 편지를 보는 것은 총군사님께도, 본 표국의 청룡 당주께도 예의가 아닌 줄 압니다.”

“그거야 중간에 훔쳐볼 때의 얘기지.”

부드러운 음성이었지만 항거할 수 없는 힘이 실려 있었다. 이건 허락이 아니라 명령이었다.

나는 밀봉을 제거하고 편지를 천천히 읽어보았다. 그리고 어안이 벙벙해졌다. 전날 군사부에서 함께 병법을 공부하던 날에 대한 소회와 건강을 염려하는 지극히 형식적인 안부 편지였다. 건강을 염려했으니 이것도 대답이 필요한 내용이라고 우기면 우길 수는 있다. 하지만 그러면 정말 구차해진다.

내 표정만으로도 사마옥은 이미 내용을 짐작했다.

“무림맹 전서각을 통해 하루에 도착하는 편지만 삼백여 통 정도 된다네. 거기에 인편을 통해 도착하는 것이 대략 백여 통. 도합 사백여 통의 편지들 중 군사부 책사들의 사전심사를 통해 내게 전해지는 것은 고작 열 통 정도에 불과하지.”

“……!”

“지난 10년 동안 이 열 통의 편지에 적힌 내용을 하나도 빠짐없이 읽고 확인했지만, 제대로 처리를 했다고 자부할 수 있는 것은 5할이 채 안 된다네.”

그는 지금 절차와 효율에 대해 말하고 있었다. 순전히 편지를 전하기 위해 일부러 온 것도 아니고, 가는 길에 덧붙여 보내는 편지는 중요할 리도 없을뿐더러 그런 일에 신경을 쓰느니 군사부에서 올려 보낸 편지들을 한 번 더 보는 게 낫다라고.

"맹방은 물론이거니와 수많은 무림문파의 문주들이 무림맹에 제자나 자식을 보낼 때 반드시라고 해도 좋을 만큼 하는 일이 한 가지 있다네. 그게 무엇인 줄 아는가?"

솔직히 알 것도 같다.

"바로 안면이 있는 맹의 고위직에게 보내는 편지를 손에 쥐여주는 것이라네. 어떻게든 고위직과 안면을 트게 해서 자신의 인맥을 자식에게 대물림해 주려는 것이지."

나는 목함 속에 가득 쌓여 있던 그 많은 편지의 정체를 이제야 알 수 있을 것 같았다. 더불어 부끄러움에 그만 얼굴이 시뻘게졌다. 유지평은 사마옥의 성정과 인물됨을 잘 알 텐데 왜 이런 헛짓거리를 해서 망신을 자초하는 것일까?

"지난 10년 동안 내게 첫인사를 하러 와서 이렇게 많은 말을 하게 한 후기지수는 자네가 두 번째일세."

"죄송합니다. 소생이 옹졸한 마음에 주제도 모르고 그만."

"편지를 뜯게 한 것은 처음이고."

"예?"

"내 손으로 직접 뜯게 했으면 더욱 좋았으련만."

"……!"

맙소사! 이 노인네 지금까지 날 시험한 모양이다. 아쉬워하는 표정을 보니 잔뜩 기대를 했던 것 같다. 아마도 향시와 회시에 연달아 장원급제한 내 경력 때문일 것이다.

"유 당주에게 가서 전하게. 물건은 잘 구경했고 과연 자랑할 만하며 내가 매우 배 아파하더라고. 그리 전하면 알 것이네."

그러면서 사마옥의 입가에 살짝 미소가 어렸다. 나는 이번에야말로 망치로 뒤통수를 얻어맞은 것 같았다.

알고 보니 유지평은 나에게 인맥을 쌓게 하려는 것이 아니라 사마옥에게 보여 품평을 받아보려 했던 것이다. 사마옥은 그걸 귀신같이 알고 시험을 해본 것이고. 두 사람 모두 인재를 찾고, 기르고, 쓰는 책사들이다 보니 자연스럽게 공감대가 형성된 모양이었다.

군사부를 나온 나는 등이 땀으로 축축하게 젖어 있었다. 하늘 밖의 하늘을 본 기분이었다.

사마옥은 나를 대단하다고 치켜세워 주었지만, 사실은 약간의 감탄을 했을 뿐이다. 나는 용봉지회의 후기지수들과 크게 다르지 않은 한 마리 잠룡에 불과했던 것이다.

"그렇지만……."

그 어떤 용봉도 나만큼 돈이 많지는 않을 것이다. 백발노성이 말해 준 곳으로 가서 금전 천 냥을 찾을 생각 하니 다시 기분이 날아갈 것처럼 좋아졌다.

"역시 돈이 있고 봐야 해."

곧장 접객당으로 향했다. 묵었던 객실에 놓아둔 행낭과 장검을 챙겨 항주로 돌아가기 위해서였다. 한데 아침까지만 해도 한가하던 접객당이 갑자기 객실을 배정받기 위해 기다리는 사람들로 북적였다. 어림잡아도 백여 명은 될 것 같았다.

그중 일부 사람들의 손에 들린 물건들이 눈을 번쩍 뜨게 했다. 반 장

길이의 대나무 작대기는 마차의 가장자리에 묶는 깃대였다. 깃대의 끝에는 나도 잘 아는 문양과 글자가 수 놓인 깃발들이 출렁거리고 있었다.

"저건 표기들인데."

놀랍게도 모두 각기 다른 표국의 깃발들이었다. 숫자는 당장 보이는 것만 십여 개. 하나같이 하남성에 뿌리를 둔 표국의 깃발들이었다. 알고 보니 모두가 표사들이었던 것이다.

나는 때마침 지나가는 접객당의 무사를 붙잡고 물었다.

"갑자기 웬 표사들입니까?"

"표국들을 상대로 무림맹에서 발주하는 큰 건의 입찰이 있을 예정입니다. 그것 때문에 다들 저렇게 모인 거고요. 아마 밤이 되면 객실이 꽉 찰 겁니다."

"큰 건이라 하면?"

"정확한 건 저도 잘 모릅니다. 다만 중요한 물건 하나를 어딘가로 운반하려는데, 여기에 노련한 표국 세 곳을 뽑아 용병 자격으로 동행시키며 이런저런 조언을 들을 예정인 것으로 압니다."

사람들이 착각하는 게 있다. 무공이 강하면 표행도 잘할 것이다. 천만의 말씀이다. 무공이 강하면 유리한 것은 사실이나 반드시 표행까지 잘할 수는 없다.

두소부, 양조광, 당군백의 경우만 봐도 알 수 있다. 그들은 청성, 점창, 당문이 길러낸 문일지십의 무재이자 청년 고수들이지만, 표행에 관해서는 천룡표국의 1년 차 신입표사만도 못한 등신들이었다. 표행은 사람들이 생각하는 것보다 훨씬 전문적인 분야다.

그나저나 무림맹에서 무언가 엄청난 물건을 운송하는 모양이었다. 입찰까지 해가면서 표국을 세 곳이나 고용하려는 걸 보면.

뭔지 몰라도 나도 한 다리 걸치고 싶은 마음이 굴뚝 같았다. 하지만 꾹 참았다. 혼자서는 입찰에 참여할 수도 없거니와 빨리 백발노성이 말한 곳으로 가서 금전 천 냥을 찾아야 하기 때문이다.

그때였다. 떡 벌어진 어깨에 기둥뿌리 같은 다리를 지닌 사십 줄의 사내가 용 같고 범 같은 다섯 명의 무인들과 함께 나타났다. 등에는 장검 한 자루를 가로질러 멨는데, 건장한 체격을 제외하고는 복장도 용모도 무엇 하나 특이한 것이 없었다. 한데 그가 나타나는 순간부터 장내가 술렁거리기 시작했다.

뿐만 아니라 상당한 수준의 고수로 보이는, 아마도 표두로 짐작되는 사람들이 앞다투어 달려가 포권지례를 하며 인사를 해댔다.

"누군데 저러는 겁니까?"

"유성표국(流星鏢局)의 대표두입니다. 표사들 사이에서는 워낙 유명한 분이시니 어쩌면 이 공자께서도 한 번쯤 들어보셨을지도 모르겠군요."

"풍운표검(風雲鏢劍) 설인탁!"

"역시 아시는군요."

알다마다. 강호인들이 중원 전역을 통틀어 단 네 명의 표사들에게만 허락한 사대명표. 그중 한 자리를 당당하게 차지한 거물을 명표가 되길 꿈꾸는 내가 왜 모르겠나.

나는 온몸에서 전율이 흐르는 것 같았다. 열심히 표행을 하며 강호를 주유하다 보면 언젠가 한 번쯤은 길에서, 혹은 객점에서 사대명표들을 한 명쯤은 스치듯 만날 수 있을 거라 생각했다. 한데 여기서 이렇게 보다니.

나는 당장에라도 달려가 인사를 올리고 싶었다. 그리고 당신처럼 되는 것이 내 평생의 꿈이라고 말하고 싶었다. 하지만 그는 이미 여러 표국에서 온 표두들에게 둘러싸여 있었다. 그리고 조금 떨어진 곳에서는 그런 표두들을 부러운 눈으로 바라보는 표사들로 가득했다.

"돈은 얼마나 줍니까?"

"예?"

"무림맹에서 표국에 지불하는 표비 말입니다."

"글쎄요. 그것까진 잘. 그러나 무림맹에서 협조의 형식을 취하지 않고 정식으로 입찰까지 해가며 발주하는 의뢰라면 한밑천 단단히 거머쥘 수 있을 겁니다. 물론 발탁이 되어야겠지만 말입니다."

"입찰 자격은 어떻게 됩니까?"

"확실한 신분에 세 명 이상의 표사만 있으면 어떤 표국이든 가능한……."

"며칠 더 묵어야겠습니다. 접객당의 일꾼들에게 제 방을 치우지 말라고 전해주십시오."

그리고 나는 쏜살같이 달렸다.

도망치듯 무림맹을 빠져나온 나는 길거리에서 맨 처음 만난 어린 거지의 바가지에 동전 열 냥을 아낌없이 던져 넣었다.

"개봉에서 가장 이름난 주루로 나를 안내해라. 누군가 타지에서 왔다면 여긴 무조건 들러야 고향으로 돌아가 개봉에 다녀왔노라 하며 자랑할 수 있는 그런 명소 같은 곳 말이다."

"취향이 어떤 쪽이신데요?"

"취향? 무슨 취향?"

"크게는 여자 남자가 있겠고, 자세하게는 도박을 겸할 수 있는 곳도 있고, 배를 타며 즐길 수 있는 곳도……."

"됐고. 술만 마시는 곳으로 안내해다오."

"모르시는 말씀입니다. 자고로 어디 가서 자랑을 하시려면 다른 도시에서는 좀처럼 볼 수 없는……."

"닥치고 술맛이 좋은 주루 중에서 가장 가까운 곳으로 안내해라. 안 그러면 돈을 전부 빼앗아 다른 거지를 알아보겠다."

"따라오십시오."

천룡표국에선 열흘 만에 표행에서 돌아오면 이틀 정도는 술과 고기를 배불리 마시고 먹으며 쉰다. 보름 만에 돌아오면 사흘, 한 달 만에 돌아오면 무려 엿새를 그렇게 쉰다. 그렇지 않으면 골병이 나기 때문이다.

천룡표국에서 이곳 개봉까지 오는 동안 꼬박 보름이 걸렸다. 서호삼견 역시 아직 개봉을 떠나지 않았을 확률이 매우 높다. 그들이 어느 여각에서 묵었는지는 알 수 없다. 그러나 개봉까지 왔으니 술은 가장 맛이 좋다는 곳에서 마셨을 것이다. 그런 다음엔 십중팔구 근처 여각에서 묵었을 것이고.

우여곡절 끝에 찾아 들어간 주루에서 나는 생각보다 쉽게 반가운 얼굴을 만날 수 있었다. 뜻밖에도 호리독사가 그때까지 홀로 앉아 술을 마시는 중이었다.

"엇, 공자님!"

"다행히 아직 안 갔구료."

"저를 찾으셨습니까?"

호리독사가 반색을 하며 되물었다. 미친놈, 내가 네놈을 왜 찾어?

"서호삼절 선배들께서는 어디에 묵었소?"

"삼 층에 객방도 있습니다."

"지금 계시오?"

"없습니다."

"왜?"

"저도 모르겠습니다. 자고 일어나 보니 없더라고요. 행낭도 함께 없어진 것으로 보아 아무래도 저만 놔두고 새벽에 도망친 모양입니다. 인정머리 없는 영감탱이들 같으니라고."

"……!"

한순간 아찔해지며 머리가 핑 돌았다. 서호삼견만 믿고 꽁지가 빠지도록 달려왔는데. 이러면 모든 게 도로아미타불이다. 온몸에서 힘이 빠지는 것 같다. 나는 두 팔을 축 늘어뜨린 상태로 뒤돌아 걸음을 옮겼다.

밖으로 나가려던 찰나 무언가 뜨거운 시선을 느끼고 옆을 돌아보았다. 주방과 연결된 모퉁이 너머의 구석에서 두소부, 양조광, 당군백 등이 전날 보았던 용봉지회의 후기지수들과 함께 앉아 나를 뚫어지게 바라보고 있었다.

"맛집은 맛집인 모양입니다. 한 시진 전부터 저렇게 몰려와서는 낮술을 퍼마시고 있습니다."

옆으로 바싹 다가온 호리독사가 귀에 대고 속삭인 말이었다. 그러나 내 신경은 온통 용봉지회의 후기지수들 속 한 여자에게 꽂혀 있었다.

당군백 외에도 여자가 세 명이나 더 있었고, 하나같이 눈이 번쩍 뜨일 정도로 용모가 출중했다. 그러나 그녀가 함께 앉아 있는 순간 나머진 전부 예쁜 오징어일 수밖에 없었다.

반쯤 먹다 남은 닭 다리를 든 채 놀란 토끼 눈을 뜨고 있는 그녀는 내가 너무나 잘 아는 사람이었다.

'객원표사다!'

나는 일단 호리독사를 돌아보며 물었다.

"귀하는 왜 여기 있는 거요?"

"갈 데가 없습니다."

"삼룡채로 가지 않고?"

"가면 배신자로 몰려 죽을 겁니다."

"음, 그것도 그렇겠군."

"공자님께서 그리 남 얘기하듯 말씀하시면 안 되지요. 제가 누구 때문에 이렇게 됐는데."

"나 때문에 이렇게 됐단 말이오?"

"공자님께서 구태여 삼룡채를 찾아가 채주의 손목을 끊어놓는 바람에 놈들이 제가 불었다는 걸 전부 알게 됐잖습니까."

"귀하가 수적 놈들과 함께 나를 죽이러 오지 않았다면 내가 구태여 귀찮음을 무릅쓰고 삼룡채를 찾아가는 일도 없었겠지."

"그 빚은 이미 충분히 갚은 걸로 압니다만."

"길 안내에 대한 대가는 귀하의 목숨을 살려준 것이었소. 어디서 슬그머니 갖다 붙이기는. 내가 만만해 보이오?"

"그런 것이 아니고요."

"아니면?"

"죄송합니다."

"사람 봐가면서 사기를 쳐야지."

"무슨 사기까지나……."

"됐고. 이제 어떡할 거요?"

"일단 술이나 실컷 마시면서 생각 좀 해보려고요. 이 집 술맛이 정말 기가 막힙니다. 저랑 한잔하시겠습니까?"

척 보니 술뿐만이 아니라 안주까지 아주 한 상이다. 나로서는 한 번도 본 적 없는, 왠지 비쌀 것 같은 요리들도 보이고.

"돈은 어디서 나서 이렇게 먹는 거요?"

"저는 사람들만 있으면 어딜 가도 돈 걱정은 없습니다."

몸에 한 가지 기술이 있으면 허리춤에 만 관의 은 덩어리를 차고 있는 것보다 낫다고 했다. 하물며 그 기술이 남의 주머니에서 전낭을 빼오는 것이라면?

나도 모르게 전낭이 들어 있는 가슴을 손으로 한번 쓰윽 누를 뻔했다. 이 인간 앞에서는 특별히 조심해야겠다. 황제의 후궁도 훔쳐서 재미 본다는 공령신투의 제자가 아닌가.

"천룡표국의 객원표사로 일하는 동안에는 절대 그런 짓을 용납할 수 없소. 특히 내 앞에서는."

"제 인생 제가 사는데 무슨 상관이십…… 예?"

"보수는 신입 객원표사의 공식 액수인 이틀에 은전 한 냥씩을 주겠소. 서호삼절 선배들께서도 처음엔 이렇게 시작했소."

말을 해놓고도 나는 신입이라는 단어와 객원표사라는 단어를 함께 써도 말이 되는지 살짝 헷갈렸다.

"표사…… 라고요?"

"표사가 아니고 객원표사."

"열심히 하겠습니다!"
"일단 여기서 대기하시오."
"존명!"
'한 명은 구했고.'
나는 다시 후기지수들이 있는 곳을 슬쩍 바라보았다. 아직도 모두 내게서 시선을 떼지 않고 있었다. 지난번에 내가 두소부에게 한 말이 있으니 부르지도 못하고, 어정쩡하게 바라만 보는 모양이었다.
때마침 지나가는 점소이를 불러다 물었다.
"이 집에서 가장 좋은 술이 무엇이냐?"
"그야 물론 천삼대향주(天蔘大香酒)입죠. 고산준령에서 캔 산삼 한 뿌리를 주재료로 빚어 10년 이상 숙성한 작품인데, 한번 맛을 보면 저승에 가서도 잊을 수가 없을 겁니다. 가격은 은전 석 냥이고요."
"산삼주는 호불호가 강한데. 다른 건."
"대곡장향주(大曲醬香酒)도 좋습니다. 질 좋은 수수에 각종 과일을 넣고 빚은 다음 3년을 숙성시킨 것으로 은은한 과일 향이 끝내줍니다."
"여자들이 마시는 술이군. 다른 건."
"고정공주(古井贡酒)도 있습니다. 오래된 우물물을 길어 빚은 백주의 한 가지인데, 숙취가 전혀 없지요. 가격은 은전 한 냥이고요."
"싱거운 술들이 숙취가 없지. 다른 건."
"얼마까지 생각하십니까?"
잔뜩 상기되었던 점소이의 목소리가 탁 풀렸다.
눈치 빠른 새끼. 나는 호리독사가 앉아 있던 탁자의 술을 턱으로 가리키며 물었다.

"저건 얼마냐?"
"죽엽청주이고 한 병당 동전 열 냥입니다. 열 병 시키면 한 병 더 드리고요."
"한 병은 저 탁자에 갖다 주고, 나머지 열 병은 갖고 나를 따라와라."

기다란 사각 탁자를 가운데 두고 마주 앉은 후기지수들은 모두 이십여 명, 하나같이 비범한 기운에 당당한 태도가 느껴졌다.
내가 다가가자 두소부가 놀란 표정으로 말했다.
"이미 간 줄 알았습니다."
"말씀 놓으시지요. 선배님."
"그래도…… 될까?"
"이미 선배님으로 모시겠다고 말씀드렸습니다만."
"그건 그렇지."
"실은 조금 전에서야 총군사님을 뵈었습니다."
"이런, 나흘이나 기다렸군."
"지나는 길에 선배님들 얼굴들이 보여 인사나 드릴까 해서 잠시 들렀습니다. 마침 제가 잘 아는 사람도 있고요. 방해를 한 건 아닌지 모르겠습니다."
"그럴 리가. 잘 왔네."
그 사이 점소이는 두 사람당 한 병씩 술을 내려놓기 시작했다.
"이건 뭔가?"
"약소하지만 제 성의입니다."
"뭘 이런 걸 다."

그때 어디선가 작게 '죽엽청주네'라고 하는 소리가 들려왔다.

남궁소소의 바로 왼쪽에 앉아 있는 사내가 한 말이었다. 화려한 무복에 보옥이 요란하게 박힌 요대를 허리에 찼는데, 척 봐도 부유한 집안의 자제인 것 같았다. 소리가 작다고 해서 못 들을 사람은 한 명도 없었다.

분위기가 살짝 어색해지자 두소부가 모두에게 나를 소개했다. 이미 모두 알고 있었는지 놀라거나 궁금해하는 사람은 없었다. 그저 형식적인 소개일 뿐이었다.

두소부의 소개가 끝난 후에는 한 명 한 명과 일일이 인사를 나누었다. 전생에서는 볼 수도 없고, 보았어도 감히 말도 못 붙여볼 정도의 쟁쟁한 문파와 세가의 이름들이 줄줄 흘러나왔다.

"한데 어딜 가는 길인가?"

"서호삼절 선배들을 만나 술이나 한잔하려고 했더니만 벌써 떠나고 없군요. 해서 무림맹으로 돌아가 잠이나 잘까 하던 참입니다."

"곧장 항주로 가는 게 아니고?"

"며칠 더 묵을 예정입니다."

"그렇다면 우리와 함께 마시지 않겠나?"

"괜히 제가 끼어 분위기를 망치면 쓰나요."

"분위기를 망치다니. 지난번에도 말했지만 모두 자네를 만나보고 싶어 했다네. 기대를 않고 있다가 이렇게 갑자기 만나니 더욱 반갑군."

"그럼 잠깐만 앉았다 갈까요?"

양조광이 즉석에서 자신의 옆에다 빈자리 하나를 만들어주며 말했다.

"이리로 앉으라고."

"고맙습니다."

"그런데 나도 말을 놓아도 될까? 나이는 내가 세 살 많기는 한 것 같은데……."

"물론입니다. 선배님."

금전을 이백 냥이나 벌게 해주었는데 당연히 되고말고요.

양조광의 얼굴이 순식간에 환해졌다. 이 인간이 이렇게 살가운 인간이었나?

원래 양조광의 왼쪽에는 두소부가, 오른쪽에는 당군백이 앉아 있었다. 한데 어쩌다 보니 내가 양조광과 당군백 사이에 앉게 되었다. 그리고 나의 바로 맞은편에는 남궁소소가 앉아 있었다.

반가운 마음에 입꼬리가 저절로 벌어졌다. 남궁소소도 말갛게 웃어주었다.

지켜보고 있던 양조광이 말했다.

"그러고 보니 두 사람은 서로 친하겠군. 같은 항주에서 지내는 데다, 소문에 듣자 하니 표행도 두 번이나 함께했다지?"

"남궁 소저께서 저를 두 번이나 도와주셨죠."

잠깐만, 이거 족보가 좀 이상해졌는데. 양조광이 나보다 세 살 많고 남궁소소가 두 살이 많으면 호칭을 어떻게 정리해야 하나. 남궁소소한테도 선배라고 해야 하나? 에라 모르겠다. 어차피 다른 사람들은 오늘 이후로 볼 일이 없을 것이다.

나는 최대한 사람 좋은 얼굴을 하고 말했다.

"여기서 보게 될 줄은 몰랐소."

"저도요."

"언제 온 거요?"

"어젯밤 도착했어요."

"개봉까지 무슨 일로?"

"원래는 개봉이 아니라 곡부(曲阜)로 갔어요. 거기서 마중 나온 사람들에게 호송해 온 사람을 인계한 후 돌아가는 길에 잠시 들른 거예요."

"호송? 누굴 말이오."

남궁소소는 갑자기 점소이가 놓고 간 죽엽청주를 병째 집어 들고는 벌컥벌컥 마셨다. 푸르스름한 실핏줄이 비치는 목이 오늘따라 삶은 만두피처럼 깨끗하고 투명해 보였다. 여기저기서 다른 사람들도 일제히 술잔을 들고 꺾었다. 갑자기 분위기가 침울해진 것 같았다.

당군백이 옆에서 조용한 목소리로 설명해 주었다.

"지난번 항주에서 우리가 처음 만난 날, 백발노성을 천룡표국에 맡기고 다선초당으로 갔던 것 기억하나요?"

"선배님께서도 말씀을 편히 하시지요."

"선배 아닌데."

"예?"

"제가 더 어려요."

"몇 살이신데요?"

"스물한 살이에요."

"……!"

갑자기 분위기가 또 다른 의미로 싸해졌다. 당군백은 얼굴이 벌게졌고, 남궁소소는 술을 마시다 말고 옆눈으로 나와 당군백을 번갈아 보았다.

나는 미안함에 어쩔 줄을 몰랐다. 얼른 말을 덧붙였다.

"어쩐지 어려 보이더라니."

이미 늦은 것 같았다. 당군백은 조용히 하던 말을 이었다.

"아무튼 그때, 모처에 놓아두고 온 언보보의 주검을 부탁했어요. 이후 소소 선배께서 다선초당의 무사들과 함께 곡부까지 운송을 한 것이고요."

함께 있는 걸 보는 순간부터 대충 짐작했지만, 남궁소소 역시 한때 용봉지회의 무인이었던 것 같다. 이들은 지금 어린 나이에 목숨을 잃은 후배를 기리며 애도의 시간을 가지는 중이었다.

한데 애도를 하는 사람의 입맛이 그렇게 좋다고? 남궁소소의 앞에는 파리도 안 붙을 만큼 깨끗하게 발라진 닭 뼈가 한 줌이었다.

"제가 눈치 없이 끼어들었군요."

"선배님이라면 충분히 함께할 자격이 있어요."

나를 향한 당군백의 호칭이 갑자기 이 공자에서 선배로 바뀌었다. 내가 두소부와 양조광을 선배라 부르니 그녀도 계속 이 공자라 부를 수가 없었을 것이다.

"덕분에 언보보를 죽음에 이르게 한 마두를 잡아다 무림맹의 지하 뇌옥에 가둘 수 있었으니까요."

두소부와 양조광을 비롯해 몇몇 사람들이 고개를 끄덕이며 동조했다. 언보보의 죽음은 슬프지만 백발노성을 가둔 건 또 다행인지 술을 한 잔씩 꺾기도 했다.

이제 보니 애도의 술자리인 동시에 축하의 술자리이기도 한 모양이었다. 그러면 남궁소소가 닭을 혼자 한 마리 뚝딱 해치운 것도 어느 정도는 이해가 된다.

"나도 말을 편하게 해도 되겠지? 참고로 난 소부와 동갑내기 친구라네. 무림맹으로 들어온 건 내가 좀 더 빠르고."

고풍스러운 비단 무복을 입은 미공자가 한 말이었다. 어찌나 잘생겼는지 꼭 솜씨 좋은 석공이 정교하게 깎아놓은 백옥에다 노련한 화공이 한 붓 한 붓 이목구비를 그려 넣은 것 같았다.

황보세가(皇甫世家)의 황보중악이라던가?

"잘 부탁드립니다. 선배님."

"소문과 달리 예의가 바르군."

"개봉엔 제가 버릇이 없다고 소문이 났나 봅니다."

"신경 쓰지 말게. 사람들의 선입관이라는 게 원래 무서운 법이니까. 그것보다 이렇게 만나서 반갑네. 어느 날 갑자기 달라진 평판이 워낙 대단해서 한 번쯤 보고 싶었거든."

선입관이라는 말이 묘하다. 대체 나의 무엇에 관한 선입관이라는 걸까? 혹시 표왕이 시녀와의 사이에서 낳은 서자라는 걸 두고 하는 말인가?

아무래도 그런 모양이다. 슬쩍 곁을 돌아보니 두소부, 양조광, 당군백을 비롯해 나와 같은 줄에 앉아 있던 사람들의 표정이 잔뜩 굳어 있었다. 반면 황보중악과 함께 맞은편에 앉아 있는 사람들의 표정은 미세하게 조소가 어렸고.

그러고 보니 황보중악이 내게 양해 없이 반말을 할 때도 그렇고, 하필이면 탁자를 가운데 두고 이쪽과 저쪽의 반응이 다른 것 같다.

공교롭게도 이쪽 줄에 앉은 이들은 청성, 점창, 당문을 비롯해 전부

대륙의 남서쪽에 위치한 문파와 세가의 후기지수들이었다. 반면 저쪽 줄에 앉은 이들은 황보세가, 산동악가, 단목세가를 비롯해 모조리 대륙의 북동쪽에 위치한 세가의 후기지수들이었고.

'놀고들 자빠졌네.'

무림맹은 하나의 산에 중원 전역에서 온 범들이 모여 사는 것과도 같다. 제가 살던 곳에서 왕 노릇을 하던 자들이 여기서 쉽게 남의 밑에 들어가려고 하겠나. 당연히 산중 제왕의 권력에 좀 더 가까이 가기 위해 음으로 양으로 치열하게 경쟁을 할 것이다.

무림맹은 무림의 축소판이다. 용봉지회는 다시 그런 무림맹의 축소판이고. 이 인간들은 지금 지연끼리 서로 뭉쳐 세력 싸움을 하고 있는 것이다.

뭐, 나와는 상관없는 일이고 애들 노는 일에 일일이 신경 쓸 생각 또한 없었다. 다만 한 가지, 하필 이런 자리에서 나와 남궁소소가 서로 다른 진영에서 마주 보며 앉아 있다는 게 씁쓸할 뿐.

"그러고 보니 동부삼성(東部三省)을 대표하는 무림세가의 후기지수들이 전부 한자리에 모였군요."

양조광이 말했다.

동부삼성은 동쪽 바다를 접하고 있는 세 개의 성(省). 즉 산동성·남직예성·절강성을 하나로 뭉쳐 부르는 말이었다. 산동성 황보세가의 후예인 황보중악, 남직예성 남궁세가의 후예인 남궁소소, 그리고 가장 작은 성이지만 절강성을 대표하는 천룡표국의 후예인 내가 만났으니 말이 되긴 한다.

하지만 동부삼성이라는 말 자체를 쓰는 사람이 거의 없다. 이건 죽은 말이다. 양조광은 지금 분위기를 좋게 만들려고 무리수를 둔 것이다.

"그건 아니죠. 표국을 무림세가와 함께 묶는 것까지야 그렇다고 쳐도. 일공자인 이갑룡 공자, 아니, 하다못해 이공자 삼공자도 아니고 사공자와 비교하는 건 황보 선배께 예의가 아니죠."

황보세가와 함께 산동성에 근거지를 둔 산동악가의 후예 악도광이었다. 아까는 '죽엽청주네'라고 해서 분위기를 깨더니, 이번엔 내가 천출이라는 걸 비꼬고 있었다.

이 정도로 흔들릴 내가 아니었다. 전생에서 50년 동안이나 절름발이라고 손가락질받으며 살았다. 표왕의 서자라는 말은 내게 전혀 상처가 되질 않았다.

내가 궁금한 것은 이 새끼들이 대체 내게 왜 이러냐는 것이었다. 한참 대화를 하다가 빈정이 상해서 그러는 것도 아니고, 앉자마자 조롱이라니.

"도광, 그게 무슨 뜻이냐?"

양조광이 발끈했다.

"일단 나이부터 차이가 너무 많이 나지 않습니까. 황보 선배께서는 올해 스물일곱 살이신데 스물두 살짜리 무림초출이랑 비교하는 건 좀. 그렇다고 천룡표국에 다른 적자(嫡子)가 없는 것도 아니고요."

"도광!"

촥!

양조광이 소리를 지른 것과 악도광이 술을 뒤집어쓴 건 거의 동시였다. 바로 맞은편에서 암기술의 고수가 내공까지 담아 벼락처럼 뿌리다 보니 미처 피하고 말고 할 겨를이 없었을 것이다.

사람들의 시선이 당군백에게로 향했다. 쭉 뻗은 그녀의 손에는 아직도 빈 술잔이 들려 있었다. 내가 사준 죽엽청주였다.

참, 잘 사줬다는 생각이 든다. 동전 열 냥이 전혀 아깝지 않았다.

"군백, 왜 이러는 거냐! 저 친구가 서자인 것은 사실이잖아. 이런 말까지는 안 하려고 했지만 출신도……."

순간, 악도광의 머리 위로 걸쭉한 국물이 줄줄 흘러내렸다. 이번엔 바로 옆에 앉아 있던 남궁소소가 직접 탕 그릇을 들어다 천천히 머리 위에서 붓고 있었다.

너무나 갑작스러운 상황에 악도광은 이러지도 저러지도 못하고 그냥 당하고만 있었다.

"내 젓가락 쓰지 말라고 했지. 나는 누가 내 젓가락에 입 대는 거 질색이라고. 특히 악도광 네 입에서 얼마나 악취가 나는지 알아?"

이윽고 국물과 고기 건더기가 모두 떨어지자 남궁소소는 탁자 위에 빈 그릇을 텅 소리가 나도록 던져놓았다. 이어 황보중악을 돌아보며 말했다.

"이런 꼴 보여주려고 오라고 했어요?"

"……."

"내가 왜 선배를 떠났는지 알아요? 생긴 것만 멀쩡하지 도량이 벼룩 등짝만큼 좁아서예요. 선배는 무언가 일생을 걸고 되고 싶거나 이루어 보고 싶은 게 있나요?"

"……."

"진짜 모자라는 사람은 선배예요."

연달아 하는 세 마디가 전부 예사롭지 않았다. 특히 두 번째로 한 말은 귀가 번쩍 뜨였다.

두 사람이 과거 만나던 사이였다고?

나는 그제야 저 인간들이 날 못마땅해한 이유를 알 것 같았다. 내가 항주에서 함께 표행을 할 정도로 남궁소소와 친하게 지냈다는 게 질투가 난 것이다.

그사이 남궁소소는 품속에 손을 넣어 뒤적거렸다. 무언가를 찾는데 없는 것 같았다. 잠시 땅이 꺼져라 한숨을 쉬더니 갑자기 맞은편에 앉은 내게 손을 불쑥 내밀었다.

"열 냥만 빌려줘요."

잃어버린 게 전낭인가 보다. 순간, 퍼뜩 떠오르는 생각이 있어 저만치 앉아 있는 술꾼을 곁눈질했다. 이쪽을 보고 있다가 나와 눈이 마주치자 움찔 놀란 호리독사가 얼른 고개를 돌렸다.

'설마, 저 인간이?'

나는 품속에서 얼른 은전 열 냥을 꺼냈다. 이어 그녀의 희고 고운 손바닥 위에 척 올려 주었다.

"동전 없어요?"

"없소. 그냥 쓰시오."

"이렇게 많이는 필요 없어요."

"전낭을 잃어버린 것 같은데, 일단은 쓰시오."

"금방 갚을게요."

"안 갚아도 되오."

남궁소소는 잠시 의아해하는 표정을 지었다. 하지만 이내 아홉 냥은 품속에 챙기고 나머지 한 냥을 딱 소리가 나도록 탁자에 붙여놓고는 말했다.

“제가 먹은 술값이에요.”

그러고는 훌연히 나가 버렸다. 아무래도 오늘 술값은 황보중악이 내기로 한 모양이었다. 남궁소소는 황보중악에게만큼은 눈곱만큼도 빚진 마음이 들기 싫어서 자기 먹은 값을 내는 것이고.

그녀의 이런 모습은 황보중악을 더욱 열 받게 했다. 놈의 얼굴이 시뻘겋게 달아오르고 있었다. 자신이 사주는 술은 한 잔도 공짜로 안 마시면서, 내게는 은전을 열 냥이나 아무렇지 않게 빚졌으니 약이 바짝 오를밖에.

모두 넋 나간 사람처럼 앉아 있는 가운데 저만치 가던 남궁소소가 갑자기 멈춰 서서는 홱 돌아보며 말했다.

“눈치 없이 계속 앉아 있을 거예요?”

그럴 리가. 나는 얼른 두소부, 양조광, 당군백에게 눈짓으로 작별 인사를 하고는 후다닥 남궁소소를 따라나섰다.

‘일단 계약금은 줬고.’

늦은 오후 개봉의 저잣거리엔 찬바람이 쌩쌩 불었다.

남궁소소의 옆모습에서도 찬바람이 쌩쌩 불었고.

‘어떻게 한다?’

선불리 접근했다가는 역풍만 맞을 것이다. 더구나 이런 분위기에서는…… 그녀의 기분을 먼저 풀어주어야 한다. 일단 생색부터 조금 내고.

"전낭엔 얼마나 들어 있었소?"

"은전 열 개에 동전 서른 개 정도요."

"횡재했군."

"네?"

"훔쳐 간 놈 말이오."

"돈은 고마웠어요."

"오히려 내가 고맙소."

"뭐가요?"

"나 때문에 탕국물을 부은 거 알고 있소."

"그렇게 생각해요?"

"나도 그 정도 눈치는 있소."

"무례를 못 참은 것뿐이에요. 꼭 귀하가 아니라 다른 사람이 그런 일을 당했어도 화를 냈을 거예요. 물론 내가 잘 아는 귀하가 당해서 조금 더 화를 낸 측면도 있지만."

"그들의 입장에선 그럴 수 있소."

"무슨 뜻이에요?"

"솔직히 우리가 좀 많이 가까운 사이잖소. 어려운 표행도 두 번이나 함께했고. 마음도 잘 통하고 손발도 척척 맞고."

"그렇게 생각해요?"

"소저는 안 그렇소?"

"글쎄요. 난 잘 모르겠는데."

"아직 잊지 못하고 있는 옛 연인이 자기보다 못났다고 생각하는 놈과 친한 걸 보면 누구라도 배가 아플 것이오. 물론 그걸 행동으로 옮기는 건 다른 문제지만."

남궁소소가 갑자기 걸음을 뚝 멈추었다.

"옛 연인이라뇨?"

"황보중악과 소저 말이오."

"제가 왜 그의 연인이라는 거죠?"

"아까 그랬잖소. 얼굴이 반반해서 만났는데 도량이 벼룩 등짝만큼 좁아서 헤어졌다고."

"제가 언제 얼굴이 반반해서 만났다고 했어요? 그리고 그 말을 어떻게 연인 사이로 이해할 수 있는 거죠?"

"아니란 말이오?"

"황보 선배는 제가 무림맹에 몸담았을 당시 속해 있던 조의 조장이었어요. 한데 언젠가부터 일방적으로 쫓아다니면서 집착을…… 내가 이런 설명을 왜 하고 있지. 아무튼, 전 황보 선배와는 사귄 적 없어요."

"이상하다. 내가 듣기엔 그런 어조였는데."

"정 못 믿겠으면 용봉지회 후기지수들에게 물어보든가요."

"뭘 물어보기까지나."

그때였다. 삭풍에 볼이 발개진 남궁소소의 뒤쪽으로 십여 명의 괴인들이 말을 타고 등장했다. 하나같이 죽립을 쓰고 암녹색의 피풍의를 통일해 입었는데, 등에는 초승달처럼 휘어진 칼을 메고 있었다. 맨 앞에는 용문(龍門)이라 적힌 깃발이 바람에 펄럭였다.

"용문표국(龍門鏢局)!"

하남과 이웃한 산동에 근거지를 둔 표국이었다. 어찌나 신출귀몰한지 빠르기로는 용문표국을 따를 곳이 없다고 들었다. 방향으로 미루어 무림맹으로 가는 것 같았다. 저들도 내일 있을 입찰에 참여하려는 것이다.

명표 설인탁이 이끄는 유성표국에 이어 산동을 대표하는 용문표국까지. 나는 정신이 번쩍 들었다. 내일 있을 입찰을 준비하려면 서둘러야 한다.

"소저, 나를 좀 도와주시오."

"뭘요?"

"무림맹에서 모종의 물건을 어딘가로 호송하기 위해 표국 세 곳과 계약을 맺기로 했소. 그 표국을 뽑는 입찰이 내일 있는데, 표사가 세 명 이상이어야만 참가할 수 있소. 다시 한번 천룡표국의 객원표사가 되어주시오."

"혹시, 은전 열 냥을 준 게……."

"그건 순수한 내 성의요. 친구가 타지에서 전낭을 잃어버렸다는데, 은전 열 냥도 빌려주지 못한대서야 말이 되겠소?"

"아깐 갚지 말라면서요."

"갚지 마시오."

"대신 객원표사가 되어주고요?"

"그래 주면 고맙고."

"그게 그거잖아요."

"풍운표검 설인탁이라는 사람을 아시오?"

"절정의 고수인 데다 사대명표 중 한 명으로 알고 있어요. 제가 무림맹에 있을 당시 맹에서 의뢰한 일을 하기 위해 온 것도 여러 번 봤고요."

"그도 입찰에 참여할 것이오. 나는 그와 함께 정정당당하게 한번 경쟁해 보고 싶소. 내게는 다시 오기 힘든 기회가 될 것이오."

"귀하가 명표와 경쟁할 일은 없을 거예요."

"물론 배우는 자세로 임할 거요."

"그게 아니라. 명표와 그가 이끄는 유성표국은 내일 입찰에 참여하지 않아요. 그래도 표행에는 무조건 함께하겠지만."

"어째서?"

"그는 초빙된 사람이니까요."

"아!"

곰곰이 생각해 보니 너무나 당연한 일이다. 명표는 이미 수백 차례의 표행을 통해 그 실력이 증명된 사람. 구태여 무림맹에서 그를 시험할 필요도 없고 할 수도 없다. 표행에 관한 한 오히려 그의 지혜를 빌려야 할 형편이다.

"더욱 잘됐군. 반드시 입찰에 성공해 명표와 함께 표행을 해야겠소. 분명 많은 걸 배울 수 있을 것이오."

"남은 자리는 두 개에 불과해요."

"하나라도 입찰에 참여할 것이오."

"유명한 표국에서 난다 긴다 하는 표사들을 데리고 왔을 거예요. 그들과의 경쟁에서 무슨 수로 이기려고요?"

"소저는 어떻게 그런 사정을 다 아시오?"

"용봉지회의 후기지수들 일부가 호송단으로 참여한다고 들었어요. 그들이 이야기해 줬고요."

"용봉지회의 후기지수들이라 하면?"

"황보중악, 악도광, 두소부, 양조광, 당군백까지지요."

"그렇군."

"계획은 있나요?"

"고수는 차고 넘치니 무공을 보진 않을 것이고, 결국 표사로서의 역량과 경력을 살피겠지. 밤새 철저히 준비를 할 것이오. 한데 첫 번째 문제는 역시 표사의 숫자요."

"그렇게 명표와 함께 일해보고 싶어요?"

"무림초출의 젊은 검사가 천하십검 중 한 명과 함께 여행할 기회가 생겼다면 어떨 것 같소? 거기다 거액의 돈까지 벌고."

남궁소소는 한동안 나를 뚫어지게 바라보더니 말했다.

"돈보다는 명성이에요. 무림맹에서 수십 명의 고수를 동원한 것으로도 모자라 명표까지 고용한 호송 건에 동참했다는 명성. 모두 그걸 노리고 온 거라고요."

"알고 있소."

"심사는 총군사님이 직접 보시되 명표께서 동석하시어 보조해 드리는 형식으로 진행될 거예요. 우리는 총군사님의 눈에도 들어야 하지만, 동시에 명표의 마음도 사로잡아야 해요. 자신 있어요?"

"우리?"

"객원표사가 되어줄게요."

"정말이오?"

"대신 열 냥을 더 줘요."

"알겠소!"

"금전으로요."

"뭐요?"

"싫으면 없던 일로 하고요."

"금전 열 냥은 인간적으로 너무 큰 액수요. 은전 스무 냥으로 주겠소."

"듣자 하니 이번 호송 건으로 재미 좀 보셨다면서요? 참고로 지난번 귀하의 집무실에서 우리가 한 계약에 따라 그 돈의 일 푼은 제 몫이라는 걸 잊지 않았으면 좋겠네요."

"금전 두 냥도 함께 달라는 거요?"

"금전을 이백 냥이나 받았다고요?"

남궁소소의 눈이 갑자기 동그래졌다.

"알고 물어본 것 아니었소?"

"전 이미 외부인이에요. 그런 건 물어봐서도 안 되고, 가르쳐 주어서도 안 된다고요. 맙소사. 금전 이백 냥이라니. 달랑 칼 한 자루 들고 정말 돈을 잘 버시네요. 나중에 처자식 굶길 일은 없겠어요."

한순간 방심했다. 당연히 두소부가 얘기했을 거라 생각했다.

나한테 제대로 한 방 먹였다고 생각해선지, 아니면 금전 두 냥이 갑자기 생겨나서 그런지 남궁소소는 아주 싱글벙글이었다.

"금전 다섯 냥. 그 이상은 안 되오!"

"그러죠. 뭐."

"처음부터 다섯 냥이 목표였군."

"오늘은 유난히 상대가 안 되네요. 마음이 급해서 그런가?"

"나도 어느 정도는 각오했소."

"어차피 나갈 돈이니까 그렇게 말하는 거 다 알아요. 그리고 한 가지 더."

"또 뭐요?"

"표행을 하는 동안 당군백이랑 나란히 앉아 술을 마시거나 밥을 먹지 않도록 주의해 주세요. 나중에 그녀랑 사귈 게 아니라면."

"갑자기 그게 무슨 말이오?"

"군백은 내가 아끼는 후배예요. 그녀가 귀하에게 아주 약간 호감이 있는 것 같은데, 만약 감정을 키웠다가 상처라도 받는다면 나는 귀하를 다시는 보지 않을 거예요."

"당 소저가 나를 좋아한다고?"

"앞서 나가지 마세요. 군백이 워낙 순수한 데다 아직 어려서 생사를 함께한 동료들 사이에 생기는 전우애를 이성적인 감정으로 착각한 거니까. 용봉지회에 파견된 어린 후기지수들이 흔히 겪는 감정의 관문이죠. 저도 그랬고요."

"혹시 그 대상이 황보중악이었소?"

"그런 사람이 있어요."

"사귄 거 맞네."

"아니라고요!"

남궁소소는 한순간 빽! 하고 언성을 높이더니 다시 목소리를 가다듬고 말했다.

"아무튼 당군백이 겪고 있는 건 일종의 통과 의례 같은 거예요. 괜한 기대를 갖게 하지 않았으면 좋겠어요. 눈치 없이 아는 척도 말고요."

"무슨 말인지 이해했소."

"혹시, 군백을 좋아하는 건 아니죠?"

"전혀 아니오."

"그럼 됐고요."

사람들이 표왕의 네 아들을 사형제라 묶어 부르지만, 정실부인에게서 태어난 세 명과 나 사이에는 엄연한 신분의 벽이 존재한다. 설사 당군백이 나를 좋아해도 사천당문에서 시녀와의 사이에서 낳은 서자를 사위로 맞을 리가 없다. 그건 당문의 체면을 크게 깎는 일이다. 사천당문뿐만 아니라 내로라하는 무림세가에서는 모두 그럴 것이다. 나는 되지도 않을 일에 심력을 소모하고 싶은 생각이 없었다. 사실 여자는 관심도 없었고.

그래도 기분은 좋았다. 전생에선 50년을 살면서 젊은 여자라고는 물건을 살 때 외에는 말도 몇 번 못 붙여보았다. 한데 지금은 살짝 좋아해 주는 여자도 있단다. 그것도 엄청 귀엽고 예쁜 스물한 살짜리가. 역시 남자도 인물이 좋아야 한다.

"그나저나 나머지 한 명은 어디서 구하죠?"

"이미 구했소."

"혹시 아까 그 사람?"

"호리독사라고, 한때 삼룡채라는 수채에 몸담았던 친구요. 지금은 손을 깨끗이 씻었고. 백발노성을 호송해 올 때도 함께했소."

"흑도가 한 명 있었다는 얘기는 들었어요."

"일단 소저는 저기 보이는 객점에 가서 기다리시오. 오늘 밤은 객점에서 지새워야 할 것 같소."

"알았어요."

남궁소소가 사라지자 휘파람을 불었다. 그러자 저만치 골목 모퉁이에서 호리독사가 슬그머니 모습을 드러냈다. 나는 다짜고짜 손부터 내밀었다.

"예?"

"달라고."

호리독사는 잠시 한숨을 쉬더니 가죽 전낭 하나를 내밀었다. 한데 어쩐 일인지 전낭이 뒤집혀 있었다.

"왜 뒤집어놓은 거요?"

"사람들은 손때 묻은 자신의 전낭을 멀리서도 알아보지요. 이렇게 하면 혹시 우연히 제가 꺼내는 것 보았더라도 알아차리지 못합니다."

"치밀하구려."

"전문 분야니까요."

"일곱 냥밖에 안 남았는데."

"술값으로도 썼고, 이따 밤에 여자를 한 명 불러달라고 했는데 선불이라고 해서…… 죄송합니다. 공자님께서 아는 분일 줄은 꿈에도 몰랐습니다."

"일부러 꿍쳐둔 건 아니고?"

"아, 아닙니다."

"대체 남의 품속에 있는 전낭은 어떻게 빼내는 거요? 그것도 무림 고수의 품속……. 설마 가슴에 손을 넣은 건 아니겠지?"

나는 한순간 심장이 철렁 내려앉으면서 호리독사의 손모가지를 잘라 버리고 싶은 충동을 느꼈다.

"품속에 있는 전낭을 빼내는 데는 모두 일곱 가지의 기술이 있습니다. 하지만 아까 그 소저는 전낭을 품속에 넣어두지 않았습니다."

"하면?"

"허리춤에 있었지요."

"허리춤?"

"사람들은 전낭에 든 것이 많으면 허리춤에 차려는 경향이 있습니다. 특히 여자들의 경우 품속에 넣어두면 가슴의 맵시가 망가지기 때문이죠. 멋 내기를 좋아하는 남자들도 마찬가지고요."

"그래서?"

"품속에 있는 돈을 빼내는 게 나무 꼭대기에 올라가 감을 따는 것이라면, 허리춤에 매달린 전낭을 가로채는 건 길 가다 담장 밖으로 나온 가지에서 감을 따 먹는 것과 비슷합니다. 더 자세한 건 사문의 비기이기 때문에 말씀드릴 수 없고요."

"도로 가져가시오."

나는 전낭을 돌려주었다. 호리독사가 엉겁결에 전낭을 받아들고는 눈이 동그래져서 물었다.

"왜요?"

"이걸 돌려주면 어디서 났냐고 물을 것이고, 그럼 당신에게서 빼앗았다고 말할 수밖에 없소. 하면 십중팔구 당신은 당신이 모시던 삼룡채의 채주처럼 손모가지를 잘릴 것이오. 참고로 그녀는 뇌검의 손녀요."

"예에?"

"들키지 않도록 조심하시오."

"감사합니다. 공자님."

"대신 객원표사비는 없소."

"이를 말씀입니까."

"그리고 한 가지 더. 내가 백발노성에게 금전 천 냥을 받기로 했다는 걸 누구에게도 말해선 안 되오."

“특히 뇌검의 손녀분께 말씀이지요?”

“눈치가 빠르군.”

“원래 이 업종이 손보다는 눈치가 빨라야 하죠.”

입찰은 접객당의 넓은 마당에서 공개적으로 펼쳐졌다. 말이 마당이지 실제로는 작은 광장을 방불케 했다.

참석한 표국은 무려 서른다섯 곳이나 되었다. 그들은 모두 대나무 끝에 매단 각자의 표기 아래에 모여 총군사와 명표가 나타나길 기다렸다.

이미 낙점이 된 유성표국을 제외하면 표사들은 약속이라도 한 것처럼 딱 열 명씩이었다. 알고 보니 최대 열 명까지라는 제한이 있었단다.

표사들은 척 보아도 10년 이상 경력의 중년들이었다. 옷차림은 말할 것도 없고, 칼 한 자루 허리에 묶는 매듭에서도 노련함이 느껴졌다. 그에 반해 천룡표국의 작은 삼각 깃발 아래 모인 표사는 나를 포함해 고작 세 명이었다. 거기다 모두 20대였다. 그중에서도 나는 겨우 스물두 살의 무림초출이었고.

공개 입찰이었던 탓에 주변엔 무림맹의 무사들이 잔뜩 몰려와서 구경을 했다. 그들 중에는 용봉지회의 후기지수들도 있었다.

수군거리는 소리가 끝도 없이 들렸다.

“고작 세 명이서 뭘 하겠다는 거지?”

“백발노성 호송 건을 성공하더니 분수를 모르는군.”

"백발노성을 호송한 친구라면 확실히 실력은 입증한 거 아닌가? 듣자 하니 저 친구 덕분에 위험한 고비를 여러 번 넘겼다고 하던데."

"여기 모인 표사들 중에 실력 없는 사람이 누가 있으려고. 백발노성 호송 건 정도의 경험을 다른 표사들은 수십 차례씩 가지고 있을걸."

"그나저나 남궁소소는 저기 왜 끼어 있는 거야?"

수군거리는 건 무림맹의 무사들뿐만이 아니었다. 함께 앉아 있는 다른 표국의 경쟁자들이야말로 히죽히죽 웃으면서 노골적인 조소를 보냈다.

"저 세 명은 뭐야?"

"천룡표국의 표사들이라는군."

"백발노성을 호송하고 왔다는 그 표국?"

"그렇다는군."

"함께 있는 젊은 미녀는 남궁소소라던데."

"그 유명한 남궁소소?"

"그렇다니까."

"그녀가 왜 저기 끼어 있는 거지?"

"객원표사라는 모양이야."

"뭐 하자는 거지?"

"덕분에 구경거리도 있고 좋지 뭘."

나는 사람들의 시선 따윈 눈곱만큼도 신경 쓰이지 않았다. 그건 이미 전생에서 30년 동안 지겹도록 겪었다. 그렇지만 나는 그렇다고 쳐도, 남궁소소가 이렇게 의연한 건 의외였다. 고작 스물네 살의 나이에 쉽지 않은 일일 텐데 말이다.

그녀가 신경 쓰는 건 오직 입찰에서 경쟁자들을 물리치고 낙점될 수 있을까 하는 것이었다.

"우리 잘할 수 있을까요?"

"밤새 준비했으니 잘할 거요."

"보란 듯이 낙점되면 좋겠어요."

"그러게 말이오."

"긴장돼서 안 되겠어요. 물 한 병 갖고 올게요."

그러면서 남궁소소는 벌떡 일어나 수군대는 인파 속으로 사라졌다. 둘만 남게 되자 나는 호리독사에게 모기만 한 소리로 속삭였다.

"노파심에서 미리 말해두는데, 무림맹에서는 절대 무언가를 훔쳐선 안 되오. 만약 그랬다간 가만두지 않을 것이오. 내 말 명심하시오."

"저기……."

"왜 그러시오?"

"이미 훔친 건 어떻게 되는 겁니까?"

"이런 미친!"

나도 모르게 목소리가 살짝 커졌다. 끓어오르는 화를 가까스로 누르고는 다시 목구멍을 쥐어짰다.

"이번엔 또 뭘!"

"전낭입니다."

"무림맹 안에서 전낭을 훔치다니 제정신이오?"

"저도 훔칠 생각까진 없었습니다. 하지만 그 공자들이 사람을 너무

업신여겨서 그만 '욱!' 하는 마음에. 죄송합니다."

"무슨 소리요?"

"조금 전 뒷간을 다녀오는 길에 어제 객점에서 남궁 소저와 함께 술을 마시던 그 후기지수들을 만났지 뭐겠습니까?"

"그런데."

"그들이 저를 알아보고는 뒤통수에다 대고 하다 하다 이제는 흑도 놈들까지 무림맹을 들락거린다고 하면서 땅바닥에 침을 퉤 뱉더라고요."

황보중악 일당을 만났나 보다. 호리독사가 나와 함께 있으니 들으라고 일부러 시비를 건 것이고. 그래도 도둑놈이라고 하지 않은 걸 보면 두소부, 양조광, 당군백이 호리독사의 진짜 내력까진 말하지 않은 모양이었다.

"휴우, 그래서 전낭엔 얼마나 들었소?"

"대중없습니다. 은전 열 냥짜리도 있고, 닷 냥짜리도 있고, 금전이랑 은전이 같이 든 것도 있고요."

"하나가 아니었소?"

"다섯 개 훔쳤습니다."

"이런 쳐 죽일!"

하마터면 호리독사를 넘어뜨리고 올라탄 다음 목을 조를 뻔했다. 물건을 지켜줄 사람 뽑는 자리에 와서 되려 물건을 훔치다니 이런 천하에 얼빠진 놈이 있나.

그때 명표 설인탁과 총군사 사마옥이 장내로 들어섰다. 앉아 있던 모든 표국의 표사들이 존경의 의미로 일제히 일어나 두 사람을 맞았다.

나는 서둘러 호리독사에게 속삭였다.

"잘 숨기시오. 들키는 날엔 끝장이니까."

"그건 염려 마십시오."

"무림맹을 돕고자 이렇게 많은 표국의 형제들께서 달려와 주신 것에 대해 깊이 감사드리는 바입니다. 이번 의뢰의 보수는 금전 백 냥으로 책정되었으며……."

군사부 소속 위맹관이라는 사람의 입에서 금전 백 냥이라는 말에 나왔을 때 나와 호리독사는 군침을 꼴깍 삼켰다. 물론 백발노성의 호송 건에 비하면 절반밖에 안 되는 액수였다. 그러나 호송의 주체가 무림맹이고, 표국은 경험만 빌려주는 조건이고 보면 엄청난 금액이었다.

예를 들어 호송하는 물건을 잃어버려도 표국은 다른 표행들과 달리 두 배로 배상해 줄 필요가 없다. 만에 하나 약탈자들이 나타나 싸움이 벌어져도 무림맹의 고수들이 알아서 해결하고 표사들은 조력자로서 동참할 뿐이다. 한마디로 이건 내가 남궁소소나 호리독사와 같은 표사 열 명을 고용하면서 모두 합쳐 금전 백 냥을 객원표사비로 주는 것과 같다.

"첫 번째 관문은 객관적인 지표를 통해 정확한 경력을 살피는 것입니다. 미리 말씀드리건대, 조금이라도 거짓이 있다면 그 즉시 탈락함은 물론 향후 무림맹과는 그 어떤 일도 같이할 수 없을 것입니다."

장내가 대충 정리되자 본격적인 입찰이 시작되었다.

사실 표비가 금전 백 냥으로 정해진 상태에서 각 표국의 역량을 살피는 것이니 입찰이라기보다는 심사라는 표현이 더 적절했다.

"왼쪽 첫 번째 줄에 앉은 표국의 책임자께서는 자리에서 일어나 본인과 참여할 표사들을 소개해 주시겠습니까?"

위맹관의 지명에 광장의 가장 왼쪽 줄 하고도 앞쪽에 있던 사내가 일어났다. 흡사 곰을 연상시키는 체구에 작두를 둘러멘 삼십 대 후반의 중년인이었다.

"금안표국의 표두 여불강이라고 합니다. 경력은 15년이고 호위와 호송을 전문으로 했습니다. 함께 온 열 명은 저와 10년 이상 일해온 표사들로……."

개작두 여불강! 성질이 어찌나 포악한지 표물을 노리고 온 도적들이 멀리서 저 작두만 보면 알아서 피한다는 유명 표사였다.

"이력서를 보면 아시겠지만, 저는 지금까지 199회의 크고 작은 표행 경험이 있습니다. 무림맹의 호송 건으로 200번째를 채우고 싶어 이렇게 찾아왔습니다. 제가 한 대표적인 표행으로는……."

"199회의 표행 중 몇 번이나 실패했소이까?"

불쑥 질문을 한 사람은 사마옥이었다.

그렇다. 표행을 몇 번을 했는지보다 더 중요한 게 몇 번이나 성공했는가였다. 대표적인 표행이야 이미 앞서 제출한 이력서에 다 적혀 있는 것이고.

"17회의 실패 경험이 있습니다."

"표행 중 싸움이 일어난 경우는?"

"120회 정도 됩니다."

"표사들은 표행을 꼼꼼히 집계한다고 들었소만."

"직접 칼을 부딪친 경우는 126회입니다."

"저거 안 좋은 거 맞죠?"

"싸움이 일어난 횟수가 너무 많소."

"다른 표사들과 비교하면 어느 정도일까요?"

"한 배 반 정도 더 많을 거요?"

"위험한 의뢰만 맡아서 그런 것 같진 않은데."

"융통성이 없는 거요. 성질도 고약하고."

"그래도 호송 경험이 199회라니, 어마어마하네요. 그중 126회나 칼부림을 벌였는데도 불구하고 지금까지 살아 있는 것도 대단하고요."

"더 무서운 건 그런 와중에도 실패가 고작 17회밖에 없다는 것이오."

"융통성 없고 성질도 고약하지만, 실력 하나는 확실하다는 뜻이군요. 첫 번째 경쟁자부터 장난 아니네요."

두 번째 인물이 일어났다. 깨진 유리 조각처럼 날카로운 눈을 가진 중년인이었는데, 두 뼘 길이의 단도 여덟 자루를 특수 제작한 가죽 요대에 가지런히 차고 있었다.

"철마표국의 표두 장지평입니다. 경력은 17년이고, 모든 종류의 표행에 두루 경험이 있습니다. 함께 온 열 명 역시 10년 이상의 경력자들이며……."

팔비도 장지평. 역시 직접 본 적은 없지만 그 명성은 익히 들었다. 아마 나머지 표사들 역시 비슷할 것이다.

"이력서에 적힌 대로 지금까지 223회의 크고 작은 표행 경험이 있습니다. 그중 절반가량이 여러 전장(錢莊)에서 의뢰한 은전을 운송하는 것이었습니다."

"223회 중 실패를 한 횟수는?"

"11회입니다."

"표행 중 칼부림이 일어난 경우는?"

"73회입니다."

전장의 은전은 비적들이 가장 많이 꼬이는 표물 중 하나였다. 그 운송 경험을 강조하는 것은 매우 좋은 작전이었다. 게다가 지표 역시 첫 번째 표국보다 훨씬 좋았다. 특히 싸움이 일어난 횟수가 놀라웠다. 223회 중 절반가량이 은전 운송이었다면 비적들이 꼬여서라도 첫 번째 표국보다 높은 비율로 칼부림이 일어났어야 한다.

한데 오히려 그 반대였다. 그만큼 비적들을 피해 은밀히 혹은 빠르게 운송을 했다는 뜻이 된다. 이는 팔비도의 치밀함과 통찰력을 잘 보여주는 지표였다.

이후로도 계속해서 표국들의 소개가 이어졌다. 검향표국, 비마표국, 사해표국, 삼원표국, 천리표국, 화양표국, 화정표국, 만수표국, 방림표국 등등. 각양각색의 표국에서 온 사람들이 각자의 지표들을 내놓았다.

표사들은 하나같이 10년 이상의 경력자들이었으며, 이들을 이끌고 온 수장은 15년 이상의 표두급이었다. 지표 역시 놀라워서 대부분 200회 안팎의 경험에 실패는 1할 미만이었으며, 각자 내세울 만한 장기가 한 가지씩은 있었다.

어떤 곳은 녹림맹 산하 산채들과의 특별한 친분을 말했으며, 어떤 곳은 복우산·진령산맥·대별산맥 등 하남성 주변 거대 산맥들의 지리에 밝음을 내세웠다. 물길에 밝음을 강조하는 곳도 있었고, 특이하게 표사들 중 20년 경력의 엽사 출신이 있어 척후를 살피는 일 하나만큼은 최고임을 자부하는 곳도 있었다. 장기들도 장기들이지만 경력, 명성, 지표가 다들 너무나 대단해서 어느 곳을 뽑아도 충분히 제 몫을 다할 것 같았다.

그리고 마침내 스물한 번째가 되었다. 바로 우리의 앞 차례였고 이들과는 어제 낮에 이미 한번 만났었다. 비록 내가 일방적으로 구경을 하는 입장이었지만.

"용문표국에서 온 표두 엽천문입니다. 경력은 20년이고, 10년 전부터는 귀중품을 호송하는 일만 전문으로 했습니다. 함께 온 표사들은 최소 10년 이상의 경력자들로 모두 제가 직접 가르쳤습니다."

건장한 체구에 한쪽 눈을 안대로 가린 장년인의 말이었다. 흡사 상처 입은 범을 연상케 하는 용모 때문에 진작부터 사람들의 시선을 끌었던 자였다. 그가 자신을 소개하자 표사들 사이에서 나직한 탄성이 쏟아져 나왔다. 반응만 보면 지금까지 나온 사람들 중 가장 유명한 자인 것 같은데, 나로서는 처음 들어보는 이름이었다.

전생에서 내가 막 쟁자수 일을 시작할 당시 이들은 대부분 전성기를 보내던 표사들이었다. 따라서 내가 별호를 기억하는 이들은 10년 후에도 여전히 활동하는 표사들이었다. 지금은 유명한 표사인데도 불구하고 내가 별호를 모른다면, 어떤 이유로든 그가 수년 이내로 더는 표사 일을 하지 않았을 가능성이 컸다. 이런 경우 십중팔구는 죽은 것이다.

"지금까지 297회의 표행을 했고 싸움은 너무 많은 데다 일일이 기록을 한 적이 없어 모르겠습니다. 다만 실패를 한 횟수는 3회입니다."

"와아아!"

그야말로 압도적인 지표에 구경을 하고 있던 수백여 명의 무림맹 무사들이 감탄성을 쏟아냈다.

"굉장하군요."

"혹시 아는 인물이오?"

"그걸 저한테 물어보면 어떡해요."

"나라고 강호의 표사들을 다 알 수는 없소."

"하긴 아직까진 무림초출에 신인 표사니까."

"분위기를 보면 유명한 사람 같소만."

"강호인들이 명표라는 칭호를 네 명이 아니라 열 명에게 붙여준다면 꼭 들어갈 사람이라고 하더군요. 활과 칼을 귀신처럼 다루어서 전궁도(電弓刀)라 불리고요. 하필이면 우리 앞사람이 용문표국의 전궁도 엽천문이라니."

지금까지 나온 사람들을 모두 압살해 버리는 지표임에도 불구하고 사마옥은 앞선 표사들을 대할 때처럼 담담했다. 그가 위맹관을 향해 고개를 끄덕였다. 다음 사람을 지명하라는 뜻이었다.

그때 엽천문의 입에서 놀라운 말이 흘러나왔다.

"저희는 암표(暗鏢)의 경험이 50회 이상입니다."

순간, 입찰에 참여한 표사들이 크게 웅성거리기 시작했다. 반면, 암표의 의미를 아는 이가 적은 무림맹의 구경꾼들에게서는 두어 박자 늦게 웅성거림이 시작되었다.

"암표가 뭐죠?"

"표물이 무엇인지 묻지 않고 호송하는 것이오. 처음 의뢰를 받은 장궤는 물론이고 표행을 책임진 표두까지 전부."

"도대체 어떤 걸 운송하기에?"

"고위 관리나 그들의 부인에게 바치는 땅문서·뇌물·금붙이 등에서부터 나라에서 유통을 금한 소금·철·아편·위폐 등 다양하오."

"부르는 게 값이겠군요."

"그리고 위험하지."

"어째서죠?"

"암표는 표물을 잃어버려도 찾는 사람이 없소. 찾을 수가 없지. 그걸 찾으려다 훔쳐 간 놈들이 세상에 알려 버리기라도 하면 큰일 나니까. 해서 표물만 전문으로 노리는 비적들은 암표를 두고 임자가 없는 물건이라고들 하오."

"전궁도가 저 얘길한 이유를 알겠군요."

남궁소소의 말처럼 엽천문의 한마디는 사마옥과 설인탁의 관심을 끄는 데 성공했다. 특히 설인탁의 관심을 끌었다.

그가 물었다.

"암표에 실패한 적도 있소?"

"없습니다."

"싸움이 일어난 적은?"

"5할 이상입니다."

"표물을 노리고 온 자들을 살인멸구한 적은?"

"있습니다."

“경험을 물은 것이 아니오.”

“……!”

“곤란하다면 대답하지 않아도 좋소.”

“10회 이상입니다.”

“아아…….”

무림맹의 무사들과 장내에 대기 중인 표사들 모두에게서 동시에 흘러나온 탄성이었다.

저들 열 명이 함께 표행을 했으니 암표를 노리고 온 자들의 숫자는 최소한 저들과 비슷하거나 더 많을 것이다. 그걸 열 번이나 살인멸구했다면 암표를 하는 중에만 백여 명 이상을 죽였다는 뜻이 된다. 이 정도면 거의 살인마들 수준이다.

하지만 용납이 된다. 죽은 자들은 남의 물건을 빼앗으러 온 흉악한 비적들이고, 표사란 본래가 칼로 표물을 지키며 먹고 사는 직업이니까.

질문을 끝낸 설인탁이 사마옥과 전음을 나누었다. 설인탁이 이렇게 길게 질문을 한 것도, 질문이 끝난 후 사마옥과 대화를 나누는 것도 처음 있는 일이었다.

“저건 좋은 거예요? 나쁜 거예요?”

“지금은 유리할 거요.”

“사선을 더 많이 넘나들었다는 뜻이기 때문이겠죠?”

“표물을 지키기 위해, 그리고 비밀을 지키기 위해 수단과 방법을 가리지 않았다는 뜻도 되고.”

“딱 지금 맹에서 필요로 하는 덕목이군요.”

"만만치 않은 상대가 등장한 것 같소."

"그 정도가 아닌 것 같은데요."

계속